COLEÇÃO AS FONTES

1. ÁGUAS DE SILOÉ — Thomas Merton
2. ASCENSÃO PARA A VERDADE — Thomas Merton
3. EREMITAS DO SACCIDANANDA — J. Monchanin, S. A. M. e D. Henri Le Saux, O. S. B.
4. ESPIRITUALIDADE — A. D. Sertillanges, O. P.
5. JESUS — Jean Guiton
6. RECOLHIMENTO — A. D. Sertillanges, O. P.
7. ESPIRITUALIDADE, CONTEMPLAÇÃO E PAZ — Thomas Merton
8. A MONTANHA DOS SETE PATAMARES — Thomas Merton
9. DA IMITAÇÃO DE CRISTO — Tomás de Kempis
10. HISTÓRIA DE UMA ALMA — Santa Teresinha do Menino Jesus

DA IMITAÇÃO DE CRISTO

COLEÇÃO AS FONTES

VOL. 9

Tradução em verso dos
Quatro Livros por
Afonso Celso

EDITORA ITATIAIA
BELO HORIZONTE
Rua São Geraldo, 53 — Floresta — Cep. 30150-070
Tel.: 3212-4600 — Fax: 3224-5151
e-mail: vilaricaeditora@uol.com.br
www.villarica.com.br

TOMÁS DE KEMPIS

DA IMITAÇÃO
DE CRISTO

EDITORA ITATIAIA
Belo Horizonte

2004

Direitos de Propriedade Literária adquiridos pela
EDITORA ITATIAIA
Belo Horizontes

Impresso no Brasil
Printed in Brazil

APROVAÇÃO

do

Exmo. e Rev^{mo}. Sr. D. Francisco

BISPO DE PETRÓPOLIS

BISPADO DE PETRÓPOLIS

Residência Episcopal de Petrópolis,
20 de janeiro de 1900

De boa vontade concedemos a nossa aprovação à tradução em verso do livro terceiro e do livro quarto da *Imitação de Cristo*, que o ilutrado Dr. Affonso Celso de Assis Figueiredo nos apresentou para examinar e quer publicar em um só volume como o primeiro e segundo livros por Nós aprovados em 1898. Achamos que a versão destes dois derradeiros livros corresponde exuberantemente ao primor da dos precedentes, e esperamos que uma edição de todos os quatro livros em um tomo satisfaça à verdadeira piedade, que se instrui na doutrina e nos conselhos de Nosso Senhor Jesus Cristo para amá-lo e imitá-lo. Abençoamos de coração este primoroso trabalho.

† FRANCISCO, *Bispo de Petrópolis*

APROVAÇÃO

do

Exmo. e Revmo. Sr. D. Antonio

BISPO DE S. PAULO

Residência Episcopal em São Pauto
27 de setembro de 1899

Exmo. Sr. Dr. Afonso Celso,

Grato pela oferta com que me honrou de um exemplar do seu precioso trabalho, tradução em verso do livro da *Imitação de Cristo,* tenho o prazer de enviar a V. Exa. com os meus agradecimentos a aprovação que pediu.

Nunca será supérflua a reprodução de uma obra que tem atravessado séculos, derramando por toda a parte inefáveis consolações. O livro da *Imitação de Cristo* de par com a santidade da doutrina e sabedoria dos conselhos contém o mais precioso bálsamo que se possa encontrar para todas as tribulações da vida. Nenhum outro, escrito pelos mestres da vida espiritual, o excedeu na linguagem persuasiva, e doce violência com que as almas arrebata, mostrando-lhes a inanidade das coisas terrenas, e procurando elevá-las à contemplação das divinas. Melhor não podia V. Exa. empregar uma parte do seu tempo e os dotes intelectuais que Deus com grande liberalidade lhe concedeu, do que reproduzindo em harmoniosos versos as máximas elevadas e sublimes pensamentos daquele incompiável livro, tendo por principal intuito, como confessa, a maior gloria de Deus e a santificação das almas.

APROVAÇÃO

Sirvam estas poucas palavras de animação ao seu generoso empenho, procurando sempre inspirar-se no ideal da suma perfeição e eterna beleza que só em Deus existe.

Com as minhas felicitações, queira V. Exa. receber minha Benção, e as expressões de minha estima e consideração.

De V. Exa. muito Hum. e Obte. servo

† ANTONIO, *Bispo de São Paulo*

APROVAÇÃO

do

Exmo. e Revmo. Sr. D. Silverio
BISPO DE MARIANA

D. Silverio Gomes Pimenta, por mercê de Deus e da S. Sé Apostólica, Bispo de Mariana, Prelado Domestico de S. S. o Papa Leão XIII, etc. etc.

Aprovamos a tradução em verso dos dois primeiros livros da *Imitação de Cristo* feita pelo Exmo. Sr. Dr. Affonso Celso de Assis Figueiredo, por estarmos informados que não contém coisa contra a doutrina católica. Sabendo pelo contrário que a lição desta obra pode ser de muito proveito as almas, com todas as veras a recomendamos aos fiéis desta diocese.

Mariana, 3 de Janeiro de 1899

† SILVERIO, *Bispo de Mariana*
Conego José S. Horta, *secretário*

APROVAÇÃO

do

Exmo. e Revmo. Sr. D. Eduardo

BISPO DE GOIÁS

Uberaba, 13 de Dezembro de 1899

Exmo. Sr. Dr. Afonso Celso,

Acabo de ler o volume da tradução em poesia que V. Exa. fez da *Imitação de Cristo*. Foi grande, não direi o arrojo, mas sim a tarefa empreendida por V. Excia, de traduzir em verso o inimitável livro. O próprio Corneille, esse admirável gênio, queixou-se ao Papa Alexandre VII, a quem dedicou a sua tradução, que no seu trabalho encontrara ingentes dificuldades. Certamente que V. Excia. um dos nossos mais belos talentos, não havia de encontrar menores do que o poeta francês, porém no meu humilde parecer as venceu mais facilmente.

O ilustre trágico francês fez da Imitação de Cristo uma esplêndida paráfrase, mais do que uma versão, e assim esquivou muitas dificuldades por ele mesmo apontadas, ao passo que V. Exa. cingiu-se ao rigor de uma pura tradução com as exigências do ritmo perfeitamente compatíveis. E não poucas vezes saiu triunfante dos embaraços da sua arduíssima tarefa, oferecendo-nos em versos harmoniosos e puros um retrato fiel das máximas, conceitos e pensamentos do mais belo entre os livros humanos. A fidelidade da tradução e a pureza do estilo aliando-se à integridade da sã doutrina e a unção sobrenatural de um coração de verdadeiro discípulo de Jesus Cristo, é quanto basta para darmos, com toda a satisfação de nossa alma reconhecida, a aprovação pedida.

Leia, leia muito a moderna geração o incomparável Livro da *Imitação de Cristo* para nele achar os confortos e as luzes de que tanto carece, e V. Exa. não demore em completar a sua tão gloriosa quão profícua obra pelos dois últimos livros, sobre os quais desde já imploramos as melhores bênçãos do Céu.

Queira V. Exa. receber as expressões de estima e consideração de quem é

De V. Exa. humilde servo e admirador
EDUARDO, Bispo de Goiás

APROVAÇÃO

do

Exmo. e Revmo. Sr. D. José Lourenço

BISPO DE AMAZONAS

Exmo. Sr. Dr. Affonso Celso,

Brindado com um exemplar da *Imitação de Cristo* tradução em verso feita por V. Exa. seja a minha primeira palavra a de cordial gratidão por se haver lembrado do mais obscuro dos seus companheiros das passadas lides parlamentares.

Tradução brasileira da *Imitação* — uma novidade, e em verso, maior e mais original ainda! Permita V. Exa. que enuncie ligeiramente as impressões que em meu espírito cunhou a leitura do mimoso livrinho. É realmente, um mimo! Mimo no externo pelo primor da impressão; mimo no interno pela valia suma da trasladação em verso.

Como são belas, doces, correntes, próprias para se gravarem na memória aquelas sentenças sublimes reduzidas ao metro com fina mas imperceptível arte! Como o coração e a alma se sentem bem, ao se reconhecerem, a se estudarem, a se corrigirem, perpassando versos tão formosos como espontâneos !

Mimo ainda no interno pelo admirável do *Prefácio*.

Não sei mesmo se é outra obra em miniatura, e se vale tanto, se não mais, para o mérito do autor, que o corpo do trabalho! Detive-me longamente na apreciação do vestíbulo do opúsculo. É difícil encontrar exame, instituído sobre a Imitação, mais substancioso e exato, compreensor de mais amplos horizontes e mais sóbrio de palavras.

Queira pois, V. Exa. de envolta com o agradecimento receber o meu ato de amplíssima admiração.

Se algo posso acrescentar ao que levo dito é interpor a minha aprovação episcopal afim de que o áureo livrinho tenha na Diocese do Amazonas a merecida divulgação.

Petrópolis, 15 de Agosto de 1898
Festa da gloriosa, Assunção da Virgem Maria

† JOSÉ LOURENÇO, *Bispo de Amazonas*

APROVAÇÃO

do

Exmo. e Revmo. Sr. Dr. D.
FRANCISCO DO REGO MAIA

BISPO DE PETRÓPOLIS

(PRIMEIRA EDIÇÃO)

Residência Episcopal em Petrópolis
3 de Maio de 1898

A pureza da doutrina e a celestial unção dos quatro livros espirituais escritos em latim sob o título — *De imitatione Christi* — só as pôde desconhecer quem ainda não leu com reflexão aquela inexcedível obra, justamente reputada a primeira escritura produzida por humana inteligência. Da sua excelência e preciosidade dão testemunho todas as línguas que se honram com reproduzi-la do seu original latino, e a nossa o dá em sinceras e castas versões em prosa. Faltava-lhe porém uma em versos, falta que com prazer agora vemos cabalmente reparada ~com o presente traslado que de correto texto latino para cadenciosos versos portugueses fez o Exmo. Sr. Dr. Afonso Celso de Assis Figueiredo, morador desta Cidade e Sede Episcopal de Petrópolis. Com satisfação, tomamos por Nós mesmo conhecimento desse interessante trabalho e o aprovamos porquanto não percebemos nele coisa contrária à Fé, à Moral e à sã doutrina da Santa Igreja Católica Apostólica Romana. Parece-nos até que aquela unção que sente a alma cristã ao ler as salutares sentenças da *Imitação de Cristo,* o tradutor também a passou para os seus versos com a substância e o peso do original.

Deus abençoe tão interessante trabalho que Recomendamos a nossa amada Diocese, fazendo votos para que não tardem o terceiro e quarto livros a completá-lo com a mesma inteireza com que saem os dois primeiros.

Residência Episcopal na Cidade de Petrópolis, 3 de Maio de 1898, Festa do descobrimento da Santa Cruz em Jerusalém e do da nossa Terra de Vera Cruz.

† FRANCISCO, *Bispo de Petrópolis.*

Vai aqui escrito o nome do

ILMO. REVMO E EXMO. SR. DR.

D. Francisco do Rego Maia

antigo Bispo de Petrópolis, atual Bispo do Pará, em sinal de alto apreço e de reconhecimento pela paciência e bondade com que S. Exa. Revma cotejou verso por verso esta tradução com o original latino, sugerindo úteis emendas e dando elevados conselhos.
Que Deus conserve e prospere o eminente prelado!

A. C
Villa Petiote, Petrópolis, 12/1/1903.

IMPRIMATUR

CONCEDIDO

PELO Exmo. E Rvmo. Sr. Dr. D. JOAQUIM
ARCOVERDE DE ALBUQUERQUE CAVALCANTI

Arcebispo do Rio de Janeiro

Concedemos de boa vontade o Imprimatur pedido e apresentamos ao ilustre autor desta tradução nossas cordiais felicitações com a benção pastoral.

Palácio da Conceição, 7 de Maio de 1898.

† JOAQUIM
Arcebispo do Rio de Janeiro.

ÍNDICE

PREFÁCIO
DA PRIMEIRA EDIÇÃO....... 25

LIVRO PRIMEIRO
Avisos Úteis para a Vida
Espiritual................. 33

Capítulo I
Da imitação de Cristo e
desprezo de todas as vaidades
do mundo 35

Capítulo II
Do humilde pensar de
si mesmo................. 39

Capítulo III
Da doutrina da verdade....... 42

Capítulo IV
Da circunspecção em proceder. 46

Capítulo V
Da lição das santas escrituras.. 48

Capítulo VI
Das afeições desordenadas 50

Capítulo VII
Como se deve fugir à vã
esperança e presunção 52

Capítulo VIII
Como se há de aceitar a nímia
familiaridade............... 54

Capítulo IX
Da obediência e sujeição 56

Capítulo X
Como se deve evitar a
superfluidade de palavras..... 58

Capítulo XI
Como se há de adquirir a paz,
e do zelo em aproveitar 61

Capítulo XII
Da utilidade da adversidade ... 65

Capítulo XIII
Como se há de resistir
às tentações................ 67

Capítulo XIV
Como se deve evitar o juízo
temerário................... 75

Capítulo XV
Das obras feitas com caridade.. 78

Capítulo XVI
Do sofrer os defeitos
dos outros 81

Capítulo XVII
Da vida monástica 84

Capítulo XVIII
Dos exemplos dos
santos Padres 86

Capítulo XIX
Dos exercícios do
bom Religioso 90

Capítulo XX
Do amor à solidão e
ao silêncio 94

Capítulo XXI
Da compunção do coração.... 101

19

DA IMITAÇÃO DE CRISTO

Capítulo XXII
Da consideração da miséria
humana 106

Capítulo XXIII
Da meditação da morte 111

Capítulo XXIV
Do julgamento e das penas
dos pecadores 118

Capítulo XXV
Da fervorosa emenda de toda
nossa vida 126

LIVRO SEGUNDO

*Avisos — Conducentes ao
Progresso na Vida Interior* 135

Capítulo I
Da conversação Interior 137

Capítulo II
Da humilde submissão 142

Capítulo III
Do homem bom e pacífico 144

Capítulo IV
Da mente pura e da intenção
simples 147

Capítulo V
Da consideração de si mesmo . 150

Capítulo VI
Da alegria da boa consciência . 153

Capítulo VII
Do amor de Jesus sobre
todas as coisas 157

Capítulo VIII
Da familiar amizade com
Jesus.................. 160

Capítulo IX
Da privação de toda
consolação.............. 165

Capítulo X
Da gratidão à graça de Deus .. 171

Capítulo XI
Quão poucos são os que
amam a cruz de Jesus 175

Capítulo XII
Da estrada real da santa cruz . 179

LIVRO TERCEIRO

da Interna Consolação 191

Capítulo I
Da fala interior de Cristo
à alma fiel 193

Capítulo II
Que a verdade fala dentro de
nós sem estrépito de palavras . 195

Capítulo III
Como as palavras de Deus
devem ser ouvidas com
humildade e como muitos
não as ponderam.......... 197

Capítulo IV
Que devemos de andar
perante Deus em Verdade e
humildade 202

Capítulo V
Do admirável efeito do
amor divino 208

Capítulo VI
Da prova do verdadeiro
amador 213

Capítulo VII
Como se há de ocultar a graça
sob a guarda da humildade ... 217

Capítulo VIII
Da vil estima de si próprio
ante os olhos de Deus 223

Capítulo IX
Que tudo se deve de referir
a Deus como ao fim último ... 226

ÍNDICE 21

Capítulo X
Como, desprezando o mundo
é doce servir a Deus 229

Capítulo XI
Como devemos examinar e
moderar os desejos do
coração 233

Capítulo XII
Da informação da
paciência, luta contra as
concupiscências 236

Capítulo XIII
Da obediência do humilde
subalterno, a exemplo de
Jesus Cristo 240

Capítulo XIV
Que se devem de considerar
os ocultos juízos de Deus
para não nos desvanecermos
no bem 243

Capítulo XV
Como se deve estar, e de dizer
em tudo quanto se viu 246

Capítulo XVI
Que só em Deus se há de
buscar a verdadeira
consolação 250

Capítulo XVII
Que toda a solicitude deve ser
posta em Deus 253

Capítulo XVIII
Como, por exemplo de Cristo,
se hão de sofrer com igual-
dade de ânimo as misérias
temporais 256

Capítulo XIX
Da tolerância das injúrias, e
quem é provado verdadeiro
paciente 259

Capítulo XX
Da confissão da própria
fraqueza, e das misérias
desta vida 263

Capítulo XXI
Que se deve repousar em
Deus sobre todos os bens
e dons 267

Capítulo XXII
Da recordação dos inume-
ráveis benefícios de Deus 273

Capítulo XXIII
De quatro coisas que impor-
tam grande paz 277

Capítulo XXIV
Como se deve evitar a curiosa
inquirição da vida alheia 282

Capítulo XXV
Em que consiste a firme paz
do coração e o verdadeiro
aproveitamento 284

Capítulo XXVI
Da excelência da mente livre
que mais merece por súplice
oração que por muita leitura . . 288

Capítulo XXVII
Como o amor-próprio afasta
no máximo grau do
sumo bem 292

Capítulo XXVIII
Contra as línguas
maldizentes 297

Capítulo XXIX
Como durante a tribulação
devemos de invocar a Deus,
e bendizê-lo 299

Capítulo XXX
Que se há de pedir o auxílio
divino, e confiar para
recuperar a graça 301

Capítulo XXXI
Do desprezo de toda criatura,
para que se possa achar
o Criador 305

22 DA IMITAÇÃO DE CRISTO

Capítulo XXXII
Da abnegação de si mesmo e
abdicação de toda cobiça 309

Capítulo XXXIII
Da instabilidade de coração e
que a Intenção final se há de
dirigir a Deus 312

Capítulo XXXIV
Como Deus é saboroso em
tudo e sobretudo a quem
o ama 314

Capítulo XXXV
Como nesta vida não há
segurança contra a tentação . . 318

Capítulo XXXVI
Contra os vãos juízos
dos homens 321

Capítulo XXXVII
Da pura e inteira resignação
de si, para obter liberdade do
coração 325

Capítulo XXXVIII
Do bom regime das coisas
exteriores, e do recurso a
Deus nos perigos 328

Capítulo XXXIX
Que o homem não seja
importuno nos negócios. 331

Capítulo XL
Que o homem por si mesmo
nada tem de bom e de nada
se pode gloriar 333

Capítulo XLI
Do desprezo de toda a honra
temporal 337

Capítulo XLII
Como não se deve pôr nos
homens a paz 339

Capítulo XLIII
Contra a vã e secular ciência. . 341

Capítulo XLIV
Que se não deve de atrair a si
as coisas exteriores 344

Capítulo XLV
Que se não deve de crer a
todos e como é fácil o lapso de
palavras 346

Capítulo XLVI
Da confiança que se deve
ter em Deus quando se
nos levantam palavras
afrontosas 349

Capítulo XLVII
Que todas as coisas graves
de sofrer se devem de tolerar
pela vida eterna 353

Capítulo XLVIII
Do dia da eternidade, e das
angústias desta vida 356

Capítulo XLIX
Do desejo da vida eterna, e
quantos bens estão prome-
tidos aos que combatem 361

Capítulo L
Como o homem desolado se
deve de oferecer nas mãos de
Deus 367

Capítulo LI
Que se hão de praticar obras
humildes, pois só é insuficiente para as mais altas 372

Capítulo LII
Que o homem se não repute
digno de consolação, mas
antes de castigo 374

Capítulo LIII
Que a graça de Deus não se
comunica aos que gostam
das coisas terrenas 377

CAPITULO LIV
Dos diversos movimentos da
natureza e da graça 380

ÍNDICE

CAPÍTULO LV
Da corrupção da natureza e
da eficácia da graça divina. . . . 387

Capítulo LVI
Que devemos de abnegar a
nós mesmos, o imitar a Cristo
pela cruz 393

Capítulo LVII
Que o homem não se desa-
nime em demasia, quando
resvala em algumas faltas 397

Capítulo LVIII
Que não devemos de escrutar
as coisas mais altas e os
ocultos juízos de Deus 401

Capítulo LIX
Que só em Deus devemos de
firmar toda esperança e
confiança 408

LIVRO QUARTO

Do Sacramento 413

DO SACRAMENTO
Exortação devota para receber
a Sagrada Comunhão 415

Capítulo I
Com quanta reverência
cumpre receber Cristo 416

Capítulo II
Como no Sacramento se
mostra ao homem a grande
bondade, e a caridade de
Deus 425

Capítulo III
Da utilidade de comungar
muitas vezes 430

Capítulo IV
Como são prestados muitos
bens aos que devotamente
comungam 434

Capítulo V
Da dignidade do Sacramento,
e do estado de Sacerdote 440

Capítulo VI
Pergunta concernente
ao exercício antes da
Comunhão 443

Capítulo VII
Do exame da própria
Consciência e propósito
de emenda 445

Capítulo VIII
Da oblação de Cristo na
cruz e da própria resignação . . 451

Capítulo IX
Que devemos com tudo quanto
é nosso oferecer-nos a Deus,
e orar por todos 453

Capítulo X
Que facilmente não deve
ser deixada a Sagrada
Comunhão 459

Capítulo XI
Que o corpo de Cristo e a
sagrada Escritura são
maximamente necessários
à alma fiel 464

Capítulo XII
Que se deve preparar com
grande diligência para a
comunhão de Cristo. 470

Capítulo XIII
Que a alma devota deve
aspirar, de todo coração,
à união com Cristo no
Sacramento 473

Capítulo XIV
Do ardente desejo que têm
alguns devotos de receber
o corpo de Cristo 476

Capítulo XV
Que a graça da devoção se
adquire pela humildade
e abnegação de si mesmo 479

Capítulo XVI
Como devemos abrir
nossas necessidades
a Cristo e pedir sua graça 482

Capítulo XVII
Do ardente amor e veemente
afeto de receber Cristo....... 485

Capítulo XVIII
Não seja o homem um curioso
escrutador do Sacramento,
mas humilde imitador de
Cristo cativando seu
entendimento a sagrada fé. ... 489

LEITURAS DA IMITAÇÃO

*dividas segundo as
diferentes necessidades
dos fiéis*.................. 493

PREFÁCIO

DA PRIMEIRA EDIÇÃO

Da *Imitação de Cristo* já se tem dito tudo quanto é possível dizer. Seria, ao mesmo tempo, banal e ousado tentar traçar-lhe novo elogio, mostrando-lhe as sublimidades, encarecendo-lhe o valor. Que pareceria o panegírico do ar ou da luz? Verdadeiro *truísmo*. Denominaram-na altos espíritos o quinto livro dos Evangelhos, o mais belo escrito produzido pelos homens pois a Bíblia é obra do Senhor. Unanimemente, a consideram o melhor tesouro de moral cristã. Seu autor, — João Gerson, Gersen ou Kempis, — é disputado não por sete cidades, qual Homero, mas por três grandes nações: França, Itália e Alemanha.

Sustentam alguns que a *Imitação* não pode ser fruto de um engenho único e individual, porém concretização coletiva, colaborada por gerações e gerações igual às vastas epopéias anônimas.

Interessa, mostram outros, a todas as regiões, a todas as nacionalidades, a todos os tempos, adaptando-se a quaisquer gênios, índoles e sentimentos. Contém, na opinião de terceiros, a alma claustral, melancólica e mística da Idade Média, da mesma sorte que os poemas de cavalaria encerram a alma guerreira desse extraordinário período.

Livro da Interna Consolação, Livro da Vida, — eis os títulos que então lhe aplicavam. Atravessou sem envelhecer os séculos passados, afirma eminente historiador, e permanecerá de forma idêntica nos futuros, porque constitui o livro por excelência, a expressão de eternas tendências da mente humana, impondo-se ao universal respeito, ocupando conspícuo lugar na história da humanidade, por ter consolado e consolar ainda muitos milhares, senão muitos milhões de almas.

De fato, os próprios irreligiosos e adversos à fé católica o admiram e lêem.

Compulsam-no com mão diária os discípulos de Augusto Comte.

Apareceu há quinhentos anos. Calcula-se que tenha tido três mil edições, no mínimo, em vários idiomas e dialetos. Só em francês contam-se centenas.

Raro o país em que não se publique anualmente uma nova. Algumas oferecem, a par do original latino, a versão, simultaneamente, em diferentes línguas. Assim, a de João Baptista Weigl, impressa na Baviera em 1837. O texto nela se apresenta traduzido em italiano, espanhol, francês, alemão, inglês e grego.

Em português, de 1737 até hoje, há notícia de quatro. As mais conhecidas são a de J. J. Roquete, exposta ao público em 1857 e profusamente reproduzida depois, e a do Dr. Ernesto Adolfo de Freitas. A segunda impressão desta última traz a data de 1884. A Livraria Salesiana de São Paulo reimprimiu em 1896 a tradução de Roquete, dando-lhe o sub-título — a edição brasileira.

Mas, versão brasileira propriamente, nenhuma havia até 1897. Supriu então a triste falta, e de modo digno de elevado encômio, a que foi editada no Recife por Mattos Caminha e C.

Não indica o nome do autor, que se revela, entretanto, douto e virtuoso varão.

Foi aprovada pelos Arcebispos da Bahia e Rio de Janeiro, bem como pelos Bispos de Olinda, Paraíba e Ceará.

Esse trabalho faz honra às letras pátrias. Está feito (sobretudo nos dois primeiros livros) em ótima linguagem, — claro, conciso, elegante, e raro se aparta do original. Sobreleva o de Roquete (inteiramente calcado, embora de forma brilhante, no francês de Lamennais) onde se notam certas heresias. Sobreleva ainda o de Freitas, precioso, aliás, por eminentes qualidades, entre as quais avulta a de se ater, como nenhum outro, ao texto latino, trasladado, de ordinário, palavra por palavra. Freitas, porém, pompéia tamanho luxo de classicismo, serve-se no comum de locuções tão arcaicas, que se torna áspero, baldo de naturalidade, inacessível à maioria dos leitores. Só a eruditos é dado apreciar-lhe devidamente o elevado valor.

Há também varias traduções em verso da *Imitação*. A mencionada edição brasileira dá notícia de uma recente realizada em 1884 por um anônimo, religioso de Fongombault. Monsenhor Rotelli, núncio em Paris, é autor de outra, também recente.

A mais célebre é a de Pierre Corneille, o pai da tragédia francesa. O próprio Corneille faz elogiosa referência à adaptação em estrofes latinas por Thomaz Mesler, beneditino do mosteiro de Zuifalten, impressa em Bruxelas no correr de 1649. A de Corneille, porém, não é simples versão, e sim magnífica paráfrase. O estilo do original, singelo, sem ornato, incorreto mesmo, mas cheio de força e majestade, no parecer dos comentadores, não o seguiu o genial autor do Cid.

Basta um exemplo para comprovar o asserto.

Abre assim a *Imitação*;

"*Qui sequitur me, non ambulat in tenebris; dicit Dominus. Haec sunt verba Christi, quibus admonemur, quatenus vitam ejus et mores imitemur, si velimus veraciter illuminari, et ab omni caecitate cordis liberari*".

Freitas traduziu:

"*Quem me segue não anda em trevas. Estas palavras são de Cristo, com as quais somos admoestados que imitemos sua vida e costumes, se queremos ser verdadeiramente alumiados, e livres de toda cegueira do coração*".

Roquete:

"*Quem me segue não anda em trevas, diz o Senhor. São palavras de Cristo, com as quais nos admoesta que imitemos sua vida e costumes, se queremos verdadeiramente ser alumiados e livres de toda a cegueira do coração".*

O tradutor brasileiro do Recife: "Quem me segue, não anda em trevas, diz o Senhor. São palavras com que Jesus nos adverte, que imitemos sua vida e seus costumes, se quisermos ser verdadeiramente esclarecidos e isentos da cegueira do coração".

Eis, a título de curiosidade, algumas das versões da edição Weigl:

Italiana: *"Chi seguita me, non cammina nelle tenebre, dice il Signore. Queste sono parole di Cristo, con le quali, ci conforta d'imitare la vita e le azioni sue, se noi vogliamo essere illuminati veracemente, e che ogni cecitá ne sia rimossa dal cuore".*

Espanhola: *"Quien me sigue no anda en tinieblas dice el Senor. Estas palabras son de Cristo, con las cuales nos amonesta que imitemos su vida y costumbres, si queremos verdaderamente ser alumbrados, y libres de toda la ceguedad del corazón".*

Francesa: *"Celui qui me suit ne marche point dans les ténèbres, dit le Seigneur. Ce sont là les paroles de Jesus Christ, par lesquelles il nous exhorte à imiter su conduit et sa vie, si nous voulons étre vraiment éclairés et délivrés de tout aveuglement de coeur".*

Alemão: *"Wer mir nachfoig, der wandel: nicht in Finsternifs, spricht der Herr Das sind Christi Worte, durch Welche wir ermahnt werden, seinem Wandel und seinem Sitten-Vorbilde nachzuleben, wenn wir warhaft erleuchtet, und von aller Blindheil des Herzens befreit werden wollen".*

Inglesa: *"He that follow me walk not in darkness, say our Lord. These are the words of Christ, by which we are admonished that we must imitate his life and manners if we would be truly enlightened, and delivered from all blindness of heart".*

Vejamos agora Corneille:

"Heureux qui tient la route ou ma voix le convie!
Les ténèbres jamais n'approchent qui me suit;
Et partout sur mes pas il trouve un jour sans nuit
Qui porte jusqu'au coeur la lumière de vie".

Ainsi Jésus-Christ parle; ainsi de ses vertus,
Dont brillent les sentiers qu'il a pour nous battus,
Les rayons toujours vifs montrent comme il faut vivre;
Et quiconque veut être éclairé pleinement,
Doit apprendre de lui que ce n'est qu'à le suivre
Que le coeur s'affranchit de tout aveuglement.

É belo, mas bem longe da redação lapidária do latim, aliás inimitável.

Dedicou-se Pierre Corneille ao empreendimento de traduzir em versos franceses a Imitação, com 45 anos de idade, no fastígio da glória. Além do *Cid*, produzira *Horace, Cina, Polieucte, Pompéu, Rodogune* e *Heraclius*, genuínas obras-primas, atestados imorredouros do seu alteroso gênio.

Levou, entretanto, cinco anos, de 1651 a 1656, a completar o trabalho, que ele próprio acoimou de longo, penoso e capaz de diminuir a sua nomeada como poeta.

Não o publicou de uma só feita, mas por fragmentos em quatro vezes sucessivas. Na primeira, figuraram apenas 20 capítulos do livro inicial, que tem 25. O final desse livro e o segundo formaram outro tomo. O livro terceiro foi dividido em duas partes, cada uma das quais apareceu de per si. Só mais tarde reuniu-se num único volume a obra inteira. O primeiro fascículo foi reimpresso 36 vezes, durante a vida do autor.

Nas publicações parciais de 1651, 1652, 1653, 1654 e na dedicatória ao papa Alexandre VII da definitiva, em 1656, queixa-se Corneille das dificuldades ingentes da tarefa.

Na realidade, consoante abalizado critico, a *Imitação* é, como a Bíblia, um livro divino, de termos insubstituíveis. A sua tradução deve ser rigorosa, fiel, exatíssima. O tradutor nada deve suprimir, aumentar ou mudar, sob pena de cometer profanação. Cumpre-lhe respeitar mesmo os defeitos que porventura encontre, pois partem de tão alto, que não é lícito à mão humana buscar emendá-los. Isto numa tradução em prosa, relativamente fácil. Aumentam sobremaneira estas dificuldades na tradução em verso. Corneille o explica:

"As exigências do ritmo e da rima não comportam a tocante simplicidade, o caráter, a um tempo, ingênuo e sublime do modelo. Pouca ou nenhuma ligação existe na Imitação entre os capítulos, mesmo entre os pensamentos e até, às vezes, entre uma frase e as imediatas Repetem-se freqüentemente as palavras. Prosaicos certos detalhes. Exígua disposição em algumas matérias para a poesia. Encontram-se epítetos quase incompatíveis com as leis da arte métrica. As amplificações, os sinônimos, os eufemismos não possuem a mesma força, extensão e substância daquilo que o autor quis expressar e expressou. Nestas condições, é inexeqüível diversificar as frases, quando há coisa idêntica a exprimir. A língua mais abundante e rica não forneceria meios de variar as locuções, no caso de que se trata; ficaria esgotada. Tais repetições avultam de modo extraordinário, dir-se-ia proposital, no primeiro e no último capítulos do livro segundo. As pouco eufônicas palavras — *consolação, tribulação, humilhação, adversidade* e outras, surdem a cada passo. Como, sem trair o original eximir-se o tradutor a empregá-las? Como obter com elas versos límpidos e impecáveis?"

Acrescentava Corneille às enumeradas, outras dificuldades, oriundas de sua pessoa: escasso conhecimento de teologia; leve prática de sentimentos de devoção; falta de hábito de compor estrofes adequadas ao assunto.

Se Corneille assim se manifestava, que direi eu? Seria irrisório acentuar quanto todos esses obstáculos se agravam em relação a mim e quanto mais me assoberbam. Assiste-me a só vantagem de haver nascido séculos depois, de forma que encontro caminho desbravado e posso aproveitar-me do trabalho efetuado antes de mim. Sem embargo, reconheço a enormidade do meu arrojo, que nem sei explicar. A minha versão não é, nem podia ser estritamente literal; mas procurei cingir-me quanto possível, ao texto latino, reputado autêntico. Estribei-me na tradução de Freitas e na brasileira do Recife, limitando-me, em muitos casos, a metrificar e rimar trechos de uma e outra, sem modificação sensível. É que as sentenças da *Imitação* são tão simples, observa Lallemant, que impossível se torna produzi-las de duas maneiras diferentes. Raras liberdades tomei urgido pela necessidade da consoante ou de completar a estrofe. Só as indispensáveis. Boa vontade não me faleceu; nem me dissuadiu a fadiga do árduo labor. Quem conferir com o texto latino aquilo que consegui, verificará o meu esforço.

Imitando a Corneille — (e não vai nisto temeridade desde que se deve imitar a Jesus Cristo) publico presentemente só uma parte da obra, os dois primeiros livros. Direi, à semelhança dele: Quero consultar destarte os entendidos e o público. Este opúsculo não passa de um ensaio, em que dou arras do resto. Conforme a aceitação que alcançar, continuarei, ou não. Abrirei mão do pesado cometimento, se os competentes o considerarem superior às minhas faculdades. Menores imperfeições se assinalariam, caso houvera Deus querido outorgar-me maior engenho. No começo de cada capítulo, inseri a sua frase inicial em latim, para lhe recordar a energia e beleza.

Impetro indulgência. As máximas e pensamentos religiosos mais se gravam na memória quando redigidos em versos rimados. Meu principal intuito foi esse: — a divulgação do incomparável livro, para edificação do próximo e maior glória de Deus. Apadrinho-me ainda com o grande Corneille: *"J'espère qu'on trouvera celui-ci dans une raisonnable médiocrité, et telle que demande une morale chrétienne qui a pour but d'instruire, et ne se met pas en peine de chatouiller les sens. Il est hors de doute que les curieux n'y trouveront point de charme, mais peut être qui en récompense des bonnes intentions n'y trouveront point de dégoût; que ceux qui aimeront les choses qui y sont dites supporteront la façon dont elles y sont dites et que ce qui pénétrera le coeur ne blessera point les oreilles*".

Asseverou alguém que o espírito dominante na *Imitação de Cristo* é o da resignação e que o sentimento palpitante nela é a necessidade de consolação, reclamada por infinito desespero.

Não é, pois, descabida mais uma tentativa de vulgarizar no Brasil tal livro, na quadra que atravessamos.

Em meio de imensas tristezas e sobressaltos, tive longas horas de paz, desprendimento da dura realidade, e suave esperança, ao compor estes versos.

Desejo de coração que ao percorrê-los, te aconteça o mesmo, — oh tu, sejas quem fores, que me estás lendo. Sê feliz. Deus te conceda sossego no presente e confiança no porvir.

Vila Petiote, Alto da Serra de Petrópolis,
5 de Março de 1898.

A. C.

LIVRO PRIMEIRO

AVISOS ÚTEIS
para a Vida Espiritual

Capítulo I

Da imitação de Cristo e desprezo de todas as vaidades do mundo

Qui sequitur me non ambulat in tenebris.

I

"*Não anda em trevas quem me segue*"
Palavras são com que Jesus
A vida sua ao bem entregue
A que imitemos nos induz

Sim! Quem imita os seus costumes,
Tem claridade verdadeira;
Do coração bane a cegueira,
Liberto fica de negrumes.

Seja-nos, pois, supremo estudo
De Cristo a vida meditar;
Dele a doutrina excede a tudo,
Mesmo a dos santos. Não tem par.

II

Esse a que o Espírito ilumina
Acha o maná miraculoso,
Fonte de luz, fonte de gozo,
Que oculto está nessa doutrina

Não tendo o Espírito de Cristo,
Dos Evangelhos a audição,
Freqüente embora, tem-se visto
Pouco tocar o coração.

De Cristo as frases só entende,
E as aprecia quem por norma
Tem dele a vida, e d'outra forma
Viver na terra não pretende.

III

Que te aproveita da Trindade
Sábia e altamente disputar,
Se, por ausência de humildade,
Certo lhe vais desagradar?

Belas palavras justo e santo
O homem não tornam, mas a vida
Toda virtude, faz querida
De Deus uma alma, afeita ao pranto

Antes desejo em minha mente
Sentir a vera compunção
Do, que saber, perfeitamente,
Dar-lhe sutil definição.

Sem caridade e sem a graça
De Deus, que vale a Bíblia teres
De cor, e todos os dizeres
De mil filósofos de raça?

Oh ! sim, vaidade das vaidades.
Tudo vaidade! exceto a Deus
Servir e amar... Queres verdades?
— Despreza o mundo e os dolos seus.

Pelo desprezo deste mundo
Dos céus ao reino endereçar-se, —
Eis a verdade sem disfarce,
Eis o saber sumo e fecundo.

IV

Vaidade, pois, granjear riquezas
E nas riquezas esperar;
Há nelas pérfidas surpresas,
Ventura e paz não sabem dar.

Vaidade a sede de honrarias,
De sublimar-se a um alto posto...
— Como se fica assim exposto!
Como as grandezas são vazias !

Vaidade à carne, que não cessa
De nos pungir, dar-lhe razão
E apetecer o que depressa
Reverte em grave punição:

Vaidade o empenho do que à toa
Deseja (empenho sempre louco)
Vida bem longa e cura pouco
De só viver com vida boa.

Vaidade olhar para o presente,
Nele os esforços resumir,
Sem fazer caso, imprevidente,
Das sérias coisas do porvir.

Vaidade amar o que perece,
Que mal desponta, já se esconde
E não ter pressa em ir adonde
Perene gozo permanece.

V

Homem que o mal do céu aparta,
Lembra o provérbio, sem cessar:
"O olho de ver jamais se farta,
Nem se enche a orelha de escutar."

Seja-te máximo cuidado
Menosprezar coisas visíveis,
E transportar-te às invisíveis,
De tudo mais desapegado.

Quem dos sentidos a tendência
Seguir, — no abismo tombará:
Máculas pondo na consciência,
De Deus a graça perderá.

Capítulo II

Do humilde pensar de si mesmo

> *Omnis homo naturaliter scire*
> *desiderat; sed scientia sine*
> *timore Dei quid importat*

I

O homem (é natural) saber deseja,
    Mas sem temor
De Deus, — que importa a ciência? É malfazeja,
    Não tem valor.

De si não cure, e altivo os céus estude,
    — Abaixo está
O maior sábio do campônio rude
    Que a Deus se dá.

Despreza-se a si mesmo quem a fundo
    Se conhecer;
Nem pode com os louvores deste mundo
    Se comprazer.

Souberas tudo, mas sem caridade:
    Vãs ilusões
Nutriras só, — pois Deus julgar-nos há de
    Pelas ações.

II

Do nímio anelo de saber descansa
    Nele só há
De desenganos, ou desesperança
    Nascente má.

Amam os sábios como tais ser tidos
E como tais
Sempre ser proclamados e aplaudidos
Pelos demais...

Existem coisas mil que não regula
Sabê-las, pois
São de vantagem diminuta ou nula
Para depois.

Loucos os que remissos se desviam
Da salvação!
Abundantes palavras não saciam
O coração.

Honesta vida a mente refrigera;
Consciência em paz
Firme e segura no Senhor espera,
Tem fé vivaz.

III

Quanto mais e melhor soubera, tanto
Maior rigor
Haverá em julgar-te. Ai, se bem santo
Teu ser não for!

Assim, em nada queiras enfunar-te,
Mas é mister
Que temas as noções que ciência ou arte
Dado te houver.

De saber muitas coisas não te gabes,
Mas deves crer
Que é muito e muito mais o que não sabes
Mesquinho ser!

Não queiras saber alto. Porém antes
Crê que é melhor
Confessar que entre os grandes ignorantes
És o maior.

LIVRO PRIMEIRO

Como aos mais te antepões, se primazia
        Tantos aí
Na habilidade e na sabedoria
    Têm sobre ti?

Queres saber deveras? Pois cuidado
        Não se te dê
O te não conhecerem: reputado
    Por nada sê.

IV

A lição sobre todas excelente
        É conhecer
A si mesmo e por si, sinceramente,
    Desprezo ter.

Ter-se por nada, e em boa, em alta estima
        Ter seu irmão.
— Eis a suprema ciência, que aproxima
    Da perfeição.

Se alguém vires em crime manifesto,
        Em atos vis,
Nem por isso imagines, imodesto,
    Que és mais feliz.

Que és melhor não reputes, com jactância,
        Do que esse alguém;
Sabes acaso o tempo em que a constância
    Terás do bem?

Frágeis são todos, homens e mulheres,
        De Deus aos pés;
Mas a ninguém mais frágil consideres
    Do que tu és.

Capítulo III

Da doutrina da verdade

> *Felix quem Veritas per se doce*
> *non per figuras et voces*
> *transeuntes, sed sicuti se habet!*

I

*F*eliz aquele a quem, por si mesma, a Verdade
Ensina, tal qual é, sem ter necessidade
De figuras e sons que passam.

Ilusões
São o nosso opinar e as nossas sensações,
Que enganam tanta vez, enxergando tão pouco!

Grande cavilação de que te serve oh! louco,
No tocante a matéria oculta e obscura, que
De a teres ignorado inteiramente, crê,
Argüido não serás no dia do Juízo?

Loucura é desprezar o que te é mais preciso,
Coisas de utilidade à contrição e à paz,
Por te dares zeloso às curiosas e más.

Não vemos, olhos tendo!

II

Em suma, que aproveita
Do gênero ou da espécie uma noção perfeita?

Aquele a quem o Verbo eterno falou já,
De muitas opiniões desonerado está.

LIVRO PRIMEIRO 43

De um só Verbo vem tudo, um só tudo o proclama
É o Princípio também que nos fala e nos chama.
Sem ele, ninguém pode entender ou julgar
Retamente.

Esse que tudo vir, tudo achar
N'Um só, e tudo a Um só referir imutável,
Certo poderá ser no coração estável
E pacífico em Deus permanecer.

Oh! Deus,
Verdade Deus, ouvi os vivos votos meus:
Concedei-me, Senhor, a permissão superna
De fazer-me um convosco, em caridade eterna.

Quando feito convosco eu me tornar assim
Só prazer e sossego hão de habitar em mim.
Tanto ler, tanto ouvir de sobra me enfastia,
Tudo que almejo e quero em vós se compendia.
Reine perante vós silêncio universal,
Somente vós falai-me, Espírito Imortal.

III

Quanto mais singeleza e mais recolhimento
Mostra, tanto mais longe enxerga o pensamento.
Sem esforço, concebe altas coisas então,
Que de cima o ilumina inefável clarão.

A alma constante e pura em obras mil não deve
Derramar-se; faz tudo a fim de que se eleve
A glória do Senhor, sem jamais cogitar
De, em nenhuma ocasião, a si mesma buscar.

Que é que perturba mais, a produzir cuidados.
Que encher o coração de afetos desregrados?

De dentro o homem de bem prepara, antes de agir,
A externa posição que lhe cumpre assumir.

Não te deixes levar aos impulsos do vício,
Mas torce-os da razão sob o severo auspício.

A peleja maior que os homens podem ter
Travou-a quem procura a si mesmo vencer.

Tornar-se cada dia em si mesmo mais forte
E progredir no bem devera ser o norte
Do nosso empenho.

IV

Há sempre alguma imperfeição
No mais perfeito, e sombra em toda inquirição.

Conhecer-se a si mesmo humildemente, leva,
Por mais certo caminho, a Deus, banindo a treva,
Que do saber profundo o esquadrinhar.

Não é
Que o saber seja mau, é bom em si até,
E ordenado de Deus, mas preferem à ciência
Uma vida virtuosa e uma boa consciência.

Quem ao muito saber pretere o bem viver
Erra, e fruto nenhum pode afinal colher.

V

Se, em virtudes semear e em extirpar defeitos,
Puséssemos ardor igual ao que, nos pleitos,
Move as questões, — por certo o escândalo do mal
Não lavraria tanto!

Oh! no juízo final
Não se nos argüirá o lido ou o bem falado
Por nós, mas simplesmente o que foi praticado
Conforme à religião.

LIVRO PRIMEIRO

Que fim levaram, diz,
Tantos que conheceste, os mestres senhoris,
Que em risonho viver floresceram no estudo?
Já deles no lugar outros estão em tudo,
Sem deles, nem sequer, a lembrança manter.
Vivos, alguma coisa aparentavam ser;
Agora, não há mais quem deles fale!

VI

Oh! glória
Do mundo, passas logo, és mais que transitória!
Quem a vida ao saber ajustar, este, sim,
Estudará com fruto, há de lucrar por fim.
Quantos um vão saber têm perdido!

Por isso,
Aquele que de Deus menospreza o serviço,
Antepondo ser grande a humilde ser, se esvai
Das excogitações no meio.

Só não cai,
Só na mesquinha terra é grande, na verdade,
O que no coração tem grande caridade.
Deveras grande é quem pequenino se faz,
Em nada reputando o cúmulo falaz
Das honras.

Outrossim, é deveras prudente
Quem, por ganhar Jesus, na terra vê somente
Um vasto esterquilínio, ao qual fugir convém.
E é deveras bem douto unicamente quem,
Sempre, enquanto percorre esta mofina via,
Faz de Deus a vontade e à própria renuncia.

Capítulo IV

Da circunspeção em proceder

> *Non est credendum omni verbo nec instinctui sed caute et longanimiter res est secundam Deum ponderanda.*

I

*N*em tudo que se nos diz
Deve ser acreditado,
Mas com cautela pesado
Segundo o sumo Juiz.

Qualquer sugestão também
Só com longanimidade,
Com prudência e austeridade,
Considerá-la convém.

Crê-se e fala-se (um horror!)
Dos outros mais facilmente
O mal que o bem: eis patente
Nossa fraqueza, Senhor!

Mas os perfeitos varões,
Conhecendo tal fraqueza,
Quanta indiscreta leveza
Vai em nossas expressões.

E que sempre tira a mal
O homem, de Deus apartado,
Não lhe escutam de bom grado
O palavrório banal.

II

De grande sábio é não ser
Nas ações precipitado,
Nem, contumaz, aferrado
Ao seu próprio parecer.

Ai! do que verdades vê
Do mundo nos alaridos,
E enche os alheios ouvidos
De tudo quanto ouve ou crê!

Pede conselho a varão
Douto e de boa consciência;
Escuta-o de preferência
A ouvir a própria razão.

Vida boa sábio faz
E em muitas coisas esperto
Conforme a Deus, quem deserto
Tinha o espírito incapaz.

Quanto mais alguém está
Bem humilde e a Deus sujeito,
Tanto mais sábio perfeito
E mais tranqüilo será.

Capítulo V

Da lição das santas escrituras

> *Veritas est in Scripturis sanctis quaerenda, non eloquentia. Omnis Scriptura sacra eo spiritu debet legi quo facta est.*

I

*N*ão eloqüência, porém verdade
    Nas Escrituras
Buscar devemos, — utilidade,
    Não frases puras.

Devem ser lidas tal qual a mente
    Com que são feitas;
Nada de argúcias, tudo evidente!
    São tão perfeitas!

Devem ser lidas com singeleza
    Pois só há nelas
Coisas conformes à natureza
    De almas singelas.

Assim, o livro grave e alteroso
    Com o mesmo zelo
Que o mais modesto, simples, piedoso,
    Devemos lê-lo.

Não tenhas conta com a autoridade
    De quem escreve;
Só o desejo de achar verdade
    Mover-te deve.

Dar-se às leituras teu ser cobice
    Sem outro fito;

LIVRO PRIMEIRO

Jamais indagues: quem é que disse?
Mas — que foi dito?

II

Os homens passam, mas permanece
 Perpetuamente
Vossa verdade, Senhor. Fenece
 Quem não a sente.

Deus por diversas maneiras fala,
 E a voz divina
Dos seres todos percorre a escala,
 Tudo ilumina.

Muito embaraça querer, curioso,
 Entender tudo
Nos Evangelhos. Sê cauteloso
 No teu estudo.

Certos lugares não discutamos
 (Fora arrogante)
Mas simplesmente convém que vamos
 Passando adiante.

Quem de ser sábio, lendo-os, procura
 Fazer efeito,
Deixando a humilde, simples leitura.
 Não tem proveito.

Consulta os Santos, e, de bom grado,
 Silente escuta
Quaisquer palavras que hajam falado
 Segue-os sem luta.

Também dos velhos nunca à presença
 Fujas esquivo;
Ouve-os: dos velhos toda sentença
 Tem seu motivo.

Capítulo VI

Das afeições desordenadas

> *Quandocunque homo aliquid inordinate appeti statim in se inquietus fit.*

I

Sempre que um homem apetece
Desordenado alguma coisa,
Em quietação não mais repousa,
Sempre agitado permanece.

O avaro, o cheio de arrogância
Nunca, serenos vivem; mas,
No pobre, e humilde que abundância
De perenal e amena paz

Quem não morreu perfeitamente
Para si próprio, é dominado.
De tentações, que ao desgraçado.
Mesmo as mais vis, dobram a mente.

Um fraco espírito, que o zelo
Só tem das coisas terrenais,
Quase impossível é fazê-lo
Não desejar cada vez mais.

O orvalho, pois, da paz não rega
Seu coração propenso ao mundo;
Do que é sensível e infecundo
Dificilmente se despega.

Vede-o, por isso, em fúria, torvo.
Quando é privado do que quer,
E exasperado, se um estorvo
Acidental se lhe opuser

II

E, se alcançou o que almejava,
Logo o remorso o desvaria,
Pois a paixão foi o seu guia
E a paz não dá que ele buscava

Não é servindo-os, mas barreira
Pondo aos desejos e à paixão,
Que se consegue a verdadeira,
Perfeita paz do coração.

O homem carnal, à terra dado,
Jamais terá tal paz, portanto
Tem-na o que sente fervor santo,
Só para o espírito voltado.

Capítulo VII

Como se deve fugir à vã esperança e presunção

> *Vanus est qui spem suam ponit in hominibus aut in creaturis.*

I

*I*nfeliz o que põe sua esperança
 Nos homens vis!
Não te esteies em ti mesmo, em Deus descansa
 Serás feliz,

Faze da tua parte, e Deus auxílio
 Te há de trazer;
Não te corras de pobre neste exílio
 Passar por ser.

Desconfia da alheia habilidade,
 Como também
Do teu próprio saber. Nunca te enfade
 Servir a alguém.

De Deus na graça espera, que só ela
 Tudo nos traz,
Ergue humildes, prosápias desmantela,
 Dá luz e paz.

II

Das riquezas que tenhas não te ufanes,
 Nem quando estão
Amigos teus com poderio. Inanes
 Tais coisas são.

Gloria-te somente em Deus que — dando
 Tudo, — além vai,

LIVRO PRIMEIRO

Dar-se a si mesmo aos homens desejando,
    Sublime Pai!
Não te orgulhes da força ou da beleza
    Do corpo teu.
Que de leve moléstia sendo presa
    Tudo perdeu.

De ti mesmo jamais sejas contente.
    Que o teu valor
Vem só de Deus. De desgostá-lo sente
    Sempre temor.

III

Não te julgues melhor que este ou aquele
    Deus sabe o que há
De verdadeiro em cada qual Só ele
    Te julgará

Das boas obras não te desvaneças,
    Que desprazer
Podes causar a Deus, quando pareças
    Bem proceder.

Se em ti sentires qualidades boas,
    Modesto sê;
Que, certamente, as têm outras pessoas
    Melhores, crê.

Põe-te abaixo de todos; não faz dano;
    A glória é pó.
Errado vai quem se antepõe, insano.
    Té mesmo a um só.

Os soberbos, inveja e ódio os devora,
    Sem quietação;
E paz perene dos humildes mora
    No coração.

Capítulo VIII

Como se há de aceitar a nímia familiaridade

> *Non omni homini reveles cor tuum; sed cum sapiente et timente Deum age causam tuam.*

I

A qualquer homem não reveles
Teu coração: unicamente
Com quem for sábio e a Deus temente
Trata o negócio de que zeles.

Jovens e estranhos raro escutes;
Não te apresentes, de bom grado
Ante o soberbo e o potentado.
Lisonja aos ricos não tributes.

Dos simples ama a companhia,
Gente de fé, pura, pacata.
E a conversar de coisas trata
Que te edifiquem, cada dia

Que familiar nunca te veja
Mulher alguma e não te prenda;
A Deus, porém, sempre encomenda
Toda e qualquer que boa seja.

Tornar-te evita conhecido
Dos homens. Tem-lhes caridade,
Mas, no tocante à intimidade,
Só na de Deus põe teu sentido.

II

Não raro, um ótimo conceito
Faz-se de alguém, sem conhecê-lo,
Porém, de perto basta vê-lo;
Todo prestígio cai desfeito.

Em convivência estreita, é certo,
Perdermos sempre, porque vamos
Muito defeito que ocultamos
Deixando então a descoberto.

Capítulo IX

Da obediência e sujeição

> *Valde magnum est in obedientia stare, sub praelato vivere et sui juris non esse.*

I

Grande coisa é viver, na obediência.
Sob as vistas de algum superior,
De si mesmo sem ter dependência,
Não ligando à vontade valor.

Mais seguro é ficar bem sujeito,
Que mandar. É preciso, porém,
Da obediência curvar-se ao preceito,
Por amor, sem pesar, sem desdém.

Quem por lei necessária obedece,
Murmurando... Que mísero ser!
Liberdade mental não conhece,
Desesperos mortais a sofrer.

Liberdade da mente completa
Só a tem quem de Deus por amor,
Se sujeita de todo. A alma quieta,
Goza então do divino favor.

Neste mundo, onde quer que te achares,
Sempre em ti reinará quietação,
Se de alguém que te exceda aceitares,
Reverente, a total direção.

Muita gente se engana sonhando
Que há proveito em sair de um lugar
Para um outro, e que, sempre mudando.
Há de um dia a ventura encontrar.

LIVRO PRIMEIRO

II

Cada qual, na verdade, suspira
Por seu próprio juízo seguir,
E daqueles aos braços se atira
Que costumam com ele sentir.

Porém esse a que Deus ilumina,
A ceder de bom grado se afaz;
O que entende, o que sente, declina,
Pondo o fito no bem e na paz.

Quem tão sábio haverá que de tudo
Forme inteira noção?! Teu pensar
Não te basta. Dos outros o estudo
Venha sempre o que tens, emendar.

Se for bom o teu próprio conceito
E o deixares, por causa de Deus,
Para um outro seguir — mais proveito
Ganharás: Deus te põe entre os seus.

III

Muitas vezes ouvi: "mais seguro.
É conselhos seguir do que os dar."
Também pode acertar a que puro
Cada qual tenha um justo opinar;

Mas, se a causa e a razão o reclamam,
Não ceder aos demais, afinal,
Triste aferro que os homens aclamam,
De soberba e de teima é sinal.

Capítulo X

Como se deve evitar a superfluidade de palavras

Caveas tumultum hominum quantum potes.

I

*E*vita quanto possas
Dos homens o bulício,
Tremendo precipício,
Que atrai as almas nossas.

É grande impedimento
Tratar coisas do mundo,
Embora haja no fundo
Simples e puro intento,

Porquanto, repentina,
Do século a vaidade
Os corações invade.
Cativa, contamina.

Oh! quão melhor será
Mais vezes ter calado:
E não me haver achado
De outrem na companhia!

Porque motivo encanto
Em fabular achamos
E discorrer amamos
Uns com os outros tanto,

Quando o que a língua solta,
Falando com freqüência,
Sem dano da consciência
Raro ao silêncio volta?

Existe um só motivo
De tanto conversarmos:
— É à procura andarmos
De um mútuo lenitivo.

Buscamos nas conversas
Ver leve e reanimado
O coração cansado
Com apreensões diversas.

Como a falar se presta
Nossa alma do que adora
Do que deseja e ignora
E até do que a molesta!

II

No entanto, de ordinário,
Tudo isto prejudica
A interna paz que fica
Longe do mundo vário.

Se o tempo não queremos
Gastar ociosamente,
Com ânimo fervente,
Sempre velando, oremos.

Se é lícito ou se é útil
Falar, fale-se apenas
De edificantes cenas,
Nunca de assunto fútil

O mau costume, a pouca
Pressa no adiantamento,
São grande impedimento
De se guardar a boca,

Contudo, é vantajoso
Ao íntimo progresso
Espiritual congresso,
Com tema judicioso:

Mormente entre pessoas
De coração e de ânimo
Iguais, que em Deus Magnânimo
Juntam as almas boas.

Capítulo XI

Como se há de adquirir a paz, e do zelo em aproveitar

> Multam possemus pacem habere si non vellemus nos cum aliorum dictis et factis, et quae ad curam nostram non spectant, occupare.

I

Gozar de muita paz, sem dúvida, pudéramos
Se, acaso, não quiséramos
Das palavras e ações ocupar-nos dos mais,
Quando não nos compete
Curar de coisas tais.

Como paz duradoura há de ter quem se mete
E sem razão se enreda
Nas alheias questões?
Também da paz se arreda
O que sai, ocasiões a procurar a esmo,
E pouco ou rara vez se recolhe em si mesmo.

Oh! Bem-aventurados
Os simples, porque são de muita paz dotados!

II

Quais os veros motivos
De haverem se mostrado outrora tão perfeitos
Alguns santos, de Deus por essa forma eleitos,
E tão contemplativos?

Foi que completamente
Aplicaram a mente

À mortificação
Dos desejos terreais, sem nenhuma exceção,
E puderam, assim, ao Senhor se apegar
Do imo do coração;
E, longe da maldade,
Em plena liberdade,
De si próprios tratar.

Nós às próprias paixões demais nos entregamos
E com solicitude extrema nos votamos
Às coisas transitórias.
Raro inteiras vitórias
Sobre um vício logramos,
Nem diligência pomos
Em aproveitamento alcançar todo dia:
Por isso tíbios somos,
Com alma frouxa e fria.

III

Se mortos estivéssemos
A nós próprios de todo, e bem longe trouxéssemos
Do mundo o coração,
Doçuras divinais, prelibar poderíamos;
E da contemplação celeste sentiríamos
Alguma coisa então.

Mas todo o impedimento e o máximo de todos
É que as nossas consciências,
Libertas dos engodos
Das paixões mundanais e das concupiscências
Não se acham, com efeito;
Nem por entrar fazemos
Tudo quanto podemos
Dos santos magistrais no caminho perfeito.

Sobrevindo-nos, pois, leve aborrecimento,
Deixamo-nos cair em fundo abatimento,
Dos homens recorrendo às vãs consolações.

IV

Quiséssemos lutar, como fortes varões,
Resolutos, em pé, e do céu desceria
O auxílio do Senhor sobre nós, na porfia,
Porque ele sempre ajuda aqueles que pelejam
E esperando-lhe a graça, ardentemente a almejam;
 E faz aparecer
O ensejo da batalha a fim de se vencer.

 Quem na externa observância
Faz o seu religioso avanço consistir,
A devoção verá, sem a menor constância,
 Breve se lhe extinguir

Ao contrário, quem põe o machado à raiz
Das paixões e as destrói, tem paz na alma feliz.

V

Quem cada ano um só vício, um único defeito
Eliminasse, em breve estaria perfeito.
Muitas vezes, porém, percebemos agora
Que mais pura e melhor era a nossa alma outrora,
 Mais isenta de enganos,
 No umbral da conversão,
 Do que após longos anos
 Termos de profissão.

 Cada dia em aumento
 Deve ir o adiantamento
 E crescer o fervor;
 Mas agora parece
Que é muito se uma parte alguém guardar pudesse
 Do primitivo ardor.

Quem tiver a si próprio um pouco de violência
 Ao começar imposto,
Tudo conseguirá mais tarde, na existência,
Sem trabalho nenhum, mas com presteza e gosto.

VI

Muito grave é de certo, os costumes deixar,
Mas a própria vontade é mais grave encontrar.

Se não logras vencer fáceis coisas pequenas
Como hás de superar as de embaraço plenas?
Resiste no principio à tua inclinação
E emenda o hábito mau para que dele a ação
Te arrastando não vá, pouco a pouco, a vontade
   A mor dificuldade.

   Oh! se considerasses
   Quanta paz te darias
Se zelaras de ti, e aos outros que alegrias
   Se bem te comportasses,
Maior solicitude e cuidado mais terno
   Julgo que empregarias
   No teu progresso interno!

Capítulo XII

Da utilidade da adversidade

> *Bonum nobis est quod aliquan-*
> *do habeamus gravitates et con-*
> *trarietates; quia saepe hominem*
> *ad cor evocant.*

I

É de vantagem que, algumas vezes,
Duros contrastes, negra aflição
Nos assoberbem: — estes revezes
O homem revocam ao coração.

Ele, dest'arte, vê que em desterro
Vive na terra, foco de dor,
E que esperanças seria um erro
Nalguma coisa do mundo pôr.

Sim! contraditas é bom soframos;
Que nos difamem e julguem mal,
Embora, sempre, bem procedamos,
Só com intento puro e leal.

Nasce a humildade, vai-se a vanglória,
No que vexames sofreu assim.
Ante a sentença condenatória
Recorre à graça de Deus, enfim.

Quando de fora nos acabrunha
Turba afrontosa, que em nós não crê,
Melhor tomamos por testemunha
A Deus que dentro das almas lê.

II

Deves, por isso, livre de ensino,
De tal maneira firmar-te em Deus,
Que ele te baste; consolo humano
Não mais precises nos males teus.

O homem que mostra vontade boa
Quando é tentado, quando em si traz
Pena implacável, que o atordoa,
Quando afligido de idéias más,

Então a imensa necessidade
De Deus entende. Precioso dom!
Vê que, sem ele, tudo é vaidade,
Nada se pode fazer de bom.

Ante a miséria que então o abate,
De mágoa cheio, geme a rezar;
Sente que a vida se lhe dilate,
Pois só lhe causa tédio e pesar.

Então nas ânsias de triste estado,
Pede que a morte não tarde a vir
Para que possa, desafogado,
A Jesus Cristo, por fim, se unir.

E bem discerne que segurança,
Forte e perfeita, neste viver,
E paz completa, ninguém alcança: —
Coisas do mundo não podem ser.

Capítulo XII

Como se há de resistir às tentações

> *Quandiu in mundo vivimus,
> sine tribulatione et tentatione
> esse non possumus. Unde in Job
> scriptum est: Militia est vita
> hominis superterram.*

I

*E*nquanto aqui vivemos
Jamais estar podemos
    Sem tentações;
Sempre de mil cuidados
Trazendo atribulados
    Os corações.

Por isso, está escrito
De Job no livro aflito,
    Mas todo fé:
A vida, sobre a terra,
Dos homens — uma guerra
    Terrível é.

Assim, devemos todos
De pérfidos engodos
    Nos preservar.
Em orações vigiando,
Da tentação o infando
    Jugo a evitar.

Quem isto leva ao cabo,
Ensejos tira ao diabo
    De poder vir,
Com seu infame zelo,
Turbá-lo, pervertê-lo,
    Ou o iludir.

O diabo nunca dorme;
Dele a maldade enorme,
    Sem descansar,
Ao derredor procura,
Sempre, quem, por ventura.
    Possa tragar.

Por mais perfeito e santo
Que sejas, o quebranto
    Te invadirá
Da tentação — tormento
Do qual ninguém isento
    De todo está.

II

Por mais que aflija e doa,
A tentação é boa,
    Vantagens tem.
Pois o homem humilhado
É nela, depurado
    Para seu bem.

Sim! ela purifica,
De ensinamento é rica,
    Força produz:
— De tentações vencidas
São feitas muitas vidas
    Cheias de luz.

Por mil e mil passaram
Os santos, e ganharam
    O céu assim.
Quem não lhes sofre a pena,
Perdido, se condena
    A um mal sem fim.

III

No ponto mais oculto
Ou sacro, o seu tumulto

LIVRO PRIMEIRO

Entrando vai.
O homem, enquanto vive,
Sempre, nesse declive,
Resvala e cai.

Já que em concupiscência
Nascemos, a existência
Só pode ser
Tribulação sem pausa:
Reside em nós a causa
De tal sofrer.

Se alguma é repelida,
Vêm outras, em seguida,
E outras após,
Porquanto, na verdade,
O bem — felicidade
Se perde em nós.

Muitos que se retraem,
Mais gravemente caem;
Porque não é
Vencer — fugir à luta;
Mas, na peleja bruta,
Ficar de pé.

Só a paciência mansa
E humilde tudo alcança
E forças dá,
Mais que a dos inimigos,
Em todos os perigos,
Da vida má.

IV

Quem tentações somente
Desvia externamente
Sem que a raiz
Arranque, — pouco adianta,
O ser não se alevanta
Desse infeliz.

Seu padecer não cessa.
Que a tentação depressa
    Volta e é pior
Sofrê-la desta sorte,
— Que cada vez mais forte
    Fica e maior.

Com longanimidade
E com paciência, se há de
    Melhor vencer
Aos poucos, Deus querendo,
Do que durezas tendo
    Com o próprio ser.

Toma conselho quando
Fores tentado. Brando
    Se com alguém
Que o foi. Ao desgraçado
Consola, e consolado
    Serás também.

Consolações sinceras
Dá-lhe, como quiseras
    Dessem a ti.
— É do ânimo a leveza
Que torna sem defesa
    Noss'alma aqui.

V

Sim; o ânimo inconstante
E pouco em Deus confiante
    Sem exceções
Tem em si mesmo a origem
Dessas, que tanto afligem.
    Más tentações.

O vário, o descuidado,
De modos mil, tentado
    É sem cessar:

LIVRO PRIMEIRO

Viver desse feitio
É ser como o navio
    Que em pleno mar,

Sem leme, das tormentas
Nas vagas turbulentas,
    Voga à mercê.
Assim o irresoluto.
Remisso, dissoluto,
    Sempre se vê.

O ferro em fogo adusto
Provado fica, e o justo
    Na tentação:
— Às vezes não sabemos
Aquilo que podemos;
    Ela é que então

Abre o que somos, mostra
O que nos ergue ou prostra...
    — Mas cumpre estar
Contra ela de vigia;
Mormente se inicia
    Seu operar.

Então mais facilmente
Pode vencer a gente
    O inimigo vil,
Não lhe deixando entrada
Na mente, resguardada
    De todo ardil.

Ao seu encontro importa,
Mal chegue da alma à porta,
    Logo sair,
Sem a menor demora,
E dos limiares fora
    O repelir.

Daí dizer-se: atalha
Logo em princípio. Falha,
    Tarde chegou
Qualquer remédio, quando
O mal que foi durando
    Já se arraigou.

Ocorre-nos primeiro
Simples pensar ligeiro;
    Cresceu, subiu...
Fez-se deleite... A mente
Maus movimentos sente...
    Já consentiu.

Assim, devagarinho,
O espírito daninho
    Torna-se algoz
De quem, desde o começo,
Enérgico tropeço
    Não lhe antepôs.

Se preguiçoso e tardo
Te mostras no resguardo,
    És cada vez
Mais fraco. O antagonista
Redobra, na conquista.
    De impavidez.

VI

Uns sofrem só na entrada;
Outros toda a jornada;
    No fim alguns;
Nestes — contínuas dores,
Naqueles — amargores
    Quase nenhuns.

É a Justiça Eterna
Que as provações alterna
    E as distribui;

LIVRO PRIMEIRO

Os méritos pondera:
Tudo que o bem nos gera
  Dela deflui.

A ordenação divina
Tudo predetermina
  Para salvar,
Exata, os seus eleitos,
De altíssimos preceitos
  À luz sem par.

VII

Portanto, acabrunhado
Não tombe o que é tentado;
  Mas rogue a Deus
Que venha secundá-lo
A superar o abalo
  Dos transes seus.

Do mal entre os tormentos,
São Paulo o diz, — proventos
  Deus dá por fim
Com que vencer possamos:
Tal gozo lhe peçamos
  Com fé, assim.

Uma alma que se amestra,
De Deus se curva à destra,
  Porque Deus só
O humilde salva e eleva,
Tornando em luz a treva,
  Em glória o pó.

VIII

Das tentações no excesso,
Conhece-se o progresso
  Que a mente faz;
Declara-se a saúde,

Revela-se a virtude,
De que é capaz.

Fácil conserva o lume
Da fé, quem pesadume
Não suportou.
Esse a que a vida fere,
Paciente e firme espero,
Muito ganhou.

Muitos que são valentes,
Em tentações ingentes,
Sem transigir,
— Nas baixas e pequenas
De quotidianas cenas
Sóem cair.

É para que, humilhados,
Jamais sejam levados
A, sem temor
De perigosos transes,
Em si, nos graves lances,
Fidúcia pôr.

Se assim te descaminhas
Em condições mesquinhas,
Se és por aí
Fraco em pequenas coisas,
Como nas grandes ousas
Confiar em ti?!

Capítulo XIV

Como se deve evitar o juízo temerário

*Ad te ipsum oculos reflecte et
aliorum facta caveas judicare.*

I

*V*ira os olhos a ti mesmo
Ações alheias, a esmo,
Não aquilates jamais.
— Erra, comete pecado
Toma trabalho escusado
Quem ama julgar os mais.

Sucede o contrário, quando
Vais julgando e examinando
A ti próprio com rigor:
Então trabalhas com fruto,
Se é que firme, resoluto,
Buscas chegar-te ao Senhor.

Conforme as coisas amamos,
Freqüentemente as julgamos
E segundo à inclinação
Do amor-próprio que, imanente,
Faz dos juízos facilmente
Desgarrar-se a retidão.

Faça-se em Deus benfazejo
Sempre do nosso desejo
A pura intenção estar,
E à nossa sensualidade
A resistência não há de
Tão de pronto nos turbar.

II

Há dentro em nós, escondida,
Ou fora de nós, na vida,
Alguma coisa, porém,
Que concorre a seduzir-nos.
Que não cessa de atrair-nos
Que tira por nós também.

As ocultas, muita gente
Busca a si unicamente,
No que faz, sem o saber.
Parece da paz no fundo
Se as coisas correm segundo
O seu sentir e querer;

Mas se um nada a contraria.
Vai-se-lhe toda a alegria,
Vêm tristeza e inquietações.
— Avisos desencontrados
Entre amigos e associados
Como engendram dissensões!

III

Deixar o antigo costume
Difícil é; de azedume
O coração sói encher;
E, em verdade, de bom grado,
Ninguém na terra é tirado
Do seu próprio parecer.

Se em tua razão e engenho
Te estribas mais do que empenho
Pões em curvar-te a Jesus,
Raramente e com tardança
Banhar-se tua alma alcança
Na fonte da vera luz.

LIVRO PRIMEIRO

Que lhe sejamos sujeitos
Em pensamentos ou feitos,
Eis o que quer o Senhor.
E, se deveras o amamos,
Toda a razão transcendamos,
Inflamados nesse amor.

Capítulo XV

Das obras feitas com caridade

Pro nulla remundi et pro nullius hominis dilectione, aliquod malum est faciendum.

I

Coisa alguma deste mundo,
Nem amor de nenhum ser,
Levar-nos deve a fazer
O mal de males fecundo.

Algumas vezes, porém,
De quem precisa em proveito,
Suspenda-se o bem que é feito,
Mude-se um bem noutro bem.

Alçar mão de uma obra boa
Não importa em lhe dar fim;
Quem, sábio, procede assim,
Não destrói, — aperfeiçoa

Tudo quanto a gente faz
De externo, sem caridade,
É perdido, — utilidade
De forma nenhuma traz.

Mas, por vil e diminuto,
Que um ato seja, produz
(Se a caridade o conduz)
O mais abundante fruto.

Deus que intenções pode ler,
Mais que os atos, as reclama
Muito faz quem muito ama;
Quem faz, sabendo fazer.

II

E sabe-o quem a vontade
Consegue em si reprimir,
De modo a sempre servir
Primeiro à comunidade.

Aquilo que tanta vez
Caridade se afigura,
É simples cobiça impura,
Carnalidade, doblez.

Pois se ausentam raramente
De nós (e por nosso mal)
A inclinação natural,
De prêmio a esperança ardente,

De bem estar a afeição,
A própria vontade, e quanto,
Com aparências de encanto,
Nos perverte o coração.

III

Tem caridade perfeita
Quem jamais se busca a si,
E as coisas todas daqui
De Deus à glória sujeita.

Gosto algum particular
Há nesse. Nada invejando,
Todos os bens desdenhando,
Nem mesmo em si quer gozar.

De todos os bens acima
Esse em Deus deseja ser
Glorificado, e só ter
De Deus a sublime estima.

A ninguém esse atribui
Bem nenhum todos refere
A Deus, (que todos confere),
Fonte da qual tudo flui.

Os santos todos em gozo
De Deus no seio imortal,
Como em seu termo final,
Acham o infindo repouso.

Quem uma fagulha só
Tem da vera caridade.
Sente que tudo é vaidade
Nesta vida. Tudo pó!

Capítulo XVI

Do sofrer os defeitos dos outros

> *Quae homo in se vel in aliis emendare non valet, debet patienter sustinere, donec Deus aliter ordinet.*

I

O que alguém em si não pode
Nem nos outros emendar,
Deve (que Deus sempre acode)
Com paciência suportar,

Até que, d'outra maneira,
Deus ordene. Até o fim
Conserve paciência inteira,
Verá que é melhor assim.

A paciência se revela
E exerce na provação;
Nossos méritos sem ela
Pouca valia terão.

Sofrer aproveita à gente.
Roga, contudo, ao Senhor
Que te ampare e te acalente
Para aturares a dor.

II

Com alguém que, — tendo sido
Primeira e, segunda vez,
Com razão repreendido,
Recai nos erros que fez,

Não contendas, mas na graça
De Deus tem fé, para que
Sua vontade se faça:
Deixa-lhe tudo à mercê.

Ele em bem o mal converte.
— Que em todos os servos seus
Desejo infindo desperte
De honrar o nome de Deus.

Aprende a sofrer paciente
Dos outros qualquer senão
Ou fraqueza, — que igualmente,
Teus defeitos muitos são.

Tolerância tais defeitos
Precisam também pedir:
— Os outros queres perfeitos,
Sem nada em ti corrigir.

Fazer-se tal qual entende
Não pode um homem jamais.
Como, pois, torcer pretende
Ao jeito seu os demais?!

III

Queremos que os outros tenham
A punição mais atroz;
E, embora justas, não venham
As punições sobre nós.

Quão, nos outros, desagrada
Larga licença! E a ambição
De tudo temos! Em nada
Nos compraz a negação.

Estrito regulamento
Quem nos dera aos mais impor!
E um leve constrangimento,
Produz-nos tanto furor!

Disto resulta bem claro
Que, neste triste lugar,
Ao nosso próximo é raro
Como a nós próprios amar.

Se todos aqui, sem custo,
Gozassem de perfeição,
Por vosso amor, oh Deus justo.
Que sofrêramos então?!

IV

A ciência profunda e larga
De Deus assim ordenou:
Suporte este agora a carga
Que aquele já suportou.

Defeitos de toda a casta,
Duro fardo em todos há:
Ninguém a si próprio basta,
Nem sábio assaz ficará.

Convém que nos toleremos
Reciprocamente. Oh! sim!
Que uns aos outros ajudemos,
Consolando-nos assim.

Que uns aos outros instruamos
E aconselhemos também:
Só na desdita provamos
Quanta virtude a alma tem.

As ocasiões nunca
Cousas que abalem a fé,
O forte fraco não fazem,
Senão o mostram qual é.

Capítulo XVII

Da vida monástica

> *Oportet quod discas te ipsum in multis frangere, si vis pacem et concordiam cum aliis tenere.*

I

Convém que aprendas a quebrantar-te
Em muitas coisas, se queres paz;
Concórdia encontra, por toda a parte,
  Quem isto faz.

Já não faz pouco quem vida austera
Leva em mosteiros, sem conhecer
Brigas ou queixas, e persevera
  Té perecer.

Feliz aquele que santa vida.
Não se afastando dali, passou;
E ali, ao cabo de extensa lida.
  Bem acabou

Por estrangeiro, por peregrino,
Deve no mundo se reputar
Quem quer firmar-se, quem seu destino
  Quer melhorar.

Ao religioso pouco lhe importa
Passar por louco, pois por amor
De Jesus Cristo, tudo suporta
  Quem crente for.

II

O hábito é pouco, pouco a tonsura;
Monge perfeito somente o é

Quem seus costumes reforma, e pura,
    Divina fé,

Firme nutrindo, mortificadas
De todo torna quaisquer paixões.
De outra maneira, que amarguradas
    Tribulações!

Quem outra coisa pesquisa fora
De Deus, ou fora de se salvar,
Angústia apenas, dor que devora.
    Pode encontrar

Também aquele que não procure
O mais pequeno de todos ser
E o mais sujeito, — paz que perdure
    Não pode ter.

III

Tu não nasceste para o comando,
Mas simplesmente para servir;
Foste chamado para, penando,
    Mágoas curtir.

Ócios não tenhas, sempre trabalha,
Que aqui os homens, sem remissão.
Iguais ao ouro numa fornalha,
    Provados são.

Viver dest'arte pode somente
Quem a humilhar-se condescendeu
Com alma inteira, Senhor clemente
    Por amor teu.

Capítulo XVIII

Dos exemplos dos santos Padres

> *Intuere sanctorum Patrum vivida, exempla, in quibus vera perfectio refulsit et religio; et videbis quam modicum sit et pene nihil quod nos agimus.*

I

*D*os santos Padres os exemplos vivos
Nos quais refulge a vera perfeição,
E há tantos religiosos incentivos,
    Olha com atenção.

Verás então quão pouco, quase nada
Fazemos nós... Dirás cheio de dor:
Que é nossa vida à deles comparada?!
    Que miséria, Senhor!

Em sede e fome, ou em nudez e frio,
Em trabalho e fadiga, em orações,
Em jejuns, em vigílias, do gentio
    Em mil perseguições,

Em opróbrios tão ríspidos e tantos,
Em altas reflexões, junto da cruz
Serviram ao Senhor, os grandes santos,
    Amigos de Jesus.

II

Quantas tribulações e quão pesadas.
Confessores, Apóstolos do bem,
Virgens, todos os quais pelas pegadas
    De Cristo andado têm,

Os mártires, em suma, — suportaram!
— Que, para as suas almas bem possuir
Na vida sempiterna, as detestaram
    No terreno existir!

Que dura vida segregada e austera
Levavam no deserto esses varões!
— Quanto o inimigo os atormenta e ulcera
    Em longas tentações!

Que preces abrasadas e freqüentes
Dirigem ao Senhor! Como fiéis
A ferrenho rigor, guardam contentes
    Abstinências cruéis!

Afim de se apurarem, que exercícios,
Com reto intuito, se entregando a Deus!
Que rude guerra contra os próprios vícios,
    Que zelo e ardor os seus!

Durante o dia inteiro trabalhavam,
Passando as noites todas a rezar;
E, mesmo trabalhando, não cessavam
    De mentalmente orar!

III

Todo tempo empregavam utilmente.
E na doçura da contemplação,
Se lhes tornava até indiferente
    Sua alimentação.

Curtas as horas todas pareciam
Para o Senhor servirem. As carnais.
Necessidades — as satisfaziam
    Porque elas são fatais.

E renunciavam tudo: honras, riquezas,
Amigos e parentes, sem querer
Nada do mundo, cujas impurezas
    Lhes pungiam o ser.

Só tomavam da vida o indispensável
Para não se extinguir. E que pesar
A exigências do corpo miserável
　　　Terem de se curvar

Pobres de coisas terrenas, a mente
Rica traziam de virtude e bem;
Careciam de tudo externamente
　　　No interior, porém,

De consolos e bálsamos repletos,
Em nada se estimando, sem valor
Na terra, — quão preciosos e diletos
　　　Eram ante o Senhor!

IV

Estrangeiros ao mundo, eram amigos
Particulares, íntimos de Deus,
Da humildade, entretanto, nos jazigos
　　　Velando os dias seus.

Andavam em paciência e caridade,
Para bater o mal sempre de pé;
E, da obediência na simplicidade,
　　　Crescia-lhes a fé.

Na vida espiritual se avantajavam
Todo o dia atingindo a perfeição;
Cada vez mais do Altíssimo alcançavam
　　　Graças em profusão.

Para serem exemplos foram dados;
E mais ao bem nos devem de incitar,
Que a vasta multidão dos relaxados
　　　A também relaxar.

Que fervor, em geral, nos religiosos
Ao começar a santa instituição!
Como nas devoções eram piedosos!
　　　Que nobre emulação!

Que rigidez sem par na disciplina!
Quanto respeito e sujeição na grei!
Como a todos solícitos domina
    Do superior a lei!

Muitos vestígios testemunham inda
Que, na verdade, foram homens tais
De perfeição e santidade infinda
    Modelos imortais!

Calcando o mundo aos pés, galhardamente
Combateram! Mas ai! tudo mudou:
Quem não transgride a regra, quem paciente
    Tolera o que aceitou,
Hoje por grande é tido!...

VI

Oh! negligência
Do nosso estado! Frouxidão! Torpor!
Como veio depressa a decadência
    Do primitivo ardor!

É tamanha a canseira, que remédio
Não cura a tíbia mente de prover,
E persistir no mundo causa tédio,
    Enfastia viver!

Praza a Deus que, de todo, tendo visto
Tantos exemplos de virtude aqui,
O adiantamento em imitar o Cristo
    Não se entorpeça em ti.

Capítulo XIX

Dos exercícios do bom Religioso

Vita boni Religiosi omnibus virtutibus pollere debet: ut sit talis interius qualis videtur hominibus exterius.

I

Deve resplandecer em todas as virtudes
Dos religiosos bons a vida. Inda os mais rudes,
Cumpre que sejam tais de dentro quais parecem
Àqueles que de fora apenas os conhecem.

E, com razão, melhor deve ser o interior
Que o exterior que se vê, porque, seja onde for
Que estivermos, de Deus, a quem profundamente
Amar cabe-nos sempre, o olhar em nossa mente
Penetra e tudo lê. E, de Deus na presença.
Dos anjos é mister ter-se a pureza imensa.

Importa, cada dia, ao fervor se incitar
E a deliberação tomada renovar.
Qual se acaso esse dia inda fosse o primeiro
Da conversão, dizendo: "Oh! Deus meu verdadeiro,
Ajuda-me, Senhor, nesta boa intenção
E em teu santo serviço. Oh! dá que a perfeição

Comece desde já em mim, pois, infeliz,
É nada tudo quanto até agora eu fiz!

II

Qual é nossa intenção, tal é nosso progresso.
Só avança o que faz diligência em excesso.

Se quem resoluções enérgicas firmara
Descamba tanta vez, que será do que rara

LIVRO PRIMEIRO
91

Ou frouxamente o faz? A gente, todavia,
Do propósito seu se esquece e se desvia
Com diversas feições e de muitas maneiras:
Estas em plena luz, aquelas sorrateiras.

E a mais leve omissão nos exercícios traz,
De ordinário, algum dano e conseqüências más.

Do justo a decisão, os propósitos seus
Menos do seu saber, que da graça de Deus
Dependem; e, por isso, em Deus o justo espera
Em tudo quanto ocorre e em tudo quanto opera.
Porque o homem propõe, mas Deus dispõe. Mesquinho,
O homem, e em seu poder não tem o seu caminho.

III

Se omitimos por dó, do próximo em proveito,
Costumado exercício, é fácil seu efeito
Recuperar. Porém se isso foi por tibieza
Ou negligência, é grave e faz mal, com certeza.
Quantos esforços vãos ! Por mais que os empreguemos,
Facilmente inda assim em muito pecaremos.

Mas sempre, haja o que houver, a alguma coisa certa
Devemo-nos propor: à que nos desconcerta
E estorva, sobretudo. E devemos também
Escrutar e ordenar as nossas coisas bem,
Sem diferença, interna e externamente.

Assim
Tudo em nosso favor se tornará, por fim.

IV

Não pode recolher-se alguém continuamente?
Algumas vezes, pois, recolha-se diariamente,
Ao menos de manhã e à noite. De manhã
Proponha, e, à noite, veja e examine se vã
Sua conduta foi, ou se foi de valia,

Por palavra, ou idéia, ou por obra esse dia:
Que em bastante talvez do proceder seguido
Haverá ao Senhor e ao próximo ofendido.

Arma-te, qual guerreiro, e combate a pujança
Diabólica do mal. Enfreia a intemperança,
E enfreado terás qualquer inclinação
Da carne, facilmente.

Alguma ocupação
Procura sem cessar. A preguiça não deve
Empolgar-te, vê bem. Medita, lê, escreve,
Reza, trabalha, em suma, em coisa útil aos mais
Exercícios, porém, em sendo corporais,
Faze-os com discrição, que a todos, igualmente,
Não poderão convir.

V

Nunca publicamente
Faças os não comuns. Pois os particulares
Se executam melhor em secretos lugares.
Põe bastante atenção em não ser preguiçoso
Nos da comunidade; expedito e zeloso
Nos propriamente teus. Mas, depois de acabados
Os que são de dever ou foram ordenados,
Tudo inteira e fielmente, e se o tempo sobeja,
Recolhe-te em ti mesmo então, como deseja
A tua devoção

Nem todos podem ter
Exercícios iguais. É preciso escolher.
Os que a este convém, outrem não satisfazem.
Também, conforme o tempo, as práticas aprazem,
Servindo umas melhor para os dias de festa
E para qualquer dia as outras. Temos desta,
Por exemplo, mister durante a tentação,
Daquela se há repouso e paz no coração.
Quando em tristeza, é bom que numas meditemos,
E noutras quando acaso em Deus nos alegremos.

VI

Das festas principais nas aproximações,
Os exercícios bons renova. Em orações,
De dobrado fervor, aos santos intercede.

Entre uma festa e a nova a preparos procede,
Como quem vai em breve emigrar, afinal,
Deste degredo vil, para a festa eternal,

Solícitos, assim, aprestados fiquemos
Na devota sazão. Mais rígidos guardemos
As regras, observando, as normas de piedade
Com crescido rigor, tal qual como quem há de
Depressa receber das vossas mãos, meu Deus,
O justo galardão dos sacrifícios seus.

VII

E, se for diferido o momento final,
Devemos presumir que aparelhados mal
Estamos, ou então que indignos somos inda
De atingir a mansão de tanta glória infinda,
Glória que a todos nós há de ser revelada
Em época oportuna e predeterminada.

E esta protelação a esforçar nos convida
Por tudo preparar melhor para a partida

VIII

Oh! bem-aventurado o servo (o Evangelista
S. Lucas o regista) —
Que, em seu Senhor chegando,
For achado vigiando;
Em verdade vos digo: esse feliz será:
Sobre todos seus bens o Senhor o porá.

Capítulo XX

Do amor à solidão e ao silêncio

> *Quare aptum tempus vocandi tibi, et de beneficiis Dei frequenter cogita.*

I

Procura tempo conveniente
Para empregar contigo, e ardor
Põe em pensar, freqüentemente,
Nos benefícios do Senhor.

Deixando a vã curiosidade,
Lê simplesmente obras que dão
Não distrações, mas, na verdade,
Tornam contrito o coração.

Conversações supérfluas foge;
Passeio inútil não o dês;
Novas, rumores... que te enoje
Deles a funda insipidez.

Muitos momentos adequados
O proceder assim produz
Para se terem, sem cuidados,
Meditações cheias de luz.

Os santos máximos fugiam
De com os homens se entreter;
Com Deus, constantes, preferiam
Secretamente conviver.

II

Como é profunda esta sentença
De um sábio: "Sempre que me achei

Dos outros homens na presença,
Bem menos homem regressei!"

Oh! quanta vez em nós sentimos
Esta verdade singular,
Quando sinceros refletimos,
Depois de um longo conversar!

Mais fácil é — calar de todo
Do que a falar não se exceder!
A turba evita; ao seu engodo
Prefere em casa te esconder.

Mais fácil é — viver oculto
Do que nas ruas se guardar;
Elege, fora do tumulto,
Servir à Deus, e meditar.

Esse que, pois, chegar deseja
Da vida interna à perfeição,
Com Jesus Cristo a sós esteja,
Longe deixando a multidão.

Somente sai com segurança
Quem de bom grado se ocultou
Falar com tino só alcança
Quem a calar se acostumou.

Só bem preside — o que sujeito
Já foi, e em nada já se viu;
A comandar só é perfeito
Quem na obediência se instruiu.

III

De veros júbilos o cunho
Só pode tê-lo esse que traz,
Dentro em si próprio, o testemunho
De uma consciência em plena paz.

Devem gozar seguridade
Os santos, seja adonde for,
Contudo tal tranqüilidade,
De medo é cheia do Senhor.

E não menor solicitude
Tinham, humildes sempre em si,
No gozo estando de virtude,
De resplendor ignoto aqui.

Dos maus, porém, a paz se escuda
Na soberbia ou presunção,
E finalmente se lhes muda.
Em próprio engasgo e confusão.

Seguridade na existência
Não te prometas. Nem quem é
Bom solitário, na aparência,
Pode embalar-se nesta fé.

IV

Vários que o século avalia
Como os mais dignos de louvor,
Tendo confiado em demasia,
Correm perigo assustador.

À muita gente é, pois, mais útil
Livre de todo o não ficar
Das tentações do mundo fútil,
Porém sofrê-las sem cessar.

Que assim, em almas mui seguras
De si, o orgulho tombará,
Sem inclinarem às impuras
Consolações que a terra dá.

Oh! como limpa conservara
Sua consciência quem jamais
Júbilo efêmero buscara,
Sem interesses mundanais!

Quem só a Deus os seus olhares
Volvera, em Deus só a esperar,
Quem só de coisas salutares
Vivera sempre a cogitar!

Quão grande paz esse tivera,
Sem o menor frívolo afã!
Que placidez ness'alma austera
Tão vigorosa e tão louçã!

V

Ninguém merece entrar no gozo
Da divinal consolação,
Sem se exercer, meticuloso,
Na sacrossanta compunção.

"Em vossos leitos compungi-vos
Escrito está. Quem pretender
Da contrição os lenitivos,
Deve ao seu lar se recolher.

Do mundo o estrépito banindo,
Na tua cela encontrarás
O que, lá fora persistindo,
Às mais das vezes perderás.

Continuamente ela habitada,
Grata se faz. Sendo, porém,
Em negligência, mal guardada,
Tédio produz, tristezas tem.

Quem de começo ali se abriga,
Guardando-a bem, sem outro lar,
Vê nela enfim querida amiga
Que as aflições sabe aplacar.

VI

Só no silêncio e na quietude,
Proveito uma alma pode ter;

O arcano, em toda latitude;
Das Escrituras aprender.

Então de lágrimas regatos
Todas as noites pode achar,
Para lavar-se, e dos maus atos
O coração purificar.

Quanto mais longe segregado
Fores do mundo enganador,
Tanto mais próximo, a teu lado,
Hás de sentir teu Salvador,

O que se abstrai dos conhecidos
E amigos, muito lucrará;
Com os santos anjos escolhidos,
Dele o Senhor se achegará.

Sim! é melhor que, te ocultando,
Cuidado tenhas sobre ti,
Do que, a ti próprio desprezando,
Milagres faças por aí.

É de louvar o religioso
Que raro sai para não ser
Dos homens visto e, cauteloso.
Nem quer também os homens ver.

VII

O mundo passa, com a sua
Concupiscência. Para que,
Coisa que nunca será tua
Quereres ver? É néscio, crê.

Tiram por nós, por aí fora,
A passatempos os sensuais
Desejos vis; mas, dada a hora,
Que trazes tu de coisas tais?

Resta-te só carga pesada,
E na consciência uma opressão
Que torna a mente amargurada,
Disperso vendo o coração.

É tão comum leda partida
Volta de lagrimas gerar...
— Quanta vigília apetecida
Deu em aurora de pesar!

Da carne o gozo, com blandícia,
Vai penetrando em nós assim —
E' no começo uma carícia,
Morde depois, mata por fim.

Verás acaso além portentos
Que aqui não vejas? Pois não vês
O céu e a terra, os elementos
Todos, dos quais tudo se fez?

VIII

Que é que tu podes, por acaso,
Do mundo ver, nalgum lugar,
Que permaneça longo prazo
Do sol debaixo, a perdurar?

Fartar te cuidas porventura?
Ninguém a tal jamais chegou
— Unicamente uma loucura
Quem assim pensa alimentou.

Se as coisas todas, em congresso,
Diante de ti, certa manhã,
Pudesses ver, — este sucesso
Fora visão baldia e vã.

A Deus levanta, nas alturas,
Os olhos teus e o coração;

De negligências e imposturas,
De faltas mil pede perdão.

As coisas vãs, aos vãos deixando,
Entende tu naquelas só
Que Deus te ordena: assim andando
Merecerás clemência e dó.

Rumor do mundo... Que te importa
Se a iniqüidades ele induz?!
Vem ! Sobre ti cerrando a porta,
Socorro implora ao teu Jesus.

Com ele fica em tua cela,
Que em parte alguma alcançarás
No pensamento luz mais bela
No coração tamanha paz.

Se não te houveras ausentado,
Do mundo a ouvir algum rumor,
Melhor tiveras conservado
Santo repouso alentador.

Se algumas vezes novidades
Gostas de ouvir, deves sofrer
A turbação, as ansiedades,
Que é próprio delas entreter.

Capítulo XXI

Da compunção do coração

> *Si vis aliquid proficere, conserva te in timore Dei; et nole esse nimis liber...*

I

*S*e desejas fazer algum progresso,
 Guarda o temor de Deus;
Liberdade não queiras em excesso;
 Mas os sentidos teus

Enfreia-os sob a disciplina austera,
 Entregue o coração,
Sem alegria vã, a uma sincera,
 Profunda compunção.

Muitos e grandes bens à mente abrindo,
 Fervor assim terás;
Mas a dissolução, logo surdindo,
 Perdê-los todos faz.

É de pasmar que os homens que meditam
 Neste degredo atroz,
Onde riscos sem fim cercam e agitam
 A alma de todos nós,
Inda possam ter júbilos perfeitos!

II

Por leviandade só
Do coração, e olvido dos defeitos,
 Tantos que causam dó,

As dores de nossa alma não sentimos,
 Num constante pesar.

Quanta vez, quando frívolos nos rimos,
    Devêramos chorar!

Só de Deus o temor, a sã consciência,
    Nos conseguem trazer
A verdadeira liberdade, a essência
    Do perfeito prazer.

Quão feliz quem do espírito sacode
    De qualquer distração
O impedimento, e recolher-se pode
    À santa compunção!

Feliz aquele que repele tudo
    Que possa macular
Sua consciência, alvinitente escudo,
    Ou que a venha gravar.

Varonilmente bate-te. Um costume
    Com outro se destrói;
A quem austera posição assume
    Debelá-los não dói.

Se dispensar os homens bem souberes,
    Eles te deixarão
Fazer também as obras que quiseres,
    Sem te embargar a mão.

III

Em negócios alheios não te ingiras,
    E nunca se te dê
Dos mais a vida. Se ao sossego aspiras,
    Sempre discreto sê.

Dos grandes com os litígios não te impliques,
    Mas primeiro convém
Que os olhos teus sobre ti mesmo apliques,
    E abre-os bem... abre-os bem.

Mais do que aos seres que te são mais caros,
    Admoesta-te a ti;
Se os favores humanos te são raros,
    Não te atristes, — sorri.

Que te pese, porém, ser incompleto,
    Nos exercícios teus,
Qual não pode convir a um circunspecto,
    Bom servidor de Deus.

É muita vez mais útil e prudente,
    Nos aproveita mais,
Amplas consolações não ter, — mormente
    As que forem carnais.

As divinas, se a falta lhes curtimos
    Ou a nímia escassez.
A culpa é nossa, pois nos compungimos
    Também tão rara vez!

A culpa é nossa, que não rejeitamos
    As tão vãs do exterior;
A culpa é nossa que não procuramos
    O contrito fervor.

IV

És indigno, confessa, dos alentos
    Vindos do céu, e só
Tribulações mereces, sofrimentos,
    Que te firam sem dó.

Quando se está deveras compungido,
    O mundo inteiro então
Torna-se duro, amargo, aborrecido,
    Vazio de atração.

O homem de bem matéria acha bastante
    Para doer-se e chorar.

Quer considere a si um breve instante.
Quer nos mais a pensar.

Porquanto sabe que ninguém no mundo,
Livre de penas há,
E quanto mais olhar o próprio fundo,
Tanto mais se doerá.

Os motivos da mágoa e dos cuidados
Que nos pungem, cruéis,
São simplesmente os nossos vis pecados,
Nossos vícios revéis.

Neles jazemos de tal sorte envoltos,
Que, raras ocasiões,
Vingamos contemplar, da treva soltos,
As celestes visões.

V

Se na morte mais vezes meditaras
Que em a vida alongar,
Os erros teus, com outro ardor, buscaras,
Sem dúvida, emendar.

Se pesaras também, no íntimo da alma,
As penas infernais
Ou as do purgatório, com mais calma
Viras as atuais.

De melhor grado tolerarás, creio,
Os trabalhos e a dor,
E não mais te afligirás com receio
De algum duro rigor.

Mas como ao coração isto não passa,
E inda amamos até
A blandícia, em que o mundo nos enlaça,
Eis-nos frios, sem fé.

VI

São à inópia de espírito devidas,
 Não raro, as queixas mil
Que se exalam, freqüentes, doloridas,
 Da nossa carne vil.

Humilde, pois, da compunção implora
 O espírito a Jesus,
E dize o que o Profeta disse outrora,
 Esta frase de luz:

"Senhor, do pão de lágrimas nutri-me,
 Outro não quero ter,
E, em grande cópia, lágrimas... ouvi-me
 Senhor, dai-me a beber!"

Capítulo XXII

Da consideração da miséria humana

> *Miser eris ubicumque fueris et quocumque verteris, nisi ad Deum te convertas.*

I

Miserável serás onde quer que estiveres,
E para adonde quer que te possas volver,
    Se acaso não quiseres
    A Deus te converter.

Porque sentes pesar se tudo não sucede
Tal qual tua vontade ou teu desejo pede?

    Porventura há no mundo
Alguém que tenha tudo alcançado, segundo
Seu alvedrio? Oh! não! Nem eu, nem tu. — Ninguém
Semelhante poder nesta existência tem.

Da angústia ou da aflição ninguém na terra escapa
    À inexorável lei,
    Embora seja papa,
    Conquanto seja rei.

Quem, pois, melhor está? Sem dúvida quem pode
    Por Deus algo sofrer.

II

    Aos imbecis acode
E aos fracos, de ordinário, este dito banal:
"Que existência feliz leva aquele mortal!
Como é rico! Que excelso e grande e poderoso!"

LIVRO PRIMEIRO

Considera, porém, os bens do céu, — e o gozo
Das coisas temporais por nada o julgarás;
Todas incertas são, trabalhosas, sem paz,
E ninguém as possui sem temor e cuidados.

Não consiste a ventura em ter bens avultados;
A mediania basta.

Em verdade, viver
Sobre a terra, é miséria. E quanto mais quer ser
O homem espiritual, tanto a vida presente
Mais dura se lhe faz, pois melhor vê e sente,
Da humana corrupção os defeitos sem par.

Certamente, comer, beber, dormir, velar,
Descansar, trabalhar, ser sempre a humilde presa
De outras muitas pensões fatais da natureza,
É miséria, e aflição imensa para quem,
Devoto, almeja estar—solto, liberto e sem
A mínima infração.

III

Sim! As necessidades
Do corpo às vezes são veras calamidades
Que oprimem neste mundo o varão interior.

O Profeta, por isso, implorou com fervor
Que Deus lhas suprimisse, exclamando: "Senhor,
Tirai-me das mesquinhas
Necessidades minhas!"

Ai de quem não conhece a miséria em que está !
Ai de quem, inda mais, ama na terra má
O mísero existir, cheio de corrupção.

No entanto, que ilusão!
Com tal viver alguns de tal forma se abraçam,
Alguns que trabalhando e mendigando passam.
Só tendo o necessário e as coisas mais banais,

Que, em podendo viver aqui sempre, jamais
Do reino do Senhor cuidariam.

IV

Insano,
Coração infiel, quem dest'arte, em engano,
Nas coisas terrenas profundamente jaz,
De gostar simplesmente as da carne, capaz.

Os míseros, porém, afinal, gravemente,
Hão de reconhecer quão vil, quão indigente
E nada, tudo quanto inspirou vivo amor,
Era ou é.

Ao contrário, os Santos do Senhor
Os devotos, os bons, os amigos de Cristo,
Sabiam dispensar o que sendo benquisto
Da carne, a deleitava. Olhavam com desdém

Não só isso: também
O que do tempo seu brilhava e florescia.
Toda a sua esperança e intento consistia
Em os bens eternais anelarem.

E assim
Seu supremo desejo, e soberano fim
Era levado acima, às coisas invisíveis
Que hão de permanecer, porque o amor das visíveis
Os não arremessasse às ínfimas.

Irmão,
Hora e tempo inda tens. Não esmoreças, não!
Não percas a confiança em auferir proveito
Dos bens espirituais.

V

Pois queres, com efeito,
Protrair a intenção? Vamos, ergue-te já;

Começa neste instante, e isto dize, vê lá:
"Eis o tempo da ação, dos combates, da emenda!"

Tempo de merecer será quando te estenda
Por terra enfermidade ou provação qualquer.

Que tu passes por fogo e por água é mister,
Para enfim atingir refrigério propício.

Sem violência fazer contra ti mesmo, o vício
Não vencerás.

Enquanto o corpo frágil for
E o trouxermos, jamais poderemos o horror
Do pecado evitar, nem existir sem tédio
Ou sem dor.

Quem nos dera um eficaz remédio
Que, abolindo a miséria inteira, descansar
Nos fizesse! Mas, ai! assim como a pecar
Perdemos a inocência, assim também perdemos
A genuína ventura.

Esperar, pois, devemos,
Com paciência, de Deus a piedade, até que
A iniquidade passe, e tudo o que se vê,
Tudo que há de mortal em nós, seja absorvido
Pela vida.

VI

Meu Deus, quão fraco e desvalido
O pobre humano ser, sempre inclinado ao mal!

Hoje fazes contrito a confissão geral
Das culpas, e amanhã novamente as praticas.
Propões neste momento acautelar-te. Ficas
Certo disso. Porém, se uma hora se passou,
Procedes como quem projeto algum formou.

Tão frágeis e inconstantes,
Com fundada razão nos humilhar devemos!
E jamais, arrogantes,
Grande coisa de nós presumir poderemos.

A negligência faz,
Num instante, perder-se aquilo que nos traz
A graça, e só depois de trabalhos imensos.

VII

Se de manhã, tão cedo, estamos já propensos
Da tibieza ao torpor, — que será ao cair
Do dia, até ao fim?!

Mal do nosso porvir,
Se queremos assim declinar à quietude,
Como se houvera já, em nós, ampla virtude,
Seguridade e paz, e quando o proceder
Nem um vestígio só deixa transparecer
De vera santidade!

Um ótimo serviço
Nos fora regressar às regras de noviço,
Novamente podendo a mente preparar,
Melhores tradições e costumes tomar,
Se esperança de emenda inda permanecesse
E de que mor proveito o espírito colhesse

Capítulo XXIII

Da meditação da morte

> *Valde cito erit tecum hic factum; vide aliter quomodo te habeas. Hodie homo est, et eras non comparet; quum autem sublatus fuerit ab oculis etiam cito transit a mente.*

I

Muito depressa acaba esta jornada;
Como te avéns vê, pois:
Agora vives; reduzido a nada
Serás pouco depois.

Da vista ser tirado é da memória
Ser tirado também.
Que dureza, que estúpida vanglória.
Não cogitar do Além!

Ai de quem só nas coisas do presente
Cuida, sem pressentir
Que é necessário ser mais previdente
Quanto às que têm de vir!

De tal modo, em ações e pensamento
Cumpre-te proceder.
Como se agora mesmo, num momento,
Houveras de morrer.

Morrer não teme uma consciência forte:
— Antes se acautelar
Contra os pecados, do que a certa morte
Pretender evitar.

Se aparelhado não estás agora,
    Amanhã o estarás?
Tudo incerteza do amanhã na aurora;
    Sabes tu se o verás?!

II

Que monta viver muito a quem na senda
    Da correção não vai?
Mais aumento de culpas do que emenda
    De longa vida sai.

Bem viver um só dia nesta lida
    Pudéssemo-lo nós!
— Sim! é atroz morrer, mas longa vida
É talvez mais atroz.

Muitos contam os anos que volveram
    Depois da conversão;
Frutos, porém, da emenda, se os colheram
    Quanta vez poucos são!

Ditoso o que tem sempre ante seus olhos
    O instante de morrer,
Cada dia disposto, sem refolhos.
    Para a tumba descer.

III

Já viste alguém morrer? Na mesma via
    Pensa que hás de passar
E, de manhã, que podes desse dia
    À noite não chegar.

E em vindo a noite, outra manhã não ouses
    Esperar, porém sim,
Apercebido sempre, não repouses,
    Sem ver perto o teu fim.

LIVRO PRIMEIRO

Que não te encontre a morte sem preparo
   Em nenhuma ocasião:
De improviso, de súbito, não raro,
   Cai-se morto no chão.

Para tal caso precauções se tomem,
   Porquanto escrito está:
Quando não se pensar, o Filho do homem
   Imprevisto virá.

No extremo instante, bem diversamente
   Teu passado hás de ver.
— Como, então, o ter sido negligente
   Te fará padecer!

IV

Quão feliz e prudente o que trabalha
   Ser na existência tal,
Qual deseja de ser, sem uma falha,
   No momento final!

É do mundo o desprezo, a penitência,
   De si a abnegação,
O amor às disciplinas, a paciência
   Em sofrer a aflição,

De em virtudes crescer o fervoroso
   Desejo, por amor
De Jesus Cristo, o que transforma em gozo
   De morrer o pavor.

Enquanto forças tens, muita obra boa
   Praticar poderás;
Porém se a enfermidade te atordoa,
   Não sei do que és capaz!

A bem poucos emenda a enfermidade;
   — Também peregrinar

De maneira excessiva, santidade.
Raro costuma dar.

V

Não te fies no amigo ou no parente;
Apronta-te, eis aí.
Mais cedo do que cuidas, toda gente
Se esquecerá de ti.

Não difiras também para o futuro
A tua salvação;
Prover com tempo, agora, é mais seguro,
É melhor, sem questão.

Em tempo, de bons atos te previne,
Sem com outrem contar;
E o desejo exclusivo te domine
De tua alma salvar.

Se contigo não fores cuidadoso
Hoje, — quem será tal
Contigo, no futuro? E' mui precioso
O momento atual.

Eis agora o período aceitável:
Sim, agora aqui vês
Da salvação o dia. E aproveitável
Não o tornas talvez!

Que imensa pena faz que a atualidade
Deixes de utilizar,
Quando o existir em toda eternidade
Podes nela ganhar!

Virá tempo em que apenas por um dia,
Por uma hora fugaz,
Suspirarás, com contrição tardia:
E não sei se o terás!

VI

Ah! caro amigo, quanto lance ingrato
De si não apartou —
Quem sempre suspeitoso e timorato
Da morte se mostrou!

Constante, desde já, de tal maneira
Aplica-te a viver,
Que sintas em tua hora derradeira,
Menos dor que prazer.

Aprende agora falecer ao mundo
Para que após, na luz,
Comece o teu espírito jucundo
A viver com Jesus.

Tudo menosprezar aprende agora,
Afim de que, a sorrir,
Possas, livre afinal, sem mais demora,
Para Cristo partir.

Agora, o corpo teu castiga e esperta,
Com penitência, e então,
Todo sossego, segurança certa,
Terá teu coração.

VII

Insano o que imagina vida extensa,
E nem um dia só
Tem seguro! Mais breve do que pensa
Ei-lo desfeito em pó!

Quantos que se enganavam, de improviso
Foram dos corpos seus
Arrebatados ! Nosso fim preciso
Só o conhece Deus.

Ouves, não raro: este morreu à espada,
    Aquele se afogou,
Um a comer, outro rolando a escada,
    Jogando outro expirou;

Ao ferro, ao fogo, à peste, do assassino
    Ao punhal, — perecer
É de todos idêntico o destino,
    Tudo ao mesmo vai ter.

Passa qual sombra, rápida, ilusória,
    Do homem a vida. E aqui,
Quem, de ti morto guardará memória?
    Quem rogará por ti?

VIII

Agora, quanto a força te comporte,
    Faze-o, pois sabes lá
Quando deves morrer, e após a morte
    Que te sucederá?

Enquanto o ensejo tens, vai ajuntando
    Riquezas imortais;
Cuida da salvação, só te ocupando
    Das coisas divinais.

Ama os santos, imita-os, não incorras,
    Ante eles, em labéu,
Para que, como amigo, quando morras,
    Te agasalhem no céu.

IX

Qual peregrino ou hóspede, na terra
    Importa te manter;
Como quem com os negócios que ela encerra
    Não tem nada que ver.

LIVRO PRIMEIRO　　117

Conserva livre, e para o Onipotente,
　　Ereto o coração;
Pois aqui não tens pátria permanente,
　　Mas na eterna mansão.

Teus gemidos e preces, cada dia,
　　Com lágrimas de dor,
Dirige para ali; seja-te guia
　　De Jesus Cristo o amor.

Da morte, assim, após o desenlace,
　　Merecerás o bem
De que tua alma felizmente passe
　　Ao Senhor Deus.

Amém

Capítulo XXIV

Do julgamento e das penas dos pecadores

> *In omnibus rebus respice finem et qualiter ante districtum stabis judicem, cui nihil est occultum; qui muneribus non placatur nec excusatione recipit, sed quod justum est judicabit.*

I

*O*lha de tudo o final,
E como estarás perante
O rigoroso semblante
Do Julgador Imortal.

Sem escusas aceitar,
Não se abranda com presentes;
Aos olhos seus previdentes
Nada se pode ocultar.

Mas a todos julgará
Com justiça inexorável,
— O pecador miserável
E insano que lhe dirá?

Sim! que dirás ao Senhor,
Dos crimes teus inteirado,
Se às vezes o vulto irado
De um homem te fez pavor?!

Porque já te não provês
Para o dia do juízo,
Quando contas é preciso
Dar cada qual do que fez?

Dos outros defesa ali
Ninguém terá. Onerado
Cada qual vem, por seu lado
E é carga sobeja a si.

Agora bons frutos dá
Teu trabalho. Teus gemidos
Inda podem ser ouvidos,
Teu pranto aceito será.

Agora, do teu sofrer
A dor é satisfatória,
E dor purificatória,
Que exaltará o teu ser.

II

Purgatório salutar
Tem, e grande, quem paciente,
Sendo ultrajado, mais sente,
Com verdadeiro pesar,

A malícia do ofensor,
Do que o próprio ultraje, e reza
Por quem o aflige e despreza,
Por quem contrário lhe for;

Quem culpas de coração
Perdoa; quem, sem demora,
Se em qualquer falta labora,
Suplica aos outros perdão

Quem mais fácil de levar
É à piedade e à clemência
Do que à ira: quem violência
Faz contra si, a lutar

Para a carne submeter
Ao espírito.   Os pecados

Purga-os agora. Extirpados
É melhor os vícios ver

Na terra, que a expiação
Reservar para o futuro,
Pois da carne o amor impuro,
Sem freio, engana a razão.

III

Que outra coisa tragará
Aquele fogo horroroso
Senão, pecador teimoso,
Os teus pecados de cá?

Quanto mais se poupa alguém
E a carne seguir consente,
Tanto mais asperamente
De o pagar mais tarde tem.

Um combustível melhor
Junta, a fim de ser queimado:
No que mais houver pecado,
Terá punição maior.

Com acesos aguilhões
Eis os ociosos picados;
Grandemente atormentados
De fome e sede os glutões.

Impudicos e carnais
Ei-los imersos, de chofre,
De pez e fétido enxofre
Nas caldeiras colossais.

E os invejosos a uivar
Como cães em fúria !... Vício
Nenhum há que o seu suplício
Não ache particular.

IV

Eis de toda confusão
Ali os soberbos cheios
E os avarentos, sem meios,
Da penúria na opressão.

Uma hora de pena ali
Será mais insuportável -
Que cem anos de implacável
Penitência atroz aqui.

Conforto e repouso algum
Têm ali os condenados,
Enquanto aqui os cuidados
Cessam não raro, e é comum

Tranqüila a gente gozar
De amigos o lenitivo.
— Oh ! bem solícito e ativo
Mostra-te agora em cortar,

Contrito, os pecados teus,
Que assim estarás (confia),
Do julgamento no dia,
Entre os diletos de Deus.

O justo então se há de erguer,
À luz de confiança imensa,
Contra quem hoje só pensa
Em o ferir e abater.

Será julgador então
Quem dos homens se sujeita,
Com humildade perfeita,
À transitória opinião.

Grande firmeza haverá
No pobre e no humilde, enquanto
Ao soberbo, fundo espanto
Tudo então lhe causará.

V

Ver-se-á então quanta luz
Tinha na terra o julgado
Demente, e menosprezado
Por teu amor, ó Jesus!

Então, se fará prazer
Qualquer dor bem suportada;
Então, a boca tapada,
Iniqüidade, hás de ter.

Então, o crente, o fiel,
Nadará em puro gozo,
Enquanto, oh! irreligioso,
Terás da tristeza o fel.

Então, exultará mais
A carne, outrora afligida.
Que se em delícias nutrida
Fora sempre, sem iguais.

Então, o hábito vil
Terá resplendor garrido.
Deixando entenebrecido
O trajo rico e gentil.

Então, terá mais louvor
O domicílio rasteiro
Do que o palácio altaneiro
Transbordante de fulgor

Então, auxílio eficaz,
Mais que todo poderio
Do mundo insano e vazio
Dará paciência tenaz.

Então, mais se há de exaltar
A simples, mansa obediência
Do que na sua insolência,
Toda a astúcia secular

VI

A consciência pura e vã
Fará maior alegria
Então, que a filosofia.
Douta embora, porém vã

Mais peso haverá também.
Então, no desprezo do ouro,
Que em todo o imenso tesouro
Que os filhos da terra têm.

Então, mais te há de agradar
Teres te dado a uma prece
Cujo fervor esclarece.
Que a delicado manjar.

Verás, então, quão melhor
Foi o silêncio guardado,
Do que haveres conversado
Tanto, de ti em redor.

Então, mais hão de valer
Obras santas, que as infindas
Palavras altas e lindas
Que os homens sabem dizer.

Mais te há de aprazer, então,
A vida severa e estreita,
Do que toda essa imperfeita.
Terrena deleitação.

Aprende agora sofrer
Em pouco, para que, certo,
Consigas, então, liberto,
De coisas mais graves ser.

O de que serás capaz
Ao depois, experimenta
Primeiro aqui. Quem o tenta,
Baldado esforço não faz.

Se agora suportas mal
Os mais leves sofrimentos,
Como os eternos tormentos
Suportarás afinal?

Se enfermidade fugaz
Hoje impaciência tamanha
Te produz, — perante a sanha
Do inferno que sentirás?

Certo, não podes gozar
Duas venturas, dest'arte:
— No mundo aqui deleitar-te,
Depois com Jesus reinar.

VII

Se até hoje no existir
Só volúpias e honrarias
Tiveras, todos os dias.
Sempre o deleite a fruir,

Em que é que te aproveitar
Esse passado brilhante
Pudera, se neste instante
Te acontecera expirar?

Vaidade! Vaidade, sim,
Tudo, pois... Salvo, fervente,
Amar a Deus e somente
Servi-lo sempre, sem fim.

Quem ao Senhor imortal
Vota amor sincero e forte,
Não tem que temer a morte,
Nem o Juízo Final;

Nem dos suplícios o horror,
Nem no inferno ter ingresso,
Pois a Deus seguro acesso
Ministra o perfeito amor.

Mas quem inda, no pecar,
Tem do deleite o sorriso,
Esse que a morte e o Juízo
Tema, não é de espantar.

É bom todavia que,
Se ao mal te não põe alheio
O amor, ao menos um freio
Do inferno o medo te dê.

Certamente, quem de Deus
O vero temor posterga,
E só em Deus não enxerga
O escopo dos passos seus,

Esse apenas ficará
No bem momentos escassos,
E do demônio nos laços
Mui depressa cairá.

Capítulo XXV

Da fervorosa emenda de toda nossa vida

Esto vigilans et diligens in Dei servitio; et cogita frequenter, ad quid huc venisti, et cur saeculum relinquisti; nonne ut Deo viveres et spiritualis homo fieres?

I

No serviço de Deus, bem vigilante,
    Bem diligente sê,
A lembrança invocando, a cada instante,
    Do motivo porque

Deixaste o mundo para aqui entrando:
    — Não foi motivo tal
Viver para o Senhor, em te tornando
    Homem espiritual?

Aferventa-te, pois, no adiantamento,
    Que, assim, receberás
Em breve, o pago do trabalho atento.
    Numa perfeita paz.

Dentro dos teus limites, desta sorte,
    Não mais, então, a dor,
Não mais a triste, a inexorável morte
    Te causarão pavor.

Em trabalhando agora um bocadinho,
    Acharás afinal
Não só grande repouso em teu caminho,
    Mas ledice eternal.

Fiel permanecendo em qualquer ato,
    Fervente nas tenções,

LIVRO PRIMEIRO

Deus te será munificente e exato
Nas remunerações.
Deves sempre reter boa esperança
De a palma conseguir;
Mas certeza não hajas: segurança
Não te convém nutrir.

Não ficarás, dest'arte, presunçoso.
Nem na relaxação
Hás de cair; mas guardarás, zeloso,
Constante compunção.

II

Alguém que, sempre ansioso, vacilava,
A temer e esperar,
Prostrou-se, orando, certa vez que estava
Na igreja, ante um altar,

E disse, a revolver, com mágoa infinda,
Esses enleios seus
"Oh! se eu soubesse que pudera ainda
Perseverar, Meu Deus!..."

E divina resposta, entre harmonias,
Logo o seu coração
Escutou: "Se souberas, que farias?
Faze agora o que então

Quererias fazer. E bem tranqüilo
Desse modo estarás."
Ele, no mesmo instante, ouvindo aquilo
Vê que a luz se lhe faz:

Não mais ansioso treme vacilando;
Constância e fé lhe vêm;
À vontade de Deus se abandonando,
Força e consolos tem.

Não mais investigou curiosamente
Para saber o que
Lhe havia de ocorrer futuramente
Mas, de Deus à mercê,

Só curou de indagar o que seria
Mais conforme ao querer
Perfeito dele para, nessa via,
Boas ações fazer.

III

Espera em Deus, foi dito, e te desvela
Em o bem praticar,
E a terra habita e com as riquezas dela
Hás de te apascentar.

De avançarem a muitos dissuade,
Tirando à emenda o ardor,
O horror apenas da dificuldade,
Da peleja o labor.

Cresce mais do que os outros em virtudes
Quem se aposta a vencer
Varonilmente as coisas que mais rudes
Lhe contrastam o ser.

Porque mais aproveita, e digno fica
De uma graça maior,
Quem mais se vence e quem se mortifica
No espírito, melhor.

IV

Tanto, do mesmo modo, todavia,
Não têm o que vencer
Todos, da vida na cruel porfia,
Nem têm muito a morrer.

Traga embora paixões em quantidade,
Esse que se mostrar

LIVRO PRIMEIRO

Cheio de emulação, na realidade,
    Será, no aproveitar,

Mais valente que o bem morigerado,
    Que não sente, porém,
Pela virtude o mesmo ardor sagrado
    E menos zelo tem.

Duas coisas ajudam, com firmeza,
    A grande emenda, e são:
Com força resistir da natureza
    À má inclinação,

E todo empenho pôr, ardentemente,
    Sem hesitar sequer,
Em alcançar o bem que mais urgente
    Se nos faça mister.

Também trata com máximo cuidado,
    De evitar e vencer
Aquilo que te faz mais desagrado
    No teu próximo ver.

V

Seja onde for, procura aproveitar-te:
    — Ouvindo, pois, contar
Ou vendo exemplos bons, busca inflamar-te
    Por logo os imitar.

Se alguma coisa censurável vires,
    Cautela em não cair
No mesmo! Mas se acaso em tal caíres,
    Cuida de o corrigir.

Como o teu olho os outros considera,
    Serás assim também
Pelos outros notado. Quem te dera
    Ver os mais sempre bem!

Quão jucundo, quão doce ver ferventes
E devotos irmãos
Morigerados, firmes, obedientes,
Disciplinados, sãos!

Quão grave e triste vê-los desregrados
Em confusão girar,
E as obras para as quais foram chamados
Não as exercitar!

Quão nocivo, o propósito olvidando
Da sua vocação,
Ir o sentido a coisas inclinando
Que fora dela estão!

VI

O propósito lembra que tomado
Foi ao entrar aqui;
Propõe a imagem do Crucificado
Sempre diante de ti.

Bem te podes correr, quando investigas
A vida de Jesus,
Pois, embora de Deus há muito sigas
Pela estrada de luz,

Inda não empregaste assás estudo
Em conformar-te, oh! sim!
Com teu divino Redentor, em tudo,
Sem visar outro fim.

O que atento e devoto se exercita
Na vida e na paixão
De Jesus, tudo quanto necessita,
Encontra em profusão.

Tudo quanto for útil, sem demora,
Nessa vida há de achar;

LIVRO PRIMEIRO

Nem há mister, de Jesus Cristo fora,
Coisa melhor buscar.
Oh! se o Crucificado à nossa mente
Condescendesse em vir,
Fôramos logo e suficientemente
Doutos, só de o sentir!

VII

O religioso ardente, de bom grato
Aceita e leva bem
Tudo que se lhe manda. O desleixado,
O remisso, porém,

Esse tribulação constante o assalta:
Sempre, onde quer que for,
Angústias sentirá, porque lhe falta
O consolo interior.

Buscar o externo veda-lhe o preceito
E se vive revel,
Fora da disciplina, ei-lo sujeito
A uma ruína cruel.

Se a vida leva solta e descomposta,
Sempre a sofrer está,
Pois duma coisa ou de outra se desgosta.
Tédio tudo lhe dá.

VIII

Como procedem tantos, apertados
Sob a regra claustral?
— Raro aparecem, jazem retirados,
Comendo pouco e mal;

Trabalham muito, nada falam, ficam
Té bem tarde a rezar,
E cedo se levantam, fortificam
Sua alma, sem cessar.

Vestem grosseiramente, à sã leitura
Com freqüência se dão;
Guardam-se em toda disciplina dura,
Com extrema exação.

Os da Cartuxa, os de Cistér, diversos
Monges e freiras vê
Como, todas as noites, quando imersos
No sono o vulgo os crê,

Abandonam o leito, em lajes frias
Vão os seus joelhos pôr,
Para cantar celestes harmonias
E salmear ao Senhor.

Bem torpe fora, pois, teres preguiça
Quando dos irmãos teus
Tamanha turba, começou, submissa
Os louvores de Deus.

IX

Oh! quem nos dera não fazer no mundo
Outra coisa senão
Louvar a Deus, com os lábios, e do fundo
De nosso coração.

Oh! quem nos dera, prescindindo disto —
Comer, beber, dormir, —
Tão-somente ao Senhor, conforme a Cristo,
Sempre amar e servir!

Oh! quem nos dera a práticas piedosas
Reduzir o viver!
Nossas almas, então, mais venturosas
Certo haviam de ser.

Hoje nos pungem tantas qualidades
De exigências carnais...
Oh! não houvera essas necessidades
Mas só espirituais

LIVRO PRIMEIRO

Refeições da alma, as quais bem raramente
Gostamos ai de nós !...

X

Sim! Quando um homem chega, finalmente,
De muita angustia após,

Ao ponto de em nenhuma criatura
Sua consolação
Não procurar, seu coração se apura
E do Senhor, então,

A gostar plenamente principia.
Como contente está,
Haja o que houver ! Em nada desvaria,
Nada o perturbará.

Então, não tem, no muito, regozijo,
Nem, no pouco, pesar;
Mas a Deus, em bonança, ou vento rijo,
Deve se abandonar.

A Deus se entregue, bem confiante, mudo,
De maneira total,
Pois em todas as coisas Deus é tudo,
Previdente, imortal.

Para Deus nada morre nem se fina,
Tudo subsiste em Deus;
Tudo a Deus serve, e rápido se inclina
Ante os acenos seus.

XI

Cuida sempre do fim, porque perdido
Não torna o tempo, não...
Quem não é diligente e precavido,
Busca a virtude em vão.

A entibiar-te começas? Pois começa
Tudo a ir-te mal também;
Mas, se te deres ao fervor, depressa
Imensa paz te vem;

O teu trabalho sentirás mais leve
Por graça do Senhor,
Ou da virtude que a tua alma enleve,
Por efeito do amor.

O homem que for solícito e fervente,
Apercebido está
Para tudo; rebate heroicamente
Qualquer surpresa má.

É mais penoso resistir aos vícios
E às paixões, que suar
Nos corporais trabalhos, nos ofícios
Mais duros de levar

Quem pequenos defeitos não evita,
A pouco e pouco vai
Para maiores resvalando. Imita
Quem nesse erro não cai:

Se com fruto empregares o teu dia.
Sempre à tarde hás de ter
Júbilo certo. Sobre ti vigia,
Não corrompas teu ser.

Excita-te, admoesta-te, constante:
Não te afastes daí;
Seja o que for, aos outros no tocante,
Não descuides de ti.

Estes conselhos segue, se quiseres
Vida e morte de paz;
— Quanto a força, vê bem, que te fizeres
Tanto aproveitarás.

LIVRO SEGUNDO

AVISOS
**Conducentes ao Progresso
na Vida Interior**

Capítulo I

Da conversação Interior

"Regnum Dei infra vos est",
dici Dominus. Converte te ex toto
corde tuo ad Dominum et relinque
hunc miserum mundum, et
inveniet anima tua requiem.

I

"De Deus o reino está dentro de vós" — foi dito
Pelo Senhor.

Assim, de todo coração,
Converte-te ao Senhor; este mundo precito
Abandona, — e tua alma achará quietação.

Aprende desprezar as coisas exteriores,
Às internas votando os pensamentos teus,
E verás como a ti, no meio de esplendores,
Vem o reino de Deus

Porque é paz e prazer em o Espírito Santo
Esse reino de Deus, que aos ímpios não é dado
Dentro em ti aparelha um digno gasalhado,
E Cristo a ti virá consolar o teu pranto.

É de dentro que está toda a glória e beleza
De Jesus. Ele aí se compraz, com certeza.

Em quem é recolhido, eis a visitação
Freqüente, — muita paz grata consolação,
Doce entretenimento e familiaridade
Que de nímia parece estupenda, em verdade.

II

Ela, oh! alma fiel, o coração zeloso
Prepara, sem demora, a fim de que estè esposo
De vir a ti se digne e de habitar em ti.
Porquanto ele exclamou: "Se me ama alguém aqui
Minha palavra guarde e meu Pai o amará
E viremos a ele, e nele se fará
Nossa morada."

Assim, a Cristo dá lugar.
Devendo a tudo mais entrada recusar.

Quando tiveres Cristo, estás rico, e é bastante.
Ele mesmo será teu provedor constante,
Fido procurador em tudo, de tal jeito
Que não hajas mister, de farto e satisfeito,
Nos homens esperar, — que eles mudam depressa
E faltam velozmente. Entretanto, não cessa
Jesus de nos suster. Para sempre persiste,
E firme, e permanente, até ao fim assiste.

III

No homem fraco ou mortal (dileto ou útil seja
Embora), nunca deve aquele que deseja
Elevar-se no bem, grande confiança pôr,
Nem mui triste ficar se contrário ele for
E adverso alguma vez
Os que hoje são contigo,
Contra ti amanhã podem ser. Quanto amigo
Se nos faz desafeto e vice-versa! Mudam
Não raro, como o vento. É bom que não te iludam.

Põe em Deus, em Deus só, toda a tua confiança;
Seja ele teu temor, teu afeto e esperança.
Ele responderá
Por ti, e bem fará
Como te for melhor. Nele tranqüilo está.

LIVRO SEGUNDO

Pátria que permaneça aqui não tens. Mofino
Serás em qualquer parte. Estranho e peregrino,
Descanso algum terás jamais, se a tua vida
Não estiver a Cristo intimamente unida.

IV

Em derredor de ti, que procuras olhar,
Se do repouso teu não é este o lugar?

A tua habitação deve nos céus jazer;
Cumpre na terra má todas as coisas ver,
Como quem vai aqui de trânsito somente:
Todas passam e tu com elas igualmente.

Nelas, vê bem, tua alma embeber-se não deve,
Porque evites prender-te e perecer em breve.

Que no Altíssimo seja imerso o teu pensar;
Tua prece a Jesus dirige, sem cessar.

Não sabes contemplar altas, celestes coisas?
Na paixão de Jesus porque então não repousas,
Habitando contente em suas chagas pias?
Pois que, se em chagas tais com fé te refugias,
E nos estigmas seus de valia tamanha,
Nas atribulações grande conforto ganha
Tua alma, a quem será então de pouco peso
Do detrator a voz, dos homens o desprezo.

V

Também dos homens foi no mundo desprezado
Jesus, — entre baldões, inerme, abandonado,
Em máxima penúria. Amigos, conhecidos
Negaram-no, sem dó, ingratos, fementidos.

Ser aviltado quis, penar como ninguém:
E tu ousas ainda a queixar-te de alguém?!

Cristo inimigos teve e atrozes detratores.
— Como pretendes tu amigos, benfeitores
Só em todos achar?!
Como a tua paciência
Coroada será, sem da mágoa a inclemência
De algum modo aturar?!
Se não queres sofrer
Contratempo nenhum, como poderás ser
Amigo de Jesus?!
Oh! Com Jesus padece,
De Jesus por amor, se reinar apetece
Tua alma com Jesus.

VI

Se uma só vez entraras
Dele no coração plenamente, e gostaras
Do seu fervente amor um pouco, não te deras
De incômodos quaisquer ou cômodos. Quiseras
Ter injúrias também recebido. Contente
Te sentiras até com isso, certamente,
Pois o amor de Jesus
De si próprio o desprezo em nossa alma produz.

O amador de Jesus e da verdade, quem
Existência interior verdadeira mantém,
E isento de afeições desregradas está,
Para Deus facilmente este se voltará,
Elevar-se podendo em espírito acima,
De si mesmo, a gozar de quietação opima.

VII

Esse que as coisas vê e julga tais quais são,
Não segundo o dizer, conforme a estimação
Dos outros, na verdade, é sábio consumado;
Mais de Deus que do mundo esse foi ensinado.
Quem sabe andar de dentro e as exterioridades
Por pouco tem, não quer certas localidades,

LIVRO SEGUNDO

Nem por tempos espera, a fim de praticar
Exercícios de fé e à devoção se dar.
Recolhe-se depressa o varão interior,
Pois de todo jamais se espalha no que for
Externo. Não o empece o trabalho de fora.
Nem as ocupações necessárias à hora.
Mas às coisas se afaz como ocorrem.

Quem é
De dentro bem disposto e ordenado, com fé,
Não cura das ações dos homens miseráveis,
Ou perversas e vis, ou grandes e admiráveis.

O homem tanto será distraído e estorvado
Quanto as coisas a si atrair, sem cuidado.

VIII

Purificado estás, com ânimo perfeito?
Tudo se tornará em teu bem e proveito.

A razão pela qual muita coisa te enfada
E te põe tanta vez a mente conturbada,
É que morto a ti mesmo inda perfeitamente
Não ficaste, e da terra a tudo indiferente.

Quem o alcança é feliz.
Nada tanto embaraça e mancha o coração
Como a impura afeição
Das criaturas vis.

Mas se às consolações externas renuncias,
Poderás contemplar as coisas celestiais,
E ter dentro de ti freqüentes alegrias,
Como não há iguais.

Capítulo II

Da humilde submissão

Non magni pendas quis pro te vel contra te sit, sed hoc age et cura ut Deus tecum sit in omni re quam facis.

I

*P*ouco te importe quem seja
Por ti, ou quem só esteja
Contra ti. Porém, de Deus
Trabalha, põe diligência,
Para teres a assistência,
Em todos os passos teus.

Trazendo a consciência boa,
De modo que te não doa,
Deus bem te defenderá:
— Esse a quem ele auxilia,
A mais perversa energia
Dano nenhum lhe fará.

Calar e sofrer sabendo.
Com certeza estarás vendo,
Breve, esse auxilio te vir;
Deus a ocasião verdadeira
Conhece, e a melhor maneira
De te livrar e acudir.

Sem mais detença, dest'arte,
Deves a Deus entregar-te,
Consagrar-lhe o coração:
E' de Deus prestar auxílio,
E dissipar, neste exílio,
Toda e qualquer confusão.

LIVRO SEGUNDO

Produz, não raro, proveitos
Que os outros nossos defeitos
Conheçam, a censurar;
Porquanto assim, na verdade,
Nós em maior humildade
Podemos nos conservar.

II

Quem, do progresso na trilha,
Por seus defeitos se humilha,
Facilmente aplaca os mais,
Satisfazendo, sem custo,
Os que de rancor injusto
Mostram irados sinais.

Deus ao humilde protege,
Livra, consola, ama, elege,
Se lhe inclina, liberal;
De grandes graças o alento
Dá-lhe, e, após o abatimento,
O eleva à glória imortal.

Revela-lhe os seus segredos;
Com modos doces e ledos
A si o convida e atrai:
— Ante a afronta recebida,
O humilde não se intimida.
Da paz que goza não sai,

Pois no mundo não se arrima.
Mas em Deus.
       Quem não se estima
A todos bem inferior,
— Apesar de vivo zelo,
Progresso algum, deve crê-lo,
Fez na estrada do Senhor.

Capítulo III

Do homem bom e pacífico

Tene te primo in pace, et tune poteris alios pacificare.

I

*E*m paz conserva-te primeiro,
E então, após isto alcançar,
Tens valimento verdadeiro
Para os demais pacificar.

Mais o pacífico aproveita
Que o muito sábio. O apaixonado
Em mal o bem muda, e, açodado.
Como verdade o mal aceita.

O homem pacífico e bondoso
Tudo converte em puro bem;
O que da paz vive no gozo,
Jamais suspeita de ninguém.

Mas o turbado, o descontente,
Com mil suspeitas se tortura;
Não acha paz sua alma escura.
Nem na dos outros paz consente.

O que dizer não deveria,
Freqüentemente ei-lo a dizer,
E o que fazer lhe conviria
Deixa, não raro, de fazer.

Da obrigação alheia sabe,
Descuidos nela não suporta,
Sem atender à que lhe importa,
Sem se ocupar do que lhe cabe.

LIVRO SEGUNDO

Exerce em ti primeiro o zelo
E, depois disto, poderás
Também no próximo estendê-lo,
De um modo, então, justo e eficaz.

II

Como disfarças e desculpas
Os feitos teus! No entanto, escusas
Ouvir não queres e as refusas,
Ao se tratar de alheias culpas!

Fora mais justo te acusares
Sempre, os irmãos a absolver...
Os outros sofre, se almejares
Que os outros queiram te sofrer.

Vê quanto estás inda distante
Da caridade verdadeira.
E da humildade que não queira
Nem saiba mesmo, um só instante,

Contra ninguém mostrar-se irada
Ou revelar indignação.
Manifestando-se vexada
Só quanto à própria condição.

Com bons e mansos conviver-se
Coisa não é benemerente:
É natural, agrada à gente;
Todos à paz amam volver-se.

Damos, em regra, preferência
A quem de nós não dissentir.
— Em paz, porém, a convivência
Dos maus e duros conseguir;

Poder viver em harmonia,
Com provocantes desregrados;
Com quem grosseiro, em altos brados,
Em tudo, audaz, nos contraria,

É grande graça, é raridade,
Ação egrégia e varonil,
Merecedora, na verdade,
De reverência e encômios mil.

III

Alguns, em paz consigo estando,
Em paz com outrem permanecem;
Outros, porém, nem a conhecem,
Nem aos demais a vão deixando.

Tornam-se assim insuportáveis
Para os que perto, acaso, estão:
E ainda mais abomináveis
Para si próprios eles são.

Vê-se também quem se assinala,
Porque, a si mesmo em paz mantendo,
Quer vê-la aos outros abrangendo,
E emprega estudo em propagá-la.

A paz no mundo peçonhento,
Deve-nos toda consistir
Antes no humilde sofrimento,
Do que em estorvos não sentir.

O que souber de melhor jeito
Sofrer a dor no corpo e na alma,
De maior paz ganhando a palma,
Terá esplêndido proveito.

É vencedor de si. Consigo
Lutando, o mundo avassalou;
De Cristo assim se fez amigo,
Do céu herdeiro se tornou.

Capítulo IV

Da mente pura e da intenção simples

> *Duobus alis homo sublevatur a terrenis; simplicitate scilicet et puritate.*

I

$\mathcal{P}$ara erguer nossa alma presa
Da terra às coisas tão rasas,
Temos todos duas asas:
Simplicidade e pureza.

Aquela, a simplicidade,
Na intenção tem seu lugar;
Esta, a pureza, em verdade,
No afeto é que deve estar.

A primeira Deus procura,
Para Deus inteira tende,
Mas a segunda o apreende,
E a prelibá-lo se apura.

Não será embaraçado
Por nenhuma boa ação,
Quem de afeto desregrado
Tiver livre o coração.

Quem só busca e traz em mente
De Deus o assenso perfeito,
E do próximo o proveito,
liberdade interna sente.

Se o teu coração é reto,
Acharás em todo ser,
Da vida espelho completo,
Livro de santo saber.

Não há entidade alguma
Tão humilde, tão mesquinha,
Que não testemunhe, asinha,
De Deus a bondade suma.

II

Se fores, interiormente,
Bom e puro, então verás,
Sem empeço, plenamente,
Tudo, — e bem o entenderás.

O coração, quando é puro,
Assim os céus como o inferno
Penetra. No Sempiterno
Descansa quanto ao futuro.

Das coisas todas no centro
Sente-se a mão do Senhor:
Como é cada qual de dentro,
Tal avalia o exterior.

Se no mundo existe gozo,
Só o possui, com certeza.
O que conserva em pureza
Seu coração generoso.

E se algum sítio oferece
Angústias, se penas dá,
Ninguém melhor o conhece
Do que uma consciência má.

No fogo o ferro metido
Perde a ferrugem. Candente
Torna-se logo. Igualmente
O homem a Deus convertido.

Faz-se novo homem, não custa
A se tirar do torpor;
Mas se esfria, logo o assusta
O mais pequeno labor.

III

De vontade, então aceita
Consolo externo; mas quando,
Por vencer-se começando,
Seus maus instintos sujeita;

Quando de Deus pela estrada
Vai virilmente a seguir,
Tendo esperança fundada
De mais ditoso porvir;

Por menos e sem valia
Reputando vede-o agora
Todas as coisas que outrora
De grande peso sentia.

Capítulo V

Da consideração de si mesmo

> *Non possumus nobis ipsis nimis credere, quia saepe gratia nobis deest et sensus.*

I

Crer muito de nós mesmos não podemos,
Porque nos falta o entendimento e a graça
Freqüentemente. Em nós há luz escassa,
E, por descuido, prestes a perdemos.

De ordinário, também não atentamos
No quão sofremos de íntima cegueira;
Praticamos o mal, e, de maneira
Muitas vezes pior, nos escusamos.

De paixão, outras vezes, arrastados,
Tomamo-la por zelo, censurando
Leves erros nos outros, e passando
Pelos nossos, maiores, mais culpados.

Sentimos e pesamos mui depressa
O que de outrem sofremos. Entretanto
Que os mais, por nós sofrendo, vertam pranto,
Tênue carga nos faz, pouco interessa.

Quem os seus próprios males considera,
Cheio de vero escrúpulo e inteireza,
Não encontra nos outros, com certeza,
De que lavrar condenação severa.

II

De si mesmo cuidar, — do que pratica
Vida interna eis o máximo cuidado.

LIVRO SEGUNDO

— Quem sobre si entende e é desvelado,
Facilmente dos mais calado fica.

Nunca serás fervente e recolhido
Se, no tocante aos outros, não calares,
E se em ti mesmo atento não olhares
Sempre, com bem particular sentido.

Se de ti e de Deus cuidas apenas,
Pouco te moverá o que de fora
Sentes, e possa acontecer, embora
Sejam as mais deslumbradoras cenas.

Adonde estás quando não és presente
A ti mesmo? E, se tudo percorreste,
Porém se de ti mesmo te esqueceste,
Que proveitos, enfim, ganhou-te a mente?

Se almejas paz e união nestes abrolhos,
Faz-se mister, que tudo o mais posponhas,
(Coisas desagradáveis, ou risonhas)
E só tenhas a ti perante os olhos.

III

Muito aproveitarás se te mostrares
De todo temporal cuidado — isento;
E sofrerás extremo detrimento,
Se alguma coisa temporal amares.

Nada grande te seja, nada aceito,
Nada agradável, nada sublimado,
Senão Deus, puramente, ou o emanado
De Deus, — que só a Deus diga respeito.

É vã qualquer consolação que venha
De algum humano ser. De Deus o amante,
Tudo, em universal, de Deus distante
Ou abaixo de Deus, — tudo desdenha.

Só Ele que enche tudo, sem barreira,
Só Ele, imenso, eterno, onipotente,
É das almas consolo permanente,
Do coração ledice verdadeira.

Capítulo VI

Da alegria da boa consciência

> Gloria boni hominis testimo-
> nium bonae conscientiae. Habe
> bonam conscientiam, et habebis
> semper laetitiam.

I

$\mathcal{A}$ glória do homem bom no testemunho
Da sã consciência está:
Quem de boa consciência traz o cunho,
Sempre alegre será.

Muitas e muitas coisas ela pode
Serena suportar;
Quando a tribulação mais incomode,
Mais leda se mostrar.

A má, porém, é tímida, agitada,
Não acha quietação:
Repousarás em doce paz, se nada
Te exprobra o coração.

Não queiras alegrar-te senão quando
Praticares o bem;
Verdadeira ledice o peito infando
Dos maus jamais a tem.

Sentir não lhes é dado paz interna,
Porque, diz o Senhor,
"Não há paz para os ímpios" que os consterna
O próprio mau pendor.

E se exclamarem: "nós em paz estamos
Que mal nos pode vir?

Quem ousará no-lo fazer? Olhamos
    Sem receio o porvir",

Não lhes creias, porquanto, de repente,
    A cólera de Deus
Contra eles se levanta intransigente,
    E a nada os atos seus

Reduzidos serão. Breves momentos
    Bastam para se ver
A multidão audaz dos seus intentos
    De todo perecer.

II

O gloriar-se em angústias e agonias
    Não custa a quem a luz
Possui do amor. Se o fazes, te glories
    Do Salvador na cruz.

A glória humana, dada ou recebida,
    É pérfida e fugaz,
Sempre a do mundo é de amargor seguida
    Sempre tristeza faz,

Dos bons a glória na consciência existe,
    Não na boca de alguém;
E dos justos o júbilo consiste
    Em Deus, só de Deus vem.

O gozo deles da verdade emana;
    Quem deseja a eternal,
A verdadeira glória soberana,
    Descura a temporal.

Quem essa glória temporal procura,
    Sem d'alma a desprezar,
Mostra à celeste, à única segura,
    Muito menos amar.

LIVRO SEGUNDO

De ampla tranqüilidade os esplendores
Moram no coração
Desse que se não cura de louvores,
Nem de nenhum baldão.

III

Facilmente será pacato e ledo,
O que sempre trouxer
A consciência bem nítida, sem medo
De provação qualquer.

Mais santo não serás porque louvado
Te vês de bocas mil;
Nem ficarás, por seres ultrajado,
Mais ignóbil e vil.

És o que és. Nem te pode o mundo vário
Ter por maior do que és,
Ante os olhos de Deus: tudo precário.
Tudo pó, d'Ele aos pés.

Se ao que tu és internamente atendes,
Não te ocupas jamais
Do que de ti falarem; não te ofendes
Com os ditos dos mortais.

O homem o rosto vê. O Onipotente
Devassa os corações.
O homem pondera os atos simplesmente;
Deus pesa as intenções.

Proceder sempre bem, fugindo ao vício,
E em pouco se estimar,
É de humildade da alma claro indício,
Muito de se louvar.

Não desejar consolação alguma
Das criaturas, é
Sinal seguro de pureza suma
De grande interna fé.

IV

Quem nenhum testemunho externo e alheio
 Busca em abono seu,
Torna patente que de Deus ao seio,
 De todo se acolheu.

"Não é quem de si mesmo for louvado,
 Senão aquele a quem
Deus louvar, — diz S. Paulo, — que aprovado
 Há de ser" — Olha bem.

Andar com Deus de dentro e desprendido
 De qualquer afeição
Que externa seja; — eis do homem recolhido
 E interno, a condição.

Capítulo VII

Do amor de Jesus sobre todas as coisas

Beatus, qui intelligit quid si amare Jesum et contemnere se ipsum propter Jesum.

I

*O*h! bem-aventurado aquele que conhece
O que é a Jesus Cristo amar, e por Jesus,
Desprezar-se a si mesmo! Assim, lhe resplandece
A verdadeira luz!

Seja por esse amor outro qualquer deixado,
Porque, sobre o total das coisas, Jesus quer,
Só ele, ser por nós profundamente amado...
Ai do que o não fizer!

Versátil e falaz o amor das criaturas;
Permanente e fiel, o de Jesus não trai:
Quem àquelas se apega, instáveis, inseguras,
Com o que é frágil cai.

Para sempre está firme o que a Jesus abraça
Ama, pois, e retém como amigo esse que,
Quando todos de ti se apartam, na desgraça,
Ao teu lado se vê.

E não te desampara, e não deixa, teu guia,
Que te percas, por fim: leva-te à salvação:
— De todos separar-te é forçoso algum dia,
Quer o queiras, quer não.

II

Conchega-te a Jesus, na morte e na existência,
Dele à fidelidade entregando o teu ser,

158 DA IMITAÇÃO DE CRISTO

Que, em todos te faltando, ele só — assistência
   Te poderá trazer.

É tal a condição desse amigo estupendo,
Que um outro não admite e quer a sós, sem lei,
Possuir teu coração, nele permanecendo,
   Como em seu trono um rei.

Se despejar-te bem de quaisquer criaturas
Do exílio terrenal souberes desde já,
De bom grado Jesus, banindo as amarguras,
   Contigo habitará.

Tudo o que, por acaso, houveres constituído
Nos homens, sem Jesus, acharás afinal
Quase, senão até totalmente perdido,
   Numa ruína fatal.

Não confies, assim, nem te firmes na cana
Que oscila ao vento. É feno a carne toda! Horror!
E depressa se esvai toda a glória que a ufana,
   Como do campo a flor.

III

Hás de ser prontamente enganado, se apenas
Dos homens na aparência externa pões o olhar.
— Não procures nos mais consolo às tuas penas,
   Nem proveito encontrar.

Nocivo isto será: detrimento e pesares
Dest'arte o proceder, de ordinário produz;
Mas se em tudo a Jesus solícito buscares,
   Certo acharás Jesus.

Se a ti mesmo, ao contrário, andares procurando,
A ti mesmo, igualmente, hás de achar. É porém
A tua perdição, — que a Jesus não buscando
   Não se salva ninguém.

Quem não busca Jesus incorre em mil perigos,
Pois a si próprio faz maior, mais duro mal,
Que o que podem fazer todos os inimigos,
Todo o mundo, em geral.

Capítulo VIII

Da familiar amizade com Jesus

> *Quando Jesus adest, totum bonum est nec quidquam difficile videtur; quando vero Jesus non adest, totum durum est.*

I

Quando Jesus está presente
Tudo vai bem. Difícil ser
Nada parece. E, Cristo ausente,
Tudo é penoso de sofrer.

Se dentro em nós, Jesus, te calas,
É vil qualquer consolação;
Mas se uma só palavra falas,
Como se alenta o coração

Vede Maria Madalena
Prestes se erguendo do lugar
Onde chorava, em dura pena,
Mal ouviu Marta lhe exclamar!

"Chegou o mestre que te chama!"
— Que desse mestre a doce voz
O nosso espírito embalsama,
Dissipa a mágoa mais atroz.

Hora feliz! Momento santo
Esse no qual ele, a sorrir,
Chamar nos vem, para do pranto
Ao gozo da alma conduzir.

Oh! sem Jesus quão seca e dura
A mente jaz! Quão néscio e vão

LIVRO SEGUNDO

Quem fora dele algo procura,
Nutrindo humana pretensão!
Não acharás acaso nisto
Dano maior do que em perder
O mundo todo? E o que, sem Cristo,
Te pode o mundo oferecer?!

II

Sem ele estar é rude inferno;
Ser, ao contrário, com Jesus,
É paraíso doce, terno,
Cheio de paz, cheio de luz.

Quando Jesus vive contigo,
Sentes enlevo sem igual,
Nem há na terra um inimigo
Que possa então te fazer mal.

Quem a Jesus achou um dia,
Tesouro bom achado tem,
Ou, antes, bem de tal valia
Que sobreleva todo bem.

Quem o perdeu, perdeu muitíssimo,
Mais do que o mundo inteiro. Estar
Bem com Jesus, torna riquíssimo,
E é ser paupérrimo o deixar.

III

É arte grande, é suma ciência
A de com ele conviver;
Somente insólita prudência
Sabe Jesus consigo ter.

Humilde sê, manso, pacato:
Contigo então ele será;
Sê fervoroso, dócil, grato,
Jesus em ti persistirá.

Mas o afugentas, e os fulgores
Da sua graça não tens mais,
Se para as coisas exteriores
A declinar, pendendo vais.

E se o perderes, se o fizeres
Fugir, a quem te acolherás?
Por teu amigo, qual o queres,
A quem nessa hora buscarás?

Oh! sem amigo é-te impossível
De modo algum bem existir;
Se, pois, Jesus for insensível,
Não mais a ti querendo vir.

Se amigo dele, preterindo
Todos os mais, teu ser não for,
Triste serás, de modo infindo,
Desamparado em plena dor.

Assim, se noutro qualquer ente
Te regozijas e tens fé,
Procedes parva e factualmente,
Teu coração limpo não é.

É preferível todo o mundo
Contrário a si, em fúria ter,
A ver Jesus, por um segundo.
Por nossa causa se ofender.

De tudo acima, teus afetos
Vota a Jesus. O seu lugar
É de dileto entre os diletos,
De teu amado singular.

IV

Que, por amor de Cristo, amados
Sejamos todos. Mas a quem
Veio remir nossos pecados
Só por si próprio amar convém.

LIVRO SEGUNDO

Amado ser singularmente
Só ele deve, pois fiel
E bom amigo, ele somente
Do mundo encontras no tropel.

Por amor dele, pois, é nele
Seja-te caro ao coração
Não só o amigo, como aquele
Que te votar desafeição.

Que todos preces te mereçam;
Apelo faze ao Redentor,
Para que todos o conheçam
E amá-lo possam, com fervor.

Nunca desejes ser louvado
Singularmente, e amado aqui;
A Deus apenas isto é dado,
Que ele não tem igual a si.

Que alguém se ocupe cordialmente
De ti não queiras; outrossim,
Nunca se ocupe a tua mente
Do amor dos mais: tens paz assim.

Em ti, porém, Jesus esteja,
Como em qualquer justo varão;
Puro teu ser de dentro seja,
Livre de toda implicação.

V

De tudo despe-te; bem pura
Trata de a Deus a alma levar,
Se do Senhor toda doçura
Desejas ver, e descansar.

Só chegarás a tal estado,
Se te previne e se te atrai
De Deus a graça: abandonado
Dela, o teu ser perdido cai.

Que despejado e sacudido
De tudo estejas, para que
Unicamente a ele unido
Sejas: não há maior mercê.

O homem em tudo poderoso
Logo se torna, se lhe vem
De Deus a graça: não há gozo
Que se compare ao que ela tem.

Se dela for desamparado,
Será enfermo e pobre então,
Quase aos flagelos atirado
Já de tremenda punição.

Mas, inda assim, teu ser não há de
Desesperar e esmorecer,
Senão equânime à vontade
De Deus estar, dócil lhe ser.

Deves sofrer todas as coisas
Que te sucedam, em louvor
De Jesus Cristo, em quem repousas
Tua esperança e teu amor.

Depois do inverno vem o estio;
Segue-se o dia à noite má;
Grande bonança ao mais bravio
Dos temporais sucederá.

Capítulo IX

Da privação de toda consolação

*Non est grave humanum
contemnere solatium, quum adest
divinum.*

I

Quando a consolação divina tem lugar,
Grande coisa não é a humana desprezar.
Mas grande, muito grande é, na vida mofina.
Despojado ficar da humana e da divina
E, por honra de Deus, de bom grado, querer
O desterro cruel do coração sofrer,
Sem buscar a si mesmo em nada, — nem olhando
O seu próprio valor, mas o menosprezando.

Se a graça vem a ti, de surpreender não é
Que te mostres alegre e repleto de fé.
Hora digna de ser por todos desejada!
Caminha suavemente a alma que for levada
Pela graça de Deus.

Maravilha não há
Em carga não sentir quem ajudado está
Do Onipotente, e aqui, na tormentosa via,
Conduzido se vê pelo supremo guia.

II

Folgamos de ter sempre alguma coisa que,
De maneira qualquer, consolação nos dê.
Despir-se de si próprio o homem só o consente,
Depois de rijo esforço, e mui dificilmente.
Lourenço, o mártir santo, o século venceu
Com o seu sacerdote, à vera luz se ergueu,

Pois tudo desprezou quanto no mundo é visto
Como dando deleite, e, por amor de Cristo,
Sobrelevava até, com clemência exemplar,
Separado de Sixto, outro mártir, o estar,
Sixto, que era de Deus sacerdote supremo,
E a quem seu coração amava com extremo!
Dest'arte com o amor de Deus que nos criou,
Dos homens vis o amor de todo superou,
Elegendo, em lugar de humanos lenitivos,
O divino consenso.

       Eis os exemplos vivos
Que deves meditar. Aprende, pois, também
A, pelo amor de Deus, apartar-te de quem
Grande amigo for teu, ficando solitário,
Por mais que ele te seja amado e necessário.

Nem te pese, outrossim, desamparado ser
Do amigo teu melhor, pois deves já saber
Que uns dos outros enfim separados seremos.

III

Em nós mesmos convém que muito pelejemos.
E por extenso prazo, antes que conseguir
Possamos sobre nós vitória, — e conduzir
Unicamente a Deus o nosso inteiro afeto.

Quando sobre si mesmo alguém, de si repleto,
Firmar-se pretendeu, — para as consolações
Humanas resvalou. Ingratas ilusões!
Mas o vero amador de Cristo, o estudioso
Seguidor da virtude, esse não cai, zeloso,
Nessas consolações, nem de doçuras tais,
Sensíveis, vive em busca, antes seus ideais
Em fortes provas põe, e de rudes labores,
Por amor de Jesus, quer suportar as dores.

IV

Se alguns confortos, pois, o Senhor te outorgar,
Recebe-os com ações de graças, a julgar

Que é simples dom de Deus esse contentamento,
Não provindo jamais do teu merecimento.

Não queiras enfunar-te ou de ti presumir
Vamente, e uma alegria excessiva sentir
Por semelhante dom. Mais humilde, ao inverso,
Mais cauto e timorato, em discreção imerso,
Nos atos todos sê. Porquanto, passará
Aquela hora, e em seguida, a tentação virá.

Quando a consolação te seja arrebatada.
Num repentino lance, à mente desolada,
Não desesperes logo: entrega-te ao Senhor,
Invoca o seu auxílio, e aguarda com fervor,
Humildade e paciência, a divinal visita,
Que poderoso é Deus para a tua alma aflita
Conceder outra vez mais abundante bem.

Isto novo não é, nem alheio aos que têm
Do caminho de Deus a prática. Perigos
Iguais, revezes mil, os profetas antigos
E os santos principais afrontaram por cá.

V

Donde um deles bradou, a graça tendo já:
"Eu, na minha abundância, hei dito que mudado
Nunca, jamais, serei."

       Mas, tendo-se ausentado
A graça, acrescentou o que sentira em si:
"Afastaste de mira o teu rosto, e eis aí:
Conturbado fiquei."

       Com isto, todavia,
Desespero nenhum seu coração crucia;
Mais fervoroso reza e diz: "a ti, Senhor,
Clamarei, e ao meu Deus deprecarei."

       O ardor
Da rogativa sua em fim produziu fruto,

E ele testemunhou que findara o seu luto,
E fora relevado: "O Senhor Deus me ouviu
E se amerciou de mim e até se constituiu
Meu protetor. Mas como (inda exclamou) mudaste
Em gozo o pranto meu? Como me circundaste
De alegria, Senhor?..."

             Se tratados assim
Os santos de eleição se viram, nós que, enfim,
Nada somos além de enfermos, pobres entes,
Não devemos jamais desesperar, se ardentes

Nos sentimos agora e logo tíbios, — pois
O Espírito de Deus vem e se vai depois
Conforme bem lhe apraz.

                Job bem-aventurado,
Por isto proferiu este dito inspirado:
"O homem pela manhã, Senhor, o visitais,
E de súbito o fel das provações lhe dais!"

VI

Em que posso esperar, dest'arte? Em quem me devo
De confiar senão só, com incessante enlevo,
Na clemência de Deus, aguardando afinal
O inefável favor da graça divinal?

Eis a pura verdade: ou estejam presentes
Homens bons, ou irmãos devotos e ferventes,
Ou amigos fiéis mesmo em quadra infeliz,
Quer livros santos leia e tratados gentis,
Quer meigos cantos ouça e hinos a cada passo,
Tudo isto ajuda pouco e tem sabor escasso
Quando, oh! meu Deus, da graça abandonado sou
E à minha natural pobreza entregue estou.
Não há melhor remédio então do que a paciência,
De mim a abnegação na vontade e clemência
De Deus Onipotente.

LIVRO SEGUNDO

169

VII

Eu nunca vi alguém
Assim piedoso, crente e devotado ao bem,
Que alguma privação às vezes não tivesse

Da graça divinal, sem que a reter pudesse,
E não sentisse em si, com surpresa e aflição,
Do habitual fervor certa diminuição.

Que santo foi jamais tão alto arrebatado,
E repleto de luz, que não fosse tentado
Ou primeiro, ou depois?

Não é merecedor
Da alta contemplação de Deus quem, por amor
Do mesmo Deus, não sofre algum desgosto rude
Que patente lhe ponha a força da virtude:
Porquanto a tentação precedente, em geral,
Do seguinte consolo é seguro sinal.
E aos que provados são de tentações sem brida,
Consolação celeste é por Deus prometida.
"Ao que vencer, diz ele, a comer lhe darei
Da árvore da vida."

VIII

Esse consolo, eu sei,
Concedido é também para que, na peleja
Contra as tribulações, o homem mais forte seja;
Segue-se a tentação a fim de que altivez
Deixe de alimentar, se próspero si fez.

Não dorme Satanás, nem a carne está morta;
Portanto preparar-te ao prélio muito importa;
Não cesses de o fazer. Põe bem sentido em ti,
Pois, à direita e à esquerda, há sempre, por aí,
No caminho que o mal de mil espinhos junca,
Inimigos cruéis que não repousam nunca.

Capítulo X

Da gratidão à graça de Deus

> *Cur quaeris quietem, quum*
> *natus sis ad laborem?*

I

Como repouso buscas, pois nasceste
Para o trabalho e para as aflições?
Dispõe-te (que o melhor partido é este)
Mais à paciência que às consolações,
E a carregar a cruz em triste via,
     Mais que a ter alegria.

Quem dos homens mundanos, de bom grado,
Não aceitará júbilos da mente
E consolos, se acaso, facilmente,
Sempre havê-los em si lhe fora dado?

Decerto excedem no poder fecundo
Essas consolações espirituais
A todas as delícias deste mundo,
     E volúpias carnais.

Pois são vãs ou são torpes todas estas;
     Só aquelas, porém,
     São jucundas e honestas,

     Das virtudes provêm.
São nelas engendradas, são seguras,
E infundidas de Deus nas almas puras.

Mas ninguém pode sempre, a seu talante,
Gozar da divinal consolação,
Porque das tentações só breve instante
     Cessa o tempo e a opressão.

II

Às supernas visitas, na verdade
É grande estorvo, muito as contraria,
Do pensamento a falsa liberdade,
A confiança de si em demasia.

Deus faz um bem consolos conferindo;
O homem, no entanto, ao triste mal se abraça
Pois, com ações de graça,
Tudo ao Senhor não vai retribuindo.

Se em nós os dons da graça não avultam,
É que ao Autor ingratos nos mostramos,
E as coisas todas não as reportamos
À fonte original donde resultam.
Que sempre a graça é concedida, em suma,
A quem a reconhece dignamente,
Tirando-se ao soberbo impenitente,
O que aos humildes se entregar costuma.

III

Lenitivo não quero que me priva
Da contrição, cercando-me de treva,
Nem que em meu peito viva,
Contemplação que à soberbia leva.

Porque nem tudo quanto é alto é santo,
Nem bom tudo que é doce, nem, de fato,
Todo desejo puro, nem é grato
Ao Senhor tudo quanto
Caro nos é, enchendo-nos de encanto.

Do melhor grado, aceitarei a graça
Que mais humilde e timorato faça,
E melhor me disponha, doce núncia,
De mim próprio à renúncia.

DA IMITAÇÃO DE CRISTO

Não ousará aquele que ensinado
Foi pelo dom da graça, e escarmentado
Com havê-la perdido,
Atribuir-se de bom alguma coisa;
Antes confessará que não repousa,
Que é pobre e nu, de todo desvalido.
A Deus o que é de Deus dá, arrogando
A ti o que for teu, — isto é, louvando
E agradecendo a Deus, pelas mercês
Da graça que ele outorga, — reconhece
Que em ti só culpa existe, e que merece
Justo castigo a culpa em que te vês.

IV

Em último lugar sempre te assenta:
Ser-te-á dado o primeiro,
Pois sem o derradeiro
Não se firma o mais alto ou se sustenta.
Os mais santos, perante o Onipotente,
Mínimos foram mui sinceramente,
Em sua própria estimação aqui:
E, quanto mais gloriosos,
Mais humildes em si.

Como estejam repletos de verdade
E de glória celeste, cobiçosos
Da vanglória não são, não têm vaidade.
Em Deus fundados e corroborados
Em todo o seu viver,
Soberbos e enfunados
De maneira nenhuma podem ser,

Não buscam muita glória os que referem
Ao Senhor todo bem
Que receberam, mas apenas querem
A que d'Ele provém.

Desses o coração somente almeja
Que Deus louvado seja

Em si, tal como em todos os seus santos,
De tudo acima; e, procedendo assim,
Desdenham riso e prantos,
Não miram outro fim.

V

O menor benefício agradecendo,
De maiores serás merecedor;
Como ao maior, ao mínimo atendendo,
Um dom particular deves ir vendo
No que mais tênue e desprezível for.

De quem dá na grandeza, põe sentido,
E dons nenhuns parecerão pequenos:
Não pode, certamente, ser somenos
O que do Sumo Deus é concedido.

Mesmo nas penas, no martírio agudo
Que nos mandar, nossa alma lhe agradeça;
Pois, para nos salvar, sempre faz tudo
Quanto permite que nos aconteça.

Quem deseja reter de Deus a graça,
Reconhecido seja à que lhe é dada;
Paciente quando passa,
Inexplicavelmente arrebatada.

Reze para que torne em breve instante,
E se esforce por ser
Humilde, cauteloso, vigilante,
Afim de a não perder.

Capítulo XI

Quão poucos são os que amam a cruz de Jesus

> *Habet Jesus nunc multos amatores regni sui caelestis; sed paucos bajulatores suae crucis; multos habet desideratores consolationis, sed paucos tribulationis: plures invenit socios mensae; sed paucos abstinentiae.*

I

*A*madores em número avultado
Do seu celeste reino tem Jesus,
Mas bem poucos que queiram, de bom grado,
  Levar a sua cruz

Tem muitos de consolo desejosos,
Porém bem poucos de tribulação;
Encontra companheiros numerosos
Da mesa sua, enquanto raros são
Os da sua abstinência.

  Todos querem
Gozar com ele; e, dele por amor,
Mui poucos há que suportar tolerem
  A mais ligeira dor.

Muitos a Cristo seguem com prazer
  Té o partir do pão,
  Mas raros de beber
  O cálice da paixão.

Venera-lhe os milagres muita gente
Que de reconhecê-lo não se acanha,
Mas da cruz, na ignomínia compungente,
  Muito pouca o acompanha.

Amam-no muitos com fidelidade,
Em não lhes sucedendo adversidade
Ou casos aflitivos;
Muitos o louvam, dele bendizendo,
Enquanto recebendo
Dele vão lenitivos.

Mas se Jesus os deixa,
Ou se esconde um momento,
Quanta dorida queixa!
Que extremo abatimento!

II

Quem Jesus, entretanto, ama zeloso
Por amor de Jesus, não pelo gozo
Que daí lhe provém,
Esse o bendiz e aclama,
Não só durante as aflições que tem.
Mas se a mente lhe inflama
Algum supremo júbilo também.

E se ao mesmo jamais ele quisera
Dar lenitivo, o mesmo, todavia,
Sempre, graças rendendo, o louvaria,
Com intenção sincera.

III

Oh! quanto pode o puro amor de Cristo,
Se de interesse e de amor-próprio um misto
Seu fundo não formar !
— Não devem mercenários ser chamados
Acaso os desgraçados
Que consolos não cessam de buscar? !
Não deixam porventura bem patente
Que amam a si, mais que a Jesus, e agitam
Com tíbia fé a mente
Os que incessantemente
Nos seus lucros e cômodos cogitam?!

Adonde se achará
Quem servir ao Senhor sem prêmio queira?!

IV

Raro se encontrará
Alguém tão recolhido
Que esteja, com vontade firme e inteira,
De tudo desprendido.

O verdadeiro pobre
De espírito onde está? quem o descobre?
Esse que alheio a toda criatura,
Dos homens nos festins
Figurar não deseja, nem figura?
— O preço dele excede
Tudo que vem de longe e que procede
Dos últimos confins.

Todos os seus haveres o homem dando
É nada ainda; e quando
Faça dura e constante penitência,
Inda pouco, será;
Se entesourar puder a inteira ciência,
Bem longe inda estará.

Tenha grandes virtudes, fé bem alta.
Piedade extraordinária,
Inda em Deus não repousa,
Pois muito inda lhe falta:
Falta-lhe alguma coisa
Sobre todas as outras necessária.

Qual?
Depois de haver tudo abandonado,
A si mesmo é mister abandonar;
— Sair de si, de todo, conformado,
Sem do amor-próprio nada conservar.

LIVRO SEGUNDO

E quando fizer tudo quanto saiba
Que devera fazer, e conseguir
Tudo quanto em si caiba,
Que nada e nada fez deve sentir.

Não tenha em grande conta o que por grande
Seja estimado. Com sinceridade
Servo inútil se diga, que a Verdade
Deste modo se expande.
"Quando mesmo fizésseis tudo quanto
Ordenado vos foi, deveis dizer:
Somos servos inúteis!"

Quem a tanto
Chegar, poderá ser
Nu e pobre de espírito deveras;
E então sua alma quieta,
Em práticas austeras,
Longe do humano pó,
Dirá, como o profeta:
"Quanto sou pobre e só!"

Todavia, ninguém mais poderoso,
Ninguém mais rico, ninguém mais ditoso,
Ninguém mais livre poderá estar
Que o que sabe, depois de rijo estudo.
Deixar a si e a tudo,
E se coloca em ínfimo lugar.

Capítulo XII

Da estrada real da santa cruz

> *Durus multis videtur hic sermo. Abnega temet ipsum, tolle crucem tuam, et sequere Jesum: sed multo durius erit audire illud exiremum verbum: Discedite a me, Maledicti, in ignem aeternum.*

I

Dura a muitos parece esta linguagem, quando
    Há nela imensa luz:
"Renuncia a ti mesmo, e, tua cruz tomando,
    Vai seguindo a Jesus."

Será, porém, mais duro ouvir esta sentença
    Terrível e final:
"Apartai-vos de mim, malditos, sem detença,
    Ide ao fogo eternal."

Certo, quem ouve agora e segue satisfeito
A palavra da cruz, condenação eterna
Não temerá ouvir então a seu respeito
    Da Justiça superna.

Da cruz este sinal lá no céu há de estar.
No dia em que o Senhor surgir para julgar.

    Da cruz os servos todos,
    Esses que, entre os engodos
Do mundo, o viver seu com o do crucificado
Souberem conformar, hão de aí, sem cuidado,
Repleto de confiança o coração feliz,
Achegar-se, a sorrir, para Cristo Juiz.

II

Como, pois, tens temor
De tomar essa cruz, pela qual do Senhor
Ao reino se vai ter?
    Na cruz reside a vida,
Na cruz a salvação, na cruz a só guarida
Contra o inimigo nosso.
    A cruz nos comunica
Doçura soberana, a alma nos fortifica,
E alegra o coração.

Na cruz, virtude suma,
Na cruz da santidade a perfeição, enquanto
As almas, sem a cruz, não têm saúde alguma,
Nem da vida eternal esperança.
      Portanto,
Carrega a tua cruz, a Cristo segue, e irás
À vida sempiterna, à morada da paz.

A sua cruz levando, ele te precedeu;
    Por ti na cruz morreu,
    Para que leves bem
A tua, a desejar morrer na cruz também.

Se morreres assim com ele, — juntamente
Com ele viverás o viver fulgurante,
    Não este vil viver;
— Quem nas penas lhe foi companheiro constante
Companheiro igualmente
    Na glória lhe há de ser.

III

Tudo se encerra, pois, na cruz, e tudo está
Em nela perecer. Outra senda não há;
Para a existência e a paz internas verdadeiras
Que o caminho da cruz, bem como o que nos dá
A mortificação contínua.

Adonde queiras,
Põe-te a andar por aí. Quanto possas procura,
E não encontrarás estrada mais segura
Em baixo, nem mais alta em cima, do que a estrada
Da cruz imaculada.

Tudo ordena e dispõe conforme ao teu querer
E ao teu modo de ver:
Não hás de achar senão
Que deves padecer,
Quer consintas, quer não,
Alguma coisa.

E assim
Sempre a cruz, sempre a cruz encontrarás por fim;
Porquanto sentirás dores no corpo e na alma;
Terás tribulações, nunca estarás em calma.

IV

Ora pelo Senhor serás desamparado,
Ora experimentado
Do próximo, e, — o que excede a todos os revezes
A ti mesmo pesado hás de ser muitas vezes.
Nem há consolação ou remédio, em verdade,
Que te possa livrar ou aliviar sequer;
Mas cumpre-te sofrer, té quando Deus quiser:
Pois de Deus é vontade
Que aprendas a passar, sem nenhuns lenitivos,
Por lances aflitivos,
Por acerbas desgraças,
Para que, desprezando os humanos deleites,
Ao Supremo Senhor de todo te sujeites,
E na tribulação mais humilde te faças.

Ninguém tão cordialmente
A paixão de Jesus bem aquilata e sente,
Como aquele que afronta os tremendos instantes
De males semelhantes.

Aparelhada sempre a cruz em toda a parte
Te esperará, dest'arte.

Não lhe podes fugir, onde acaso correres,
Nem lhe escapas às dores
Se acaso te esconderes;
— Pois, onde quer que fores,
A ti mesmo contigo
De certo levarás.
Sempre, pois, (bem o vês) no mais remoto abrigo.
A ti mesmo acharás,
Vira-te para cima ou para baixo. Agora
Vira-te para fora;

Para dentro, depois... E hás de em qualquer lugar,
E em tudo, a cruz achar.
— Paciência deves ter, embora custe e doa
Seja onde for que estejas,
Se queres paz interna e merecer desejas
A perpétua coroa.

V

Se levares a cruz, contente, de bom grado,
Ela te levará
E te conduzirá
Ao escopo almejado,
Onde termo terá, de certo, a angústia nossa,
Conquanto isto na terra acontecer não possa.

Levá-la a contragosto importa em dura carga
A si próprio fazer. Com aflição amarga,
Mais a ti mesmo, então, carregarás. Porém,
Que o suportes convém.

Se lançares de ti uma cruz, com certeza
Outra logo virá, talvez de mais graveza.

VI

Imaginas fugir
Daquilo a que os mortais não podem se eximir?
Qual entre os próprios santos
Foi no mundo sem cruz, tribulação e prantos?

Pois, enquanto viveu, nem mesmo Jesus Cristo,
Nosso Senhor, se viu sem a dor da paixão
Uma hora só.
Por isto,
O próprio Cristo disse,
De amigos seus em face,
Já na ressurreição:
"Conveio que Jesus sofresse e ressurgisse
Dos mortos, e dest'arte em sua glória entrasse."

E como buscas tu outra estrada senão
Esta estrada real — a da cruz verdadeira!?

VII

De Cristo a vida Inteira
Cruz e martírio foi.
E gozo e quietação
Na tua queres ter!...
Erras, erras deveras,
Se buscas ou se esperas
Alguma coisa além de aflições suportar;
Pois, cumpre confessar,
Esta vida mortal ei-la toda atulhada
De misérias cruéis, e de cruzes cercada.

Quanto mais altas luzes
For alcançando alguém no espírito, — não raro
Tanto mais graves cruzes
Achará, sem amparo,
Porque do exílio seu as penas, o amargor
Na exata proporção crescem do seu amor.

VIII

Não fica, todavia, este que assim padece
Multíplice aflição, sem consolo em seu luto,
Por sentir que lhe acresce,
De sua cruz sofrer, extraordinário fruto

Em, espontaneamente, à cruz te submetendo,
Das atribulações todo o peso tremendo
Se converte em confiança imensa de divino
Consolo repentino.

E quanto mais a carne aflita se quebranta
E se gasta na dor,
A mente tanto mais se robora e alevanta
Pela graça interior.

Às vezes, com o afeto
Dos sofrimentos mil que traz a adversidade,
Doce conforto alguém recebe tão completo,
Quando a conformidade
À cruz de Jesus Cristo ama com força intensa,
Que sem dor nem pesar,
Não mais quisera estar;
— Pois a sua alma pensa
Que é tanto mais aceita
A Deus quão mais sujeita
A graves males for
E puder sofrer mais, por seu divino amor.

Virtude isto não é dos homens, mas somente
Graça de Cristo, o qual na carne frágil pode
E opera coisas tais, que faz não a incomode

O que naturalmente
Lhe repugna e ela foge. E, ainda mais até,
— Que isso mesmo ela, enfim, com ânimo fervente,
Ame, buscando ter, sempre, de si ao pé.

IX

Sim! Conforme não é
À natureza humana a triste cruz levar,
Votar amor à cruz, o corpo castigar,
Impor-lhe sujeição, a honrarias fugir,
Injúrias escutar, serenamente, a rir,
Desprezar a si mesmo, e almejar desprezado
Ser dos mais, arrostar qualquer calamidade
Ou danos de bom grado,
Sem no mundo querer jamais prosperidade.

Se a ti somente olhares
Nada disso farás, nem é possível, nada...
Se em Deus, porém, confiares,
Fortaleza cabal do céu te será dada,
E então poderás ver, a todos os respeitos,
A carne e o mundo inteiro à tua voz sujeitos,

Se andares escudado
De fé, e com a cruz de Jesus Cristo armado,
Nem mesmo temerás o ardiloso perigo
Do demônio inimigo.

X

Portanto, como bom e fido servidor
De Cristo, — a carregar a cruz do teu Senhor
Dispõe-te virilmente, e nisso te desvela:
— Que ele, por teu amor, foi torturado nela.

Prepara-te a passar nesta mísera vida
Por muito contratempo e incômodos sem fim.

Sucederá assim
Em qualquer ponto adonde empenhares a lida.
Por mais que ingresso em ti às penas dificultes,
Com elas toparás onde quer que te ocultes.

Importa que assim seja. E não há na existência
Remédio para a dor e as aflições lenir,
Senão se ter paciência,
Conformado as curtir.

O cálice do Senhor
Tu o deves beber,
Sempre com vivo amor,
Se deveras de Deus amigo queres ser,
E com ele ter parte.

Os consolos comete
A Deus a quem compete
Dá-los a cada qual, como e quando quiser;
E que com eles faça o que mais lhe aprouver.
Predispõe-te, entretanto, a padecer gravames,
Como consolações de alto preço a encará-lo;
Que do tempo presente as paixões e os vexames,
Quando todos tu só pudesses suportá-los,
Para contrapesar não são, nem meritória
Tornar à nossa mente
A resplendente glória,
Que será revelada em nós futuramente.

XI

Quando ao ponto chegares
De, por amor de Cristo as aflições julgares,
(Como se um santo fosses),
Saborosas e doces,
Dá-te então por feliz, vive em perpétuo riso,
Pois achado terás na terra o paraíso.

Enquanto o padecer te é molesto, e cogitas
De escapar-lhe, ir-te-á mal.
As aflições que evitas
E pretendes fugir,
Em toda e qualquer parte hão de te perseguir.

XII

Se te aprestas, porém, para o que deves ser,
Isto é, para aturar dores mil e morrer,
Logo te irá melhor, e no teu coração
Reinará quietação.

Inda que arrebatado
Té ao terceiro céu, como São Paulo, foras,
Não ficaras, por isso, isento de cuidado,
E de não mais sentir penas quebrantadoras.
"Mostrar-lhe-ei, diz Jesus, quanto se faz preciso
Que sofra por meu nome."
Assim, com este aviso
Se a Cristo amar te apraz, para sempre o servindo,
Não te resta senão ir provações curtindo.

XIII

Oh! ao Senhor prouvera
Que digno fosses tu de, aflição bem severa,
Pelo nome de Cristo, aturar ! Quanta glória
Te restara daí! Que esplêndida vitória!
Para os santos de Deus, que imensa exultação!
Do próximo, outrossim, quanta edificação!

A paciência, em geral, todos a recomendam;
No entanto, raros há que a sofrer condescendam.

Um pouco, por Jesus, deverias contente
Padecer com razão, quando vês tanta gente
Por tormento passar mais grave, mais profundo
Só por amor do mundo.

XIV

Tem por certo — e andarás em erro de outra sorte —
Deve te ser a vida uma contínua morte;
E, quanto mais alguém para si próprio morre,
Mais começa a viver para Deus, que o socorre.

As coisas celestiais, capaz de as entender
Ninguém se tornará, se não se submeter,
Por amor de Jesus, a ter sua alma aflita,
Ao peso da desdita.

Nada mais bem aceito
Pelo Senhor Perfeito,
Nada mais salutar a ti mesmo na vida
Como, na realidade,
Padecer, por Jesus, a dor mais desabrida,
Com a melhor vontade.

Quando te fosse dado
Escolher, deverias
Desejar padecer, por Cristo, a desventura,
Antes do que recreado
Ser com mil alegrias,
Ou mil consolações de uma origem impura,
Que, afinal, geram prantos
Por que mais semelhante a Cristo te farias.
E mais conforme aos santos

Não consiste, assim, pois, nosso merecimento
Nem o aproveitamento
Do nosso estado, em ter muitas horas suaves
Nem do gozo as belezas,
Mas antes em passar por grandes asperezas,
Por muitas provações implacáveis e graves.

XV

Se alguma coisa houvera
Mais útil e melhor à humana salvação
Que padecer, — Jesus, sem dúvida tivera
Essa coisa, esse estado,
Por exemplo e palavra aos homens revelado,
Sem sofrer a paixão.

Aos discípulos seus que o seguem, e a quaisquer
Que o desejam seguir, claramente ele exorta
A que levem a cruz. Isto muito lhe importa,
Pois exclama: "Se alguém vir comigo quiser,
Que se negue a si mesmo, e tome cada dia
Sua cruz, e me siga."

Eis a celeste via!
Depois de lido bem e investigado tudo,
Seja esta a conclusão final do nosso estudo
— Que é preciso passar
Por mil tribulações, por muita e muita dor,
Para poder entrar
No reino do Senhor.

LIVRO TERCEIRO

da Interna Consolação

Capítulo I

Da fala interior de Cristo à alma fiel

*Audiam quid loquatur in me
Dominus Deus.*

I
O FIEL

*E*scutarei, oh! sim,
O que o Senhor meu Deus falar dentro de mim.
Que bem-aventurada
A alma, se a voz sagrada
Do Senhor escutar, dentro de si falando!
E da boca de Deus
Palavras receber de lenitivo brando
Nos amargores seus!

Ditosos os ouvidos
Que podem apanhar dos divinos segredos
Os inefáveis sons, surdos ficando e quedos
Do mundo aos alaridos!

Sim, ditosos, decerto, os ouvidos que escutam
Não a voz e o rumor que fora repercutam,
Mas a Verdade só, a Verdade que ensina
De dentro, e que ilumina!

Olhos afortunados,
Da cegueira libertos,
Os que, sempre cerrados
Às coisas do exterior, e aos mundanos cuidados,
Às internas estão constantemente abertos!

Felizes os que vão essas coisas internas
Penetrando, — e a fazer
Exercícios de fé, ardentes, quotidianos,

Se preparam à luz das verdades supernas,
Sem nunca esmorecer,
Para, cada vez mais, os celestes arcanos
Alcançar e entender!

Benditos os que têm gosto e contentamento
Se entregando ao Senhor,
E sacodem de si qualquer impedimento
Do mundo enganador!

Olha com atenção tudo isto, oh! minha mente,
E dos sentidos teus fecha, sem hesitar,
As portas, por que ouvir possas devidamente
O que o Senhor teu Deus dentro de ti falar.

II
JESUS

Eu sou, — eis o que diz de tua alma o dileto,
Tua paz, tua vida e tua salvação;
Fica junto de mim e repouso completo
Terá teu coração.
Deixa tudo o que for transitório, e procura
O que eterno perdura.
Tudo o que é temporal que vem a ser?

Somente
Engano sedutor.
E que ajudam, que dão, em tuas amarguras,
Todas as criaturas,
Se de ti for ausente,
E te desamparar delas o Criador?
Tudo, pois, renuncia, e calma, e fielmente,
Entrega-te ao Senhor.
Só quem o faz alcança
(Nem há outra maneira)
A sede verdadeira,
Da bem-aventurança.

Capítulo II

Que a verdade fala dentro de nós, sem estrépito de palavras

Loquere, Domine, quia audi servus tuus; Servus tuus sum ego da mihi intelectum ut scian testimonia tua.

I
O FIEL

*F*alai vós, meu Senhor, que o vosso servo escuta.
Vosso servo sou eu. Inteligência arguta
Dai-me, para que eu possa as verdades sem par
Da vossa lei saber. Não cesseis de inclinar
Meu coração, Deus meu, às palavras que saiam
De vossa boca; e nele as vossas falas caiam
Como orvalho. A Moisés os filhos de Israel
Exclamavam, outrora, em ruidoso tropel:
"Fala-nos tu, a ti de bom grado ouviremos;
Não nos fale o Senhor, de medo morreremos
Talvez, se ele falar". Não, Senhor, eu assim
Não vos suplicarei. Ao contrário, sem fim,
Como o profeta Samuel, humilde e instantemente,
Eis a suplicação que eleva a minha mente:
"Falai, Senhor, falai, que, ouvindo, a vossos pés
O vosso servo está. Não me fale Moisés,
Nem profeta nenhum. Falai só vós que destes
Da inteligência a luz, inspirações celestes,
A eles todos, Senhor. Porque só vós podeis,
Sem eles, me ensinar vossas sublimes leis,
De maneira cabal. Eles todos, no entanto,
De nada valerão sem vosso auxílio santo.

II

Certo, eles poderão palavras pronunciar;
O espírito, porém, não o conseguem dar.
De lindas expressões a linguagem recamam
Mas, em calando vós, os peitos não inflamam.
A letra expõem, mas vós o espírito lhes abris.
Os mistérios propõem, mas vós os descobris.
Anunciam à terra os vossos mandamentos,
Mas vós nos ajudais a cumpri-los, atentos.
Mostram qual o caminho; o conforto, porém,
Para o andar, é de vós somente que provém.
Agem só no exterior; ao contrário, de ensino
Os corações encheis, e de clarão divino.
Regam a superfície apenas, nada mais;
Vós a fecundidade exuberante dais.
Com palavras clamando, engendram alarido,
Mas vós inteligência outorgais ao ouvido.

III

Não me fale Moisés, senão vós, Senhor meu,
Verdade Sempiterna e Suprema, por que eu
Não morra sem haver fruto algum alcançado,
Só de fora a saber, não de dentro abrasado.
Nem possa produzir minha condenação
Ter ouvido a palavra, omitindo-a na ação;
Não lhe votar amor, havendo-a conhecido;
Crer nela, sem a ter na prática seguido.
Falai, pois, Senhor meu, que o vosso servo escuta
Por que da vida eterna as palavras possuis:
Falai-me para que, da existência na luta,
Qualquer consolação tenha esta alma infeliz.
Falai, para que eu possa
Compungido emendar a minha vida inteira;
Para louvor também, e glória verdadeira,
E perpétua honra vossa.

Capítulo III

Como as palavras de Deus devem ser ouvidas com humildade e como muitos não as ponderam

*Audi, Fili, verba mea, verba
suavíssima, omnem philosopho-
rum et sapientum hujus mundi
scientiam excedentia.*

I
JESUS

*O*uve as minhas palavras, oh meu filho,
Suavíssimas palavras que transcendem
Em verdadeiro brilho,
Em ensino fecundo,
Toda a sabedoria com que esplendem
Os doutos e os filósofos do mundo.

Filho, espírito e vida
Minhas palavras são;
Excedem à medida
Do humano sentimento e da razão.

Para vã complacência, na verdade,
Não se devem trazer, mas, escutadas.
Em silêncio completo,

Devem ser recebidas e guardadas,
Em máxima humildade
E com profundo afeto.

II
O FIEL

Disse David: Oh! bem-aventurado
O homem, Senhor, que houverdes amestrado
Nas vossas santas leis,

196

DA IMITAÇÃO DE CRISTO

A fim de que, jamais desamparado,
Nos dias maus descanso lhe outorgueis.

III
JESUS

Eu, exclama o Senhor, desde o começo
Ensinei os profetas, e ainda agora
A todos favoreço,
Não deixando, jamais, de lhes falar;
Haja muitos, embora,
Que surdos são à minha voz, e duros
Aos meus conselhos puros,
Dados para os salvar.

Muitos de melhormente
Servem o mundo que ao Senhor Perfeito,
E da carne o apetite dissolvente
Seguem mais facilmente
Que ao Divino preceito.

Promete o mundo apenas
Bens temporais, vantagens tão pequenas.
E é servido, entretanto, com ardor!
Eu, bens prometo infindos, soberanos,
E nos peitos humanos
Só encontro torpor!

Onde está quem em tudo
Me sirva e me obedeça, entre louvores,
Com tanto empenho e cuidadoso estudo
Como se ao mundo serve e aos seus senhores?

Sidon, de pejo cobre-te, e se a causa
Perguntas (diz o mar) ouve o porque:
Longo caminho se perfaz, sem pausa,
Por módica prebenda, vil mercê;
E pela vida eterna
Muitos apenas uma vez levantam
Seu pé da terra! Em anciã subalterna,

LIVRO TERCEIRO

Busca-se o ganho sórdido. Governa
Ridícula ambição. Pleitos que espantam,
De tão torpes, por mísero ceitil
Sustentam-se, não raro, e se quebrantam
Neles as forças, com fadigas mil.

Por uma ninharia,
Por mesquinha promessa,
De trabalhar não cessa
Muita gente, incansável, noite e dia.

IV

Mas, oh! dor! pelo bem incomutável,
Por uma recompensa inestimável,
Pela glória sem fim, honra suprema,
A menor diligência não se emprega

E fadiga não há que não se tema.
Envergonha-te, pois, oh! mente cega,
Oh! servo negligente e quereloso,
De serem encontrados
Alguns à perdição mais preparados
Que tu à vida e ao sempiterno gozo!
Com maior gosto buscam a vaidade.
Do que tu a Verdade

É certo que a esperança
Às vezes se lhes frustra, e os sobressalta
Desalento cruel que em terra os lança.
Mas a minha promessa a ninguém falta,
Nem despede vazia
A alma que em mim descansa,
E só em mim confia.

Darei o prometido;
Cumprirei tudo quanto proferido
Foi um dia por mim,
Contanto que a servir-me,
No meu amor bem firme.
Se fique até ao fim.

198

DA IMITAÇÃO DE CRISTO

Eu de todos os bens sou, com efeito,
        O remunerador,
E a fortes provas muita vez sujeito
        Dos justos o fervor.

V

Minhas palavras no teu peito escreve,
Considera-as com zelo e devoção,
Que imprescindíveis, porventura, em breve
Da tentação no tempo te serão.

        No dia da visita,
Conhecerás, com toda lucidez,
        O que a mente restrita
Agora não entende, quando lês.

De dois modos visito meus diletos:
Pelo consolo e pela tentação:
        Também com dois aspectos
Cada dia lhes dou dupla lição:
Increpo numa os vícios seus abjetos,
Enquanto noutra exorto à perfeição.

        O que me repudia,
Sem as minhas palavras receber,
        No derradeiro dia
        Quem o julgue há de ter.

VI
Oração para implorar a graça da devoção

Sois todos os meus bens, o bem completo,
E para ousar falar-vos quem sou eu
Vil escravo paupérrimo, um infecto
        Vermículo, Deus meu.

Mais indigente e vil do que convenho,
Do quê sei e me atrevo a confessar,
Nada sou, nada posso, nada tenho,
        Não deixeis de o lembrar.

LIVRO TERCEIRO

Só vós, bom, justo, santo onipotente,
Podeis tudo, encheis tudo, tudo dais
Exceto o pecador impenitente,
Que vazio deixais.

Vossas miserações lembrai. Meu peito
Da vossa graça enchei, dai-lhe fervor,
Pois não quereis inúteis, sem efeito
Vossas obras, Senhor.

VII

Como hei de, nesta miserável vida,
Tolerar-me a mim mesmo, até ao fim,
Se em vossa graça não achar guarida,
Se fugirdes de mim?

Não afasteis de mim o vosso rosto,
Não retardeis vossa visitação,
Não queirais recusar ao meu desgosto
Vossa consolação.

Do contrário, minha alma delirante,
Toda engolfada em desespero atroz,
A uma terra sem água semelhante
Será perante vós.

Ensinai-me a fazer vossa vontade,
Ensinai-me a maneira de eu poder
Dignamente, e repleto de humildade,
Ante vós me manter.

Pois meu saber sois vós, vós que em verdade
Me conheceis, e tínheis conhecido,
Do modo o mais perfeito,
Antes mesmo que o mundo fora feito,
Antes de nesse mundo eu ter nascido.

Capítulo IV

Que devemos de andar perante Deus em Verdade e humildade

Fili, ambula coram me in veritate, et in simplicitate cordis tui quaere me semper.

I
JESUS

Diante de mim em verdade
Anda, filho; e sem cessar,
Deves, em simplicidade
De coração, me buscar.

Quem ante mim persistente
Andando em verdade está,
Defendido certamente
De maus recontros será.

A Verdade põe liberto
De enganos e seduções.
Inteiramente a coberto
De iníquas murmurações.

Quem por ela é libertado
De todo é livre. Não mais
Lhe darão qualquer cuidado
As frases vãs dos mortais.

II
O FIEL

Senhor, é verdade pura
Como dizeis! Oh! em mim

(Minha alma vo-lo conjura)
Se faça de todo assim.

Vossa verdade me ensine,
Sem nunca me abandonar,
Me previna, me ilumine
Até meu fim salutar.

Que ela, de modo completo,
Possa livrar-me, Senhor,
De qualquer perverso afeto,
De algum desregrado amor.

Convosco, — a mente sujeita,
Assim, da verdade à lei,
Em liberdade perfeita
De coração andarei.

III
JESUS

Diz a Verdade: de quanto
For justo e grato ante mim,
Hei de dar-te o ensino santo
Hás de aprendê-lo, por fim.

Medita nos teus pecados
Com grande tristeza e dor;
Por atos bons praticados
Não te atribuas valor.

És pecador, com efeito,
Sujeito a muita paixão
De que domina o teu peito
Constantemente a opressão.

Por ti mesmo, para o nada
Sempre pendes, logo vais;
Logo és vencido, — turbada
Logo a mente, — em erro cais.

Não tens em ti coisa alguma
De que possas te ufanar,
Mas muitas por onde, em suma
Te devas vilificar.

Debilidade sem termo
Há no teu mísero ser;
Sim: és muito mais enfermo
Do que podes perceber.

VI

Nada, pois, do que fizeres
Por grande tomes, porém
Nada exímio consideres,
Nada precioso também!

Nada de ser afamado
Digno, — e de justo louvor;
Nada de ser desejado
Deveras merecedor;

Nada que seja superno
A tudo, ante os olhos teus.
Senão o que é sempiterno,
Senão o vindo de Deus.

Sobre as coisas todas, ama
Sempre a verdade eternal,
Da vileza que te infama,
Deplora o profundo mau

Nada temas, nada evites,
Nem queiras vituperar,
Como os teus maus apetites,
Teus vícios e teu pecar.

Esses pecados insanos
Mais te devem afligir

LIVRO TERCEIRO

Que todos e quaisquer danos
Que das coisas possam vir.

Alguns, com sinceridade,
Andando vão ante mim;
Mas certa curiosidade,
Certa arrogância, outrossim,

Sobrepuja-os, e procuram
Saber os segredos meus
E a penetrar se aventuram
As altas coisas de Deus

De si mesmos, tal fazendo,
Loucos descuram, e vão,
Aos poucos, retrocedendo
Na via da salvação.

Esses caem muitas vezes
Do pecado nos parcéis;
Sofrem tremendos revezes
E as tentações mais cruéis.

Curiosidade e o nefasto
Orgulho perde-os, porque
Se, intenso, deles me afasto,
Ficam do mal à mercê.

V

Mostra-te sempre temente
Dos juízos do Senhor;
As iras do Onipotente
Ponham-te em fundo pavor.

Nunca do Altíssimo as obras
Te atrevas a discutir;
Tuas iníquas manobras
Convém antes inquirir.

Em quantas coisas pecaste
Prescruta, e como te avéns;
Indaga a que desprezaste
Infinidade de bens.

Alguns só nos livros fazem
A devoção se fundar:
Nas imagens outros trazem
Uma fé particular.

Outras mentes, mal seguras
Das verdades divinais,
Põem seu fervor em figuras;
Ou em externos sinais.

Quanta idéia errada e louca!
Quanta incompleta noção!
Têm-me alguns muito na boca
Mas pouco em seu coração.

Outros há que iluminados
No entendimento, e também
No afeto purificados,
À terra votam desdém.

Das tristes coisas terrenas
De mau grado ouvem falar;
Pelas eternas apenas
Não cessam de suspirar,

Com mágoa se subordinam
Do seu corpo às precisões;
Quanto possível dominam
Da natureza as pensões

Sentem estes e percebem,
Da maneira a mais feliz,
Quando o Espírito recebem
Tudo quanto ele lhes diz,

Ele ensina a nenhum caso
Do que é térreo se fazer;
E, da alvorada ao ocaso,
Só o céu apetecer.

Sim! desprezando este mundo
De crimes tamanhos réu,
Clamar com amor profundo
Dia e noite pelo céu.

Capítulo V

Do admirável efeito do amor divino

> *Benedico te, Pater caelestis,*
> *Pater Domine mei Jesu-Christi,*
> *quia mei pauperis dignatus es*
> *recordari.*

I
O FIEL

Oh! Pai que estais no céu, eterno, onipotente,
Oh! Pai do meu Senhor Jesus Cristo, eu, fervente,
    Vos bendigo, sem fim,
Por que houvestes por bem lembrar-vos, indulgente,
    Deste pobre de mim!

Pai de misericórdia e Deus, onde demora
Toda consolação, graças vos dou, por que,
De consolo qualquer indigno eu seja embora,
Às vezes me outorgais do consolo a mercê.

Bendigo-vos, Senhor, e glorio incessante,
Junto com vosso Filho Unigênito, assim
Como o Espírito Santo, o advogado incessante,
    Para sempre, sem fim.

    Ah! meu celeste amigo,
    Deus meu, meu só abrigo,
Quando em meu coração penetrardes, tamanhas
Serão as comoções festivas do meu ser,
Que hão de todas em mim exultar as entranhas
    De inefável prazer.

Vós minha glória sois, meu doce enlevo puro,
Minha forte esperança, e infinita alegria
E, da tribulação no temeroso dia,
    Meu refúgio seguro.

II

Mas, como inda no amor sou fraco, e em mim habita
Imperfeita virtude, — o meu ser necessita
Conforto e alívio ter das vossas mãos divinas.
   — Assim, pois, visitai-me
   Assiduamente, e dai-me
A elevada instrução das santas disciplinas

   Das más paixões livrai-me:
Curai meu coração de afetos desregrados,
Para que internamente, isento de cuidados,
Purificado e são se torne finalmente
   Idôneo para amar,
Forte para sofrer, e firme, e resistente
   Para perseverar.

III

Grande coisa é o amor, em tudo é bem supremo;
Que por si só faz leve o que pesa em extremo;
   E torna suportável
Tudo quanto existir de mais desagradável;
   Porquanto leva a carga
   Sem carga, e, milagroso,
   Transforma quanto amarga
   Em doce, e saboroso.

O nobre amor de Cristo impele a grandes feitos,
E sempre à perfeição excita os nossos peitos.
O amor manter-se quer em alturas supernas,
Sem se deixar prender às coisas subalternas;
Quer livre ser, e alheio a todo humano afeto,
A fim de que, impedido o seu interno aspecto
Não se encontre jamais, e os óbices não tenha,
   Como é fato comum,
Dos cômodos da vida, e sucumbir não venha
   Por incômodo algum.

Nem o céu, nem a terra
Coisa melhor encerra
Do que o amor, ou mais forte, ou mais alta e jucunda,
Ou mais ampla e profunda;
Pois que nasce de Deus o amor que nos sublima
E apura o coração;
Nem pode repousar senão em Deus, acima
De toda a criação.

IV

Quem ama corre, voa, é livre, alegre está;
Nada o pode deter. Tudo por tudo dá.
Todas as coisas belas,
Tudo, sem exceção, nas coisas todas tem,
Pois, sobre todas elas,
Busca o repouso seu, no Sumo, Único Bem,
A fonte soberana,
Donde procede e mana
Tudo quanto de bom satisfazer-nos vem.
Não olha os dons; — porém, converte-os ao dador.
Sobre todos os dons. Muitas vezes do amor
Não conhecem limite os fortes apetites:
O indomável ardor,
Levando-o para além de todos os limites.

Ao amor nada pesa;
De trabalho? não faz caso algum, e os despreza,
Mais do que pode, quer. Da impossibilidade
A escusa não alega; encara tudo, ousado;
Pois, com sinceridade,
Julga que tudo pode e que tudo lhe é dado.

É de tudo capaz;
Nada lhe apaga a chama;
Muita coisa, por isso, ele completa e faz
E vitorioso sai
Adonde o que não ama
Desfalecido cai.

V

O amor vigia sempre, e até — milagre enorme,
No sono, ele não dorme.
Fadiga alguma o cansa, aperto algum o enreda;
Nenhum temor o assusta, ou sequer o embaraça.
Como ardente faísca e viva labareda,
Para cima a romper, seguro, avante passa.

Só quem ama é que entende a voz do amor deveras.
Aos ouvidos de Deus produz grande clamor
Da alma a ardente afeição, — que, em efusões sinceras
Dest'arte se expressou:
   Meu Deus e meu amor,
   Sois todo meu, Senhor,
   E todo vosso eu sou.

VI

Dilatai-me em amor, a fim de que eu aprenda
Com a boca interior do coração, gostar
Quanto amar é suave — e, delícia estupenda!
Em amor, Senhor meu, me fundir e nadar!

Seja eu preza de amor, sobre mim me enlevando
Por fervor excessivo, — em êxtase ficando.
Hinos de amor eu cante, e, ao alto vos seguindo,
Desfaleça minha alma em o vosso louvor,
   Oh! meu amado lindo,
   Com júbilos de amor.
Ame a vós mais que a mim. Nem ame a mim senão
Por vossa causa, e, em vós, ame, sem exceção,
A quantos vos amar saibam, conforme ensina,
Conforme determina,
A lei de amor que é luz proveniente de vós.

VII

   É pio o amor, veloz;
   É fiel, é prudente;

É sincero, é paciente,
Longânime, viril, jucundo, ameno e forte,
Sem nunca, de outra sorte,
A si mesmo buscar, porquanto adonde vai
Buscando a si alguém, aí do amor descai.
O amor é circunspecto;
É mais; humilde, reto.
Nunca tíbio e inconstante;
De coisas vãs não trata, é sóbrio, é casto, é quieto,
É firme, é vigilante
Em seus sentidos todos.
O amor, calcando aos pés da vanglória os engodos,
É para os superiores
Obediente e sujeito: e vil e desprezível
Para si próprio. A Deus tributando louvores,
É-lhe devoto e grato, e nele, indefectível;
Sempre confia e espera, embora Deus o prive
De sentir seu sabor, porque não é possível.
Deixar de padecer quando em amor se vive.

VIII

Quem a tudo sofrer não ficou preparado
E à vontade do amado
Em tudo sempre estar,
Não merece, decerto, amante ser chamado,
Nem poderá dizer que saiba o que é amar.

Cumpre que, por amor do amado, o amante abrace
Tudo o que de sofrer mais rude e amargo for,
E, ao amado se enlace,
Sem que jamais se ausente,
Haja prazer ou dor,
Ocorra o que ocorrer, por nenhum acidente,
De ao pé do seu amor.

Capítulo VI

Da prova do verdadeiro amador

Fili, non es adhuc fortis et prudens amator.

I
JESUS

*I*nda não és, meu filho,
Nem forte nem prudente em teu amor.

II
O FIEL

Porque razão, Senhor?

III
JESUS

Porque abandonas o encetado trilho,
Tornando atrás, mal a tua alma sente
Leve contradição;
E muito avidamente
Buscas consolação.

O homem forte no amor, jamais se abate;
Das tentações no pérfido perigo
Firme permanecendo, do inimigo
As ardilosas sugestões rebate.

Devo inspirar-lhe idêntica amizade
Imutável, segura,
Assim nos dias de prosperidade
Como na desventura.

IV

Não olha tanto as dádivas do amante
Como o amor de quem dá, quem sabe amar
Discretamente: e menos importante
Que a valia do afeto
Costuma reputar
O preço do objeto,
Sendo consideradas
Abaixo do dileto
Todas as coisas dadas.

Quem ama nobremente não repousa
Nas dádivas; porém,
Sobre todos os bens, em mim. Nem ousa
Suspirar outro bem.

V

Tudo não é perdido
Se, algumas vezes, menos bem a mim
Ou a meus santos queres, compungido
Que almejaras querer, sem outro fim.

Aquele afeto bom, doce, perfeito,
Que às vezes, a tua alma experimenta,
Da presença da graça é puro efeito;

Certo antegosto apenas representa
Da pátria divinal, de cima cai.
Nesse amor, todavia,
Não te deves firmar em demasia,
Porquanto vem e vai;
— Mas é sinal patente
De mérito e virtude o repelir
Os movimentos maus que à nossa mente
Costumam sobrevir,
E do demônio às sugestões, valente,
Saber-lhes resistir.

LIVRO TERCEIRO

VI

Conturbação, por isso, não te façam,
Mas sejam reprimidas
Estranhas fantasias ingeridas
De matéria qualquer: rápidas passam.
Guarda firme propósito, conserva
Reta intenção, sem a menor reserva,
Para o Senhor. Não julgues ilusão
Se, alguma vez, como a cair dos ares,
Subitamente do êxtase passares
Às inépcias comuns do coração,
Porquanto mais as sofres, de mau grado
Do que as motivas. E, se fazem pena
Ao teu ser que resiste e que as condena,
É mérito, e não perda, e não pecado.

VII

Disto está certo: o antigo
Terrível inimigo
Todo o possível faz para abafar
Teu desejo no bem e horror aos vícios
E para te apartar
De todos os devotos exercícios,
Como: o culto dos santos, cada dia,
Dos meus tormentos a memória pia,
Das tuas culpas o útil inquirir,
Do coração a guarda, por servir-me,
E o propósito firme
De maiores virtudes conseguir.

A fim de te causar terror e tédio,
Sugere muitas más cogitações,
Num rigoroso assédio
De artimanhas impuras,
Para te revocar das orações
E das santas leituras.

A humilde confissão lhe desagrada,
    E, certo, se pudera,
    Cessar em ti fizera
    A comunhão sagrada.
Não faças caso dele, nem lhe creias,
Sem embargo do esforço que ele emprega
Em armadilhas, de perfídias cheias,
Para ver se te engana e te carrega.

À conta dele leva e lhe refere,
    Com asco e horror profundo
Os pensamentos maus que te sugere;
    Diz-lhe: "Espírito imundo,
- Vai-te daqui; corre-te, miserável!
Muito ignóbil és tu, torpe, execrável,
Que baixezas tamanhas, tão audazes,
    Aos meus ouvidos trazes!
Afasta-te de mim, vil embusteiro,
Nunca, parte nenhuma em mim terás,
Mas Jesus, como intrépido guerreiro,
    Sempre estará comigo;
    Não temo o teu perigo;
    Confuso ficarás.

Morrer prefiro, penas mil sofrendo,
A consentir contigo. Não me fales!
Cala! emudece! Embora imensos males
Possa causar-me teu prestígio horrendo,
Jamais te escutarei. Quando o Senhor
É minha luz e salvação, a quem
    Poderei ter temor?
Ele é da minha vida o protetor,
    Como tremer de alguém?
Inda que eu veja exércitos formados
Contra mim, em batalha, — sem cuidados
Meu coração não temerá, pois é
Meu Defensor esse que tudo pode,
Meu Redentor que rápido me acode,
    Quando o invoco com fé!"

VIII

Eia! Peleja como bom soldado
E, se caíres, por fragilidade,
Nalgumas ocasiões, sobrepujado,
Recobra com enérgica vontade,
Mais alentadas forças que as primeiras,
Acréscimo a esperar da graça minha,
Mas da vã complacência, tão daninha,
Guarda-te bem, e presunção não queiras.
Muitos, por causa disto, andam errados,
 De modo deplorável,
 Resvalando, coitados!
Em cegueira cruel, quase incurável.
Seja-te exemplo e causa permanente
De completa humildade, esta desgraça
Dos soberbos, repletos de fumaça,
Que presumem de si estultamente.

Capítulo VII

Como se há de ocultar a graça sob a guarda da humildade

> *Fili, utilius est tibi et securius devotionis gratiam abscondere, nec in altum te eferre, nec multum inde loqui, neque multum ponderare; sed magis temetipsum despicere et tanquam indigno datam limere.*

I
JESUS

É mais útil a ti, meu filho, e mais prudente
Da devoção a graça esconder, sem mostrar
Ufania com ela, e muito assiduamente
    Sobre ela não falar,
Nem lhe dar muito peso e importância aparente,
Senão desprezar mais a ti próprio, e temer
Qual se outorgada fosse a um indigno de a ter.

Não deve o coração de ninguém apegar-se
    De modo mui tenaz
    A um afeto capaz
De repentinamente em contrário mudar-se.
    Quando gozes da graça
    Deves considerar
Quão mísero, quão pobre, apenas ela passa
    Costumas tu ficar.

Da vida espiritual, certo, o aproveitamento
Não é tanto gozar da graça o lenitivo,
Quanto com desapego, humildade, e paciência,
    Sofrer-lhe o perdimento
E a total privação. Nesse lance aflitivo

LIVRO TERCEIRO

Emprega diligência
Para não torpecer no estudo da oração,
Nem de todo abras mão
Dos exercícios bons, cumpridos de ordinário.
Da maneira melhor que se possa ou se entenda
É preciso, ao contrário,
De bom grado fazer o que de si dependa.
Sem que pela aridez e inquietação que sente,
Por mais que isso lhe pese,
Alguém, em sua mente,
De si próprio descure e todo se despreze.

II

Pois muitos aí há que quando não sucedem
As coisas ao sabor do que almejam e pedem,
De chofre se impacientam,
Logo se desalentam.
Nem sempre o seu caminho
É do homem no poder. Mas é de Deus, sozinho,
O dar e o consolar, conforme lhe aprouver;
Com mão larga ou escassa,
Quando quer, quanto quer, e a quem muito bem quer
E não mais.
Imprudentes,
A si mesmos alguns destruíram, pela graça
Da devoção. Ardentes,
Pretenderam fazer mais do que poderiam
Sem da sua fraqueza a condição medir;
E dest'arte seguiram
Tristes, a se iludir
Do coração o afeto, em lugar de opinião
Dada pela razão.

E porque presumiram
Mais alto se elevar do que a Deus aprouvera,
Cedo perdida viram
A graça que Ele dera.

Ficaram na pobreza, em miserando olvido,
Tal como coisa vil, de todo abandonados,
(Os que haviam no céu um ninho entretecido!)
    Para, depauperados,
    Saberem, e humilhados,
Que nas asas que têm, tão frágeis e mesquinhas
    Não podem adejar,
    Mas debaixo das minhas
    Devem vir se abrigar.

    Os novos e inexpertos
    Do Senhor Deus nas sendas,
    Se no seu proceder,
    E em íntimas contendas,
    Pelos conselhos certos
Dos que discretos são, deixam de se reger,
Esses mui facilmente enganados serão,
Correndo à perdição.

III

Quem prefere seguir o seu próprio conceito,
Desprezando os dos mais na vida exercitados,
Arrisca-se a mau fim, só perigoso efeito
    Terão os passos dados;
    Salvo se renuncia
    Aquilo que entendia.

    Esse que, presumido,
    Sábio se considera
    Raras vezes tolera,
Humildemente, ser por outrem dirigido.

O módico saber, com fraca inteligência,
E humildade, é melhor que de profunda ciência
Tesouros alcançar, amplo conhecimento,
De si mesmo, porém, no desvanecimento.

Menos, em vez de muito, é preferível ter
Se o muito o coração faz ensoberbecer.

LIVRO TERCEIRO

Não procede, decerto, assás discretamente
O que todo se dá ao júbilo, o que olvida
A prístina pobreza, e o casto, o permanente
Temor do Onipotente,
Que receia perder a graça recebida.

Não sabe proceder, outrossim, com virtude
O que, na quadra rude
Do infortúnio, ou se algum incômodo suporta
Em desespero cai, depressa desanima,
Cuida menos de mim, menos em mim se arrima,
Manifestando fé somenos do que importa.

IV

Quem, no tempo de paz, quer numa segurança.
Ficará, muita vez, nas épocas de guerra,
Derribado, em extremo, e na horrível provança
Que a cobardia encerra.

Sabe permanecer em ti sempre pequeno,
Sempre humilde e sereno,
Com judicioso zelo,
E, assim, bem moderar o espírito e regê-lo;
E não há de cair tão depressa em perigo
E em ofensa comigo.

É bom, quando em fervor de espírito milites,
Que, enquanto esse clarão te ilumina e conduz,
No que será medites
Retirando-se a luz.

Quando isso acontecer pensa que, novamente,
Pode essa luz tornar, e que, algum tempo ausente
A deixei, pois convinha
Para cautela tua e para glória minha.

V

Tal provação, não raro, é de maior proveito
Que da nossa vontade

Sempre, em prosperidade,
Tudo sair a jeito.

Porque os merecimentos
Não se devem julgar pelas muitas visões
Ou consolos que encontre alguém em seus tormentos,

Nem porque no Evangelho assaz perito seja,
Ou colocado esteja
Nas altas posições.

Só devem, se esse alguém se funda na humildade.
Se habita o peito seu divina caridade,
Se pura e inteiramente
A honra e a glória de Deus sempre lhe busca a mente;
Se por nada a si mesmo estima, e, justiceiro,
Manifesta por si desprezo verdadeiro,
E se aprecia mais ser também desprezado
Dos outros, e humilhado,
Sem o menor favor,
Que deles ser honrado,
Tendo o seu vão louvor.

Capítulo VIII

Da vil estima de si próprio ante os olhos de Deus

Loquar ad Dominum meum,
quum sim pulvis et cinis.

I
O FIEL

Ao Senhor falarei, inda que eu seja
Cinza e pó. Se por mais me reputar,
Eis que estais contra mim. Quem me proteja
Como então posso achar?

Contra mim testemunho verdadeiro
Meus pecados darão,
Sem que eu possa, de modo sobranceiro,
Opor-lhes a menor contradição.

Mas se eu me aniquilar, me envilecendo,
Em toda própria estima me abatendo,
E, como sou, a pó me reduzir,
A vossa graça me será propícia,
Vizinha do meu peito, com delícia,
Vossa luz há de vir.
De soberbia todo sentimento
Por mínimo que seja, num momento,
Desaparecerá.

Toda estima no abismo de meu nada
Há de ser mergulhada
E, para sempre, extinta ficará.

O que fui, o que sou, tão sem valia
E aonde a parar vim
(Porquanto nada sou e o não sabia)
Mostrais-mo, então, a mim.

A mim mesmo deixado, na verdade,
Eis o nada e a total enfermidade
O destroço completo;
Mas se me olhardes, subitaneamente
Logo robusta se me torna a mente,
De novo gozo sinto-me repleto.

E que subitamente levantado
E de vós abraçado
Com tamanha bondade assim eu sou,
E' maravilha que me põe surpreso,
Pois para baixo, pelo próprio peso
Sempre tirado estou.

II

Isto faz vosso amor, me prevenindo
Graciosamente, e sempre me assistindo
De precisões infindas nos conflitos,
Dos mais graves perigos me guardando,
Em suma: me livrando
De males infinitos.

Pois, desregradamente
Amando-me, perdi-me, mas buscando
A vós, unicamente,
E puramente amando,
A mim me achei, e a vós também, Senhor
E mais profundamente
Me reduzi a nada, por amor.
Porque vós, oh Dulcíssimo, comigo
Fazeis, sublime amigo,
Além de todo mérito. Inda além
Do que a rogar, ou a esperar me atrevo...
Quanto... quanto vos devo
Oh! Soberano Bem!

III

Deus meu, sejais bendito, pois, conquanto
Eu de todos os bens indigno seja,
Nunca a vossa nobreza, no entretanto,
E infinita bondade que bafeja
Tudo o que é bom em nós,
Cessam de bem fazer aos desgraçados,
Aos ingratos até, aos que afastados
Andam longe de vós.
Convertei-nos a vós para que, gratos.
Humildes e devotos, nossos atos
Revelem fé ardentemente acesa,
Porque sois vós, Senhor, nossa saúde,
Sois a nossa virtude
E a nossa fortaleza.

Capítulo IX

Que tudo se deve de referir a Deus, como ao fim último

Fili, ego debeo esse finis tuus supremus et ultimatus, si veri desideras esse beatus.

I
JESUS

Se bem-aventurado
Desejas ser deveras, filho meu,
O teu fim ultimado,
O teu supremo fim devo ser eu.

Nutrindo esta intenção, o teu afeto
Se tornará repleto
De grandes coisas puras;
Vicioso ele, ao contrário,
Encurvado se encontra, de ordinário,
Para si mesmo e para as criaturas.

Se buscas a ti mesmo, satisfeito,
Nalguma coisa, à mente prejudicas,
Pois logo, triste efeito,
Desfaleces em ti, árido ficas.

Refere tudo a mim, principalmente,
Porque sou eu que tudo dei, e, assim
Cada uma coisa considera e sente
Como do Bem Supremo proveniente.
Que elas todas, enfim,
Para mim se dirigem;
E devem todas, como à sua origem,
Se reduzir a mim.

II

O rico e o pobre, o humilde e o potentado,
Tiram de mim, como de fonte viva,
Água viva. E quem livre, de bom grado,
    O meu serviço abraça,
    E o meu fervor cultiva,
Esse receberá graça por graça.

Mas quem, fora de mim, quiser gloriar-se
    Ou, então, deleitar-se
Em algum bem particular, — jamais
    Poderá ser estável
No verdadeiro gozo incomparável
    Das coisas divinais;
Nem, em seu coração se dilatando,
    Poderá caminhar desimpedido,
Mas em muitas maneiras afligido
    Sob um jugo nefando.

Não deves de apropriar a ti, portanto,
    Nada bom, nem a alguém
Atribuas virtude, senão tudo
    Dá a Deus Sacrossanto,
Sem o qual, apesar de esforço e estudo,
    Os homens nada têm.

    Eu tudo dei; eu quero
    Tudo tornar haver,
Do modo mais estrito e mais severo
Requeiro ações de graça receber.

III

    Eis, meu filho, a Verdade
Com a qual a vanglória se afugenta;
E se do céu a graça te alimenta,
E entrar a verdadeira caridade,
Não mais existirá inveja alguma,
Nem aperto nenhum do coração,

Nem o amor próprio, em suma
O ocupará então.

Tudo vence a divina caridade,
Todas as forças da alma aumenta e amplia.
Se tens, na realidade,
Reta sabedoria,
Somente em mim te alegrarás, somente
Em mim esperarás, — os rogos teus
Erguendo a mim, fervente,
Porque ninguém é bom senão só Deus.
Que, de modo infinito,
Cumpre seja louvado,
Sobre todas as coisas exaltado,
E em todas elas, sem cessar, bendito.

Capítulo X

Como, desprezando o mundo, é doce servir a Deus

*Nunc iterum loquar, Domine, et
non silebo: dicam in auribus Dei
mei, Domini mei, et Regis mei, qui
est in excelso: O quam magna
multitludo dulcedinis tuae
Domine, quam abscondisti
timentibus te.*

I
O FIEL

Segunda vez, Senhor, vos falarei agora,
　　Mudo não mais serei;
Do meu Deus, meu Senhor, e meu Rei, que demore
Nas alturas do céu, aos ouvidos direi:
Oh! quão grande, Senhor, é da vossa doçura
A multidão que haveis escondido nos que
Vos temem! Mas que sois para quem vos procura!!
　　Quanta maior mercê
　　Para os que vos aclamam
De todo o coração, vos servem e vos amam!

Vossa contemplação doçuras inefáveis
Na realidade têm, delícias sem iguais,
　　Coisas incomparáveis
Que, larguissimamente, aos que vos amam dais.

Maximamente, assim, Deus meu, me haveis mostrado
Da vossa caridade a doçura que gera
Indizível prazer! Porque, quando eu não era,
Me fizestes, e quando eu caminhava errado,
Longe de vós, me haveis, para que eu vos servisse,
　　Chamado com meiguice,
E que sempre vos ame haveis determinado.

II

Oh! que direi de vós, fonte de amor infinda!
Como poder de vós esquecer-me? De vós
Que lembrar-vos de mim vos dignastes, ainda
Depois que definhei, da minha morte após?!

De todo esforço além, com o vosso servidor
De compaixão usastes,
Vossa graça e amizade, acima do valor
E do mérito seu muito além lhe outorgastes.

Como vos pagarei esta graça querida?
Visto que não é dado a todos se abdicarem
De tudo, e renunciarem
Ao século, abraçando a monástica vida?

É grande coisa, acaso
Que vos eu sirva; a quem
De servir o dever, a obrigação sem prazo
Toda criatura tem?
Grande coisa não devo em servir-vos olhar;
Mas o que me aparece
Grande a maravilhar,
É que vós vos digneis de por servo aceitar
A quem o não merece,
De tão pobre, e o junteis aos que vos são completos
Servidores diletos!

III

Eis que é vosso, Senhor,
Tudo quanto possuo;
Tudo com que vos sirvo, e com que contribuo
Para o vosso louvor!
Vice-versa, porém, vós mais a mim servia
Que a vós eu, — infeliz!

Eis a terra, eis o céu. Formou-os vossa mão
Do homem para o serviço. Ei-los, — prestes estão.

LIVRO TERCEIRO

E fazem cada dia
Tudo quanto mandastes,
E é pouco, todavia.
E também ordenastes
Do homem para o serviço os anjos. Mas aquilo
Que tudo isto ultrapassa é que ao homem servir
Vos dignastes vós próprio, além de em vós asilo
Sempre lhe garantir;
E, extraordinário dom, maior que todos estes,
De lhe dar a vós mesmo, oh! meus Deus, prometestes!

IV

Senhor, que vos darei por todos os milhares
Destes bens que haveis feito! Oh! se todos os dias
Da minha vida, alheio às coisas seculares,
Pudesse eu vos servir! Que imensas alegrias!
Oh! se ao menos um dia eu fora suficiente
Para o vosso serviço exercer dignamente!

Digno sois, na verdade,
De toda qualidade
De honraria e serviço, e de louvor eterno!
Oh! meu Senhor Superno!

Pobre servidor vosso,
A servir-vos, bem sei, sempre estou obrigado
Em tudo quanto posso,
Com empenho arraigado,
Com as forças totais
Dos mais altos fervores,
Sem que nunca, jamais,
Me deva de enfastiar para os vossos louvores.
Assim desejo e quero, e tudo que me falta
Dignai-vos de suprir.

V

Honra e glória mais alta
Não há — que vos servir,

E tudo desprezar por vós. Alcançarão,
De certo, grande graça esses que, consentâneos
À lei da vera unção,
Da vossa servidão santíssima, espontâneos
Cedem à sujeição.

Os que, por vosso amor, da carne os atrativos
Rejeitarem de todo, acharão lenitivos
Que enxuguem o seu pranto,
E do Espírito Santo
Suavíssimo consolo. Outrossim, os que entrarem,
Por vosso nome, oh! Deus! no caminho apertado,
E o mundano cuidado,
De todo desprezarem,
Esses, do coração liberdade sem par
Certo, hão de conquistar.

VI

Oh! quão grata e jucunda
A servidão de Deus, na qual o homem se faz
Deveras livre e santo, e o coração lhe inunda
A verdadeira paz!

Oh! condição sagrada
Essa da sujeição religiosa formada,
Que torna o homem igual aos anjos; que placável
O põe perante Deus; que aos demônios cruéis
Terrível o apresenta, e o faz recomendável
A todos os fiéis!
Oh! serviço querido
Digno de se abraçar e ser sempre escolhido,
Em o qual se merece o soberano bem,
E o gozo, que sem fim perdurará, se tem!

Capítulo XI

Como devemos examinar e moderar os desejos do coração

Fili, oportet te ad huc multa addiscere necdum quae bene didicisti.

I
CRISTO

*F*ilho, importa que aprendas, sem demora,
Muitas coisas, ainda, e de valor,
Não aprendidas bem até agora.

II
O FIEL

Quais são elas, Senhor?

III
CRISTO

Que tudo que desejas
Ponhas em meu querer,
E amador de ti mesmo nunca sejas,
Senão, devendo da vontade minha,
Que ao bem tudo encaminha,
A cobiçosa emulação manter.

Os desejos te acendem com freqüência
E impelem com veemência,
Fortes e dominantes;
Mas, considera se és movido assim
Por honra minha, ou antes
Tendo o teu próprio cômodo por fim.

Se em causa estou, serás bem satisfeito
De qualquer modo que eu determinar;
Porém se alguma coisa, de outro jeito,
Na qual a ti te buscas, se ocultar,
Eis que isto logo te desassossega,
      Te impede e te carrega.

IV

Não te estribes assim com demasia,
No desejo que houveres concebido
      Sem me haver consultado,
      A mim, teu pai, teu guia,
Porque, depois, acaso arrependido
Não fiques, ou te cause desagrado
O que primeiro te agradou, e tê-lo,
Por melhor se te haver afigurado,
      Procuraste com zelo.

Toda afeição que nos parece boa
Não a devemos logo de seguir,
Mas nem toda a afeição contrária, a toa,
Ao princípio devemo-la fugir.

      Convém de refreamento
Não raro usar, mesmo nos bons desejos
E estudos. O distraimento
Da mente, assim, por importunidade
      Evitas, sem ensejos
      Para infidelidade.

Sim, convém, para, que jamais produza
Escândalo nos mais, a indisciplina;
E para que também não te conduza
      De forma repentina,
A resistência alheia, ou a recusa
      À turbação e à ruína.

V

Mas importa empregar, de vez em quando,
A violência, encontrando
Virilmente o apetite sensitivo,
Sem prestar atenção ao que deseja
Ou não deseja a carne. Esforço vivo
Envidando, porém, para que esteja,
De completa maneira,
Melhor e mais perfeita,
Embora não o queira,
Ao império do espírito sujeita.

Deve ser tanto tempo castigada
E coagida a curvar-se à servidão,
Até que aparelhada
Esteja para tudo, e aprenda então
A sentir-se contente
Com pouco; em coisas simples deleitar-se
Sem jamais murmurar, ou perturbar-se
Em face de qualquer inconveniente.

Capítulo XII

Da informação da paciência, luta contra as concupiscências

> *Domine Deus, ut vídeo, patientia est mihi valde necessaria.*

I
O FIEL

A paciência me é muito necessária,
Conforme, Senhor Deus, estou a ver.
Porque na vida vária
Muitos contrastes soem suceder.

Porque de qualquer forma que eu ordene
Em relação a minha paz, Senhor,
Não pode a minha vida ser indene,
Livre de guerra e dor.

II
CRISTO

Assim é, filho meu, e nem eu quero
Que busques paz dest'arte que careça
De tentações; ou casos desconheça
Contrários, cheios de rigor severo;

Mas que reputes ter achado paz
Quando estiveres bem exercitado,
De maneira eficaz
Nas atribulações,
E bastante provado
Em muitas aflições.

Se disseres, em triste desafogo,
Que muito padecer não te é possível.

LIVRO TERCEIRO

Como, então, poderás, assim sensível,
Do purgatório suportar o fogo?

Entre dois males cumpre preferir
Sempre o menor. Se queres te eximir
De futuros suplícios eternais,
Põe, por amor de Deus, o teu estudo
No, com ânimo igual, paciente em tudo,
Ir tolerando os males atuais.

Cuidas tu, por ventura,
Que os homens neste século existentes,
Nada ou pouco padecem? Que loucura!
Achá-lo não consegues,
Nem nos mais delicados dos viventes,
Às delícias entregues.

III

Esses, porém, — é natural que fales,
Fartos deleites gozam. Vão seguindo
Suas próprias vontades, não sentindo
Senão mui pouco o peso de seus males.

IV

Seja; tenham embora
Tudo quanto quiserem. Haverá
Nesse gozo, demora?
Quanto tempo crês tu que durará?

Eis que os que têm no século abastança:
Como fumaça se hão de desfazer,
Sem que lhes reste a mínima lembrança
Do passado prazer.
E, mesmo enquanto dura, quão vazio
Se mostra, e sem valor!
— Não quietam nele, sem sentir fastio,
Amargura e temor.

236 DA IMITAÇÃO DE CRISTO

Da mesma coisa, assim, donde concebem
Sua deleitação,
Daí freqüentemente eles recebem
A pena da aflição.

Como buscam e seguem desregrados
Os deleites, é justo
Que não os satisfaçam sem cuidados,
Sem amargor, sem confusão, sem susto.

Oh! quão desordenados, breves, falsos
E torpes todos são! Dessa maneira
Não o entendem, contudo, por cegueira
Ou embriaguez! Por míseros percalços,
Por módicos deleites diminutos
Da vida corruptível,
Como animais irracionais e brutos,
Da alma incorrem na morte irremissível.

Assim, não vás; meu filho,
Tuas concupiscências escutando,
Trás delas caminhando,
Por insidioso trilho;
Mas, da tua vontade te apartando,
Com puras intenções,
Fora da senda má,
No Senhor te deleita,
E do teu coração as petições
Ele te outorgará,
Com bondade perfeita.

V

Se queres ser deveras deleitado,
De mim mais fartamente consolado,
Eis que das coisas todas mundanais
No desprezo, e em cortar, como venenos,
Os deleites de cá, todos somenos,
Estará tua benção. Quanto mais
Toda consolação das criaturas

LIVRO TERCEIRO

Fugires, tanto, em mim,
Mais poderosas, doces e mais puras
Consolações encontrarás, por fim.

Mas, sem certa tristeza, no começo,
Sem da luta o labor,
Não chegarás a coisa de tal preço.
De tamanho esplendor.

Resistirá o hábito arraigado,
Mas de um melhor será sobrepujado;
Murmurará a carne, mas será
Com o fervor do espírito contida.

Há de instigar-te e te exacerbará
A pristina serpente fementida,
Mas, com prece fervente,
Será afugentada,
E com trabalhos úteis, igualmente,
Ser-lhe-á tolhida a entrada.

Capítulo XIII

Da obediência do humilde subalterno, a exemplo de Jesus Cristo

> *Fili, qui se subtrahere nititur ab obedientia ipse se subtrahit a gratia; et qui quarit habere privata, amittit communia.*

I
CRISTO

O que emprega, meu filho, diligência
A fim de subtrair-se da obediência,
  Ele mesmo da graça
  Subtrai-se; e o que procura
Ter bens particulares, nada apura,
Perde os comuns, sem nenhum deles passa.

  Quem, de sua vontade,
  Com espontaneidade,
Se não sujeita ao superior que tem,
Mostra que a sua carne impenitente
Inda não lhe obedece inteiramente,
Mas muita vez resmunga e recalcitra,
  Com danoso desdém,
Pelo que o sábio espírito lhe alvitra.

Se a carne própria subjugar pretendes,
  Vê, portanto, se aprendes
Submeter-te depressa ao Superior,
Pois o inimigo externo é dominado,
Mais prontamente, quando devastado
Não estiver o homem interior.

Inimigo pior e mais molesto
  Da alma não tens aí

LIVRO TERCEIRO

(Não entretendo acordo manifesto
Com o espírito honesto)
Que tu mesmo de ti.

Cumpre que tomes, com esforço inteiro,
De ti mesmo desprezo verdadeiro,
Se contra a carne e o sangue, enfim, um dia
Queres prevalecer,
Pois, desregradamente, em demasia,
Inda te amas. Por isso, inda o teu ser
A sujeição receia
E, no correr da vida.
Resignar-se trepida
Plenariamente na vontade alheia.

II

Não é coisa, por certo, imoderada
Se tu que és pó, e nada,
De Deus por causa, ao homem te sujeitas;
Quando eu, o Onipotente,
O Altíssimo que as coisas mais perfeitas,
Tudo, do nada fiz,
Ao homem sujeitar-me humildemente
Por tua causa quis.

O mais humilde, o ínfimo de todos
Fiz-me porque, do mundo ante os engodos,
Com a minha humildade
Vencesses a soberba que te invade.

Aprende obedecer, Pó; humilhar-te
Aprende, Terra e Lodo; a bem curvar-te
De todos sob os pés. Tua vontade
Quebrá-la aprende, com facilidade.
Em qualquer ocasião,
E, sem protesto, dar-te
A toda sujeição.

III

Contra ti mesmo abrasa-te. Proíbe
    Que em ti o orgulho viva,
Mas tão sujeito e párvulo te exibe,
    Sem efusão altiva,
    Em quaisquer obras tuas,
Que por cima de ti possam andar
    Todos, e te pisar
Como a lama das ruas.

Que tens de que te queixes, homem vão
    E que contradição
Podes, pecador sórdido, alegar
Contra quem te fizer exprobação,
Tu que tanto ao Senhor tens ofendido
E muita vez o inferno merecido!

Porque, porém, tua alma em meu conspecto
Preciosa foi, perdoaram-te os meus olhos,
    Para que o meu afeto
    Conhecendo, o gozasses,
    E, sempre, sem refolhos,
    Grato aos favores meus te revelasses,

E para que, de modo ininterrupto,
À verdadeira sujeição te desses,
    Sereno ante o seu peso;
E, cheio de humildade, resoluto,
Pacientemente suportar pudesses
    O próprio menosprezo.

Capítulo XIV

Que se devem de considerar os ocultos juízos de Deus para não nos desvanecermos no bem

Intonas super me judicia tua,
Domine, et timore ac tremore
concutis omnia ossa mea et
expavescit anima mea valde.

I
O FIEL

*T*rovejais sobre mim, Senhor, vossos juízos;
Todos os ossos meus com temor e tremor
Abalais, e minha alma, órfã de paz e risos,
Cheia está de pavor.

Atônito me sinto, e considero inquieto
Que os céus — puros não são em o vosso conspecto.
Se pravidade achastes
Nos anjos e nem mesmo os anjos perdoastes,
Oh! de mim que há de ser? As estrelas do espaço
Desabaram; e eu, pó, que presumo, que faço?

Esses cujas ações louváveis pareciam
Ao ínfimo caíram,
Menos que pó se viram:
E aqueles que comiam
O pão dos anjos, vi atirarem-se prestos
(E assim se deleitavam!)
Às cascas do alimento, aos miseráveis restos
Que os porcos rejeitavam!

II

Não há, pois, santidade alguma, tudo é vão,
Desde que subtraís, Senhor, a vossa mão.

O mais alto saber não vinga aproveitar
    Quando de governar
Desistis. Bem assim fortaleza nenhuma
Ajuda, se deixais de sustentar. Em suma,
Castidade não há que em segurança exista,
Se não a protejeis; e quando não assista
Vossa fundamental vigilância sagrada
Toda guarda de si é improfícua, é nada.

    De vós abandonados,
Afundamo-nos logo, e, certo, perecemos;
    Mas de vós visitados,
Somos subitamente erguidos, e vivemos.

    Porquanto instáveis somos
    Mas vós nos confirmais;
    Fria noss'alma pomos,
    Mas vós no-la inflamais.

III

Oh! como devem ser humildes e abjectos
Os sentimentos meus por mim próprio! Sim! Quanto
Em nada devo ter-me, embora de algum tanto
De bem me fosse dado exibir os aspectos!

Quão fundamente devo abater-me debaixo
Dos abismos, Senhor, dos juízos vossos, onde
    Por mais que inquira e sonde
    A mente consternada,
    No fim de contas, acho
Que nenhuma outra coisa eu sou que nada e nada?

Oh! peso extraordinário! oh! mar intransnadável
    Adonde, miserável,
Não encontro de meu nenhuma coisa mais
Que nada em tudo! Adonde o esconderijo da glória?
E a confiança que foi da virtude nascida?
    Adonde, adonde estais?
    — Toda e qualquer vanglória

LIVRO TERCEIRO

243

De que a alma esteja presa
É, decerto, absorvida
Na imensa profundeza
Dos juízos, oh meu Deus, que tendes sobre mim!

IV

Que é toda carne, em fim,
Em o vosso conspecto? Há de gloriar-se, acaso,
Contra quem o formou, de argila o pobre vaso?

Como pode exaltar-se em frases vãs aquele
De quem o coração é deveras sujeito
A Deus e só a ele?
— Não logra o mundo todo enfunar, com efeito,
Quem a verdade a si sujeitou. Nem de todos
Os louvadores mil pelas línguas e engodos
Será movido quem, com inteira confiança,
Tiver firmado em Deus toda a sua esperança.

Pois os mesmos também que falam nada são.
Hão de, sem exceção,
Todos, todos passar, os mais rijos e audazes,
Com o rumor das frases;
Permanece, porém, por toda Eternidade
Do Senhor a Verdade!

Capítulo XV

Como se deve estar, e de dizer em tudo quanto se viu

> Fili, sic dicas, in omni re: "Domine, si tibi placitum fueri fiat hoc ita."

I
CRISTO

*F*ilho em todas as coisas, isto dize:
"Se for do vosso agrado, meu Senhor,
Seja isto feito assim; que se realize
    Tudo ao vosso sabor.

Em vosso nome, se for honra vossa,
Seja isto feito, Senhor meu; e daí
    Que disso usar eu possa
Afim de vos honrar, divino Pai,
Se virdes que é melhor e mais direito
Para mim e como útil aprovardes;
    Mas se considerardes
Que me será nocivo; e sem proveito
Para salvar minha alma, tal desejo
    Tirai de mim pois vejo

    Que do Espírito Santo
    Pelo sublime dom
Todo desejo não nos vem, conquanto
Aos homens se afigure reto e bom."

É difícil julgar exatamente
Se é, porventura, o espírito do bem
Que desejar, isto ou aquilo, à mente
Te impele, ou se do mau isso provém.

LIVRO TERCEIRO

Ou se do próprio espírito somente
És movido também.

Muitos que, de primeiro,
Pareciam movidos
Do espírito do bem, por derradeiro
Acharam-se iludidos.

II

Sempre, por isso, o Senhor Deus temendo,
E sempre humilde o coração trazendo,
Desejar deve o homem, e pedir
Tudo quanto ocorrer de apetecível
À mente e lhe sorrir.
E, máximo, se deve
Com a maior resignação possível
De si próprio, a mim tudo cometer,
Sem hesitar de leve,
E estas frases dizer:
Senhor que isto ou aquilo se efetue
Conforme ao que quiserdes. Vós sabeis
Como é melhor. Só vossa lei atue.
Dai, pois, o que quereis quanto quereis,
E quando bem quereis. Fazei comigo
Como sabeis, e mais vos aprouver,
E aquilo embora, cheio de perigo,
Que mais honra vos der.

Onde quiserdes, ponde-me. Tratai-me
Liberalmente em tudo. Estes pedidos
Sinceros são. Virai-me e revirai-me,
Que em vossa mão estou
Em todos os sentidos;
O vosso servo eu sou.
Eis-me aqui, para tudo aparelhado,
Pois não desejo para mim viver
Mas para vós. Oh! Que me seja dado
Digna e perfeitamente assim fazer.

Oração para bem cumprir a vontade de Deus

III
O FIEL

Dulcíssimo Jesus, celeste amigo,
A vossa graça dai-me, que ela em mim.
Esteja sempre, e a trabalhar comigo,
Comigo persevere, até ao fim.
Dai-me que sempre eu só deseje e queira
O que mais caramente vos apraz
E, por vós mais aceito, verdadeira
Satisfação vos faz.

Vossa vontade minha seja. A minha
Seguindo sempre a vossa que caminha
Para o supremo bem, sem vacilar,
Possa alcançar, asinha,
Com ela otimamente concordar.

Um só convosco, seja
Para mim o querer e o não querer,
E que a minha alma reja
O império de tais leis
Que fique sem poder,
De todo em Vós imersa,
Querer ou não querer coisa diversa
Daquilo que quereis ou não quereis

IV

Dai-me que eu morra a tudo que é do mundo
E ame ser desprezado,
Do modo mais profundo,
Por vosso amor sagrado,
E, num completo olvido,
Do século me ver desconhecido.

Sobre todas as coisas desejadas,
Dai-me que eu folgue em vós, e o coração

Em vós descanse, após tantas jornadas
De tristeza e aflição
            .

    Sois a paz absoluta
Do coração. Sois o único descanso;
        Convosco tudo é manso
Tudo, fora de vós, dureza e luta.

Nesta paz nele mesmo, isto, é, em vós,
        Um, sumo, eterno bem,
        Deixando o exílio atroz,
Hei de dormir e descansar. Amem!

Capítulo XVI

Que só em Deus se há de buscar a verdadeira consolação

> *Quidquid desiderare possum ve cogitare ad solatium meum, non hi expecto, sed in posterum.*

I
O FIEL

*T*udo o que, porventura,
Para consolo meu desejar e cuidar
Eu posso, — não aqui, mas na vida futura
Devo de o esperar.

Que os consolos do mundo, inda quando os tivera
Eu só, todos, na mão,
E as delícias também todas gozar pudera,
Certo, disso seria escassa a duração.

De consolos assim não lograrás minha alma
Ter plenamente a palma,
Nem, de modo cabal, desfrutar a alegria,
Que alhures não descobres,
Senão no Senhor Deus consolador dos pobres,
Que os humildes protege e os fracos auxilia.

Espera um pouco, espera a divina promessa,
E de todos os bens terás, como um troféu,
Oh! minha alma, depressa,
A abundância no céu.

Se estes, bens do presente
Apeteces demais,
Desordenadamente,
Os outros perderás, eternos, divinais.

LIVRO TERCEIRO 249

Os temporais em uso estejam, e em desejo
Os eternos. Fartar-te
Nunca, em nenhuma parte
(Se bem reflito, o vejo)
De algum bem temporal, poderás, pois criada
Não és para este gozo. É outra a tua estrada.

II

Quando todos os bens criados possuiras
Oh! bem-aventurada e feliz não te viras!
Mas no Deus de bondade
Que fez tudo o que existe,
Todo jubilo teu, toda felicidade
E bem-aventurança a que aspiras, consiste.

Não como a consideram
E a louvam deste mundo estultos amadores,
Mas como os bons fiéis de Jesus Cristo a espera
E a prelibam, não raro, os homens interiores
Mesmo na terra má,
Esses espirituais de limpo coração,
Cuja conversação
Nos altos céus está.

Toda consolação humana é passageira
E vã. Só verdadeira,
Só bem-aventurada,
A que dentro de nós, da Verdade Sagrada
Percebemos. Consigo
O homem devoto leva o seu consolador,
— Jesus, — em toda parte, e lhe diz: doce amigo,
Em qualquer ocasião e lugar, dai-me abrigo,
Assisti-me, Senhor.

Minha consolação esta seja: querer
De tudo quanto for consolação humana
(Que nela tudo engana!)
De bom grado, sem queixa e amargor, carecer.

DA IMITAÇÃO DE CRISTO

E, se acaso faltar, vossa consolação
Seja vossa vontade e justa provação
Consolo para mim. Nem desesperançado
No meio ficarei das maiores desgraças,
Porque não estareis perpetuamente irado,
Nem eternas serão as vossas ameaças

Capítulo XVII

Que toda a solicitude deve ser posta em Deus

*Fili, sine me tecum agere quod
volo, ego scio quid expedit tibi.*

I
CRISTO

Meu filho, deixa-me o que eu quero,
Fazer contigo, que eu sei bem
O que te serve, e delibero
Dar-te somente o que convém.

Como homem cuidas, sempre inquieto,
E, em muitas coisas, teu sentir
Mostra-se qual o humano afeto
Sabe, falaz, te persuadir.

II
O FIEL

Há, Senhor Deus, verdade pura
No que dizeis, falando assim,
Maior desvelo, mais brandura
Tendes, solícito, por mim,

Do que qualquer zelo e cuidado
Que eu em mim próprio possa ter,
Pois, em extremo, eis arriscado
Sem remissão a se perder,

O que não lança (dá virtude
Buscando sempre andar após)
Sua total solicitude,
Senhor, em vós, somente em vós.

Fazei, conforme vos agrade
De mim, Deus meu, contanto que
De retidão — minha vontade,
Firme ante vós, amostras dê.

E assim persista, permanente,
Porque não pode ser senão
Bom tudo quanto, oh! Deus Clemente,
Fizer de mim a vossa mão.

Quereis que em trevas eu esteja?
Sejais bendito. E se quereis
Que eu, ao contrário, em luz me veja,
Bendito ser também deveis.

Se vos dignais de consolar-me,
Sejais bendito mais e mais,
E se quereis atribular-me,
Sempre bendito inda sejais.

III
CRISTO

Importa, filho, que assim faças;
Se almejas, tendo as minhas graças,
Comigo andar.
Deves estar assim disposto
A padecer com tanto gosto
Como a gozar.

Assim, te cumpre, de bom grado,
Pobre viver, necessitado,
Ou rico ser,
E, com idêntico semblante,
Sofrer miséria, ou abundante
Fortuna ter.

IV
O FIEL

Por vós, Senhor, quanto quiserdes
Me sobrevenha, sofrerei;
Seja o que for que me fizerdes
De boa mente o aceitarei.

De vossa mão que a tudo assiste
Receberei, de modo igual,
O doce, o amargo, o alegre, o triste,
Sem diferença, — e o bem, e o mal.

Por tudo quanto me aconteça
Renderei graças. De pecar
Guardai-me sempre. Prevaleça
Minha intenção de vos amar.

Se me tratardes desta sorte,
Todo inflamado nesse amor,
Não temerei jamais a morte,
Nem mesmo o inferno aterrador.

Não me deiteis eternamente
De vós. Do livro do viver
Não me risqueis, e à minha mente
Nenhuma dor há de empecer.

Receberei, sem ter receio,
Tudo o que for tribulação
Que sobre mim vier, — e cheio
Me sentirei de gratidão.

Capítulo XVIII

Como, por exemplo de Cristo, se hão de sofrer com igualdade de ânimo as misérias temporais

Fili, ego descendi de caelo pro tua salute.

I
CRISTO

Se, do céu descendo, vim à terra um dia,
Foi apenas, filho, para te salvar.
Todas as misérias que em teu ser havia
Quis, com esse intento, sobre mim tomar.
Não o fiz, decerto, por necessidade:
Pura caridade
Me moveu então,
Para que aprendesses a, paciência tendo,
Ir quaisquer misérias temporais sofrendo,
Sem indignação.

Pois não me faltaram, desde o nascimento,
Té na cruz morrer,
De descanso inteiro sem um só momento,
Dores a sofrer;
Das mundanas coisas sempre na indigência,
Queixas, muitas vezes, tendo contra mim,

Confusões e opróbrios, com benevolência
Suportei-os todos, calmo, até ao fim.
Pelos benefícios recebi em paga
Só ingratidões;
Pelos meus milagres, só blasfêmia e praga,
Pelo meu ensino, só exprobações!

II
O FIEL

Senhor, porque vós fostes tão paciente,
Na vida vossa, com fulgor infindo,
Nisto, principalmente,
Do vosso Pai a prescrição cumprindo,
Eu, pecador, tão vil e miserando,
Devo a mim mesmo com paciência (é justo!)
Conforme bem quiserdes, e até quando
Desejardes, sofrer-me, carregando
Para alcançar a salvação a custo,
— Do melhor modo que me for possível,
A carga desta vida corruptível.
Porque por mais pesada e mais penível
Que alguém sinta esta vida transitória,
A vossa graça fê-la, todavia,
Já muito meritória
E pelo vosso exemplo que alumia
De maneira inefável,
Pelos vestígios lúcidos e tantos
Aqui deixados pelos vossos santos,
Para os fracos ficou mais tolerável.

É muito mais consolatória agora
Do que, durante a velha lei, outrora
Quando a porta do céu se conservava
Persistente fechada,
E mais escura parecia a estrada
Que para os céus levava;
Quando o reino do céu eram tão raros
Os que curavam de o buscar! Porém,
Mesmo aqueles que então foram preclaros,
Devotados ao bem,
Os justos que ser salvos deveriam,
Entrar do céu no reino não podiam,
Antes que da paixão que nos espanta
Sofresseis, Redentor, a pena atroz,
E a dívida da morte sacrossanta
Fosse paga por vós.

III

Oh! quantas graças sinto-me obrigado
A render-vos, Senhor, pois vos dignastes
Combatendo o pecado,
De a mim e a todos os fiéis mostrar
O reto e o bom caminho que trilhastes
E ao reino eterno do Senhor vai dar.

Pois vossa vida é via nossa. Vamos
Pela santa paciência, sempre boa,
A vós por quem a salvação ganhamos,
E sois nossa coroa.

Não nos houvésseis, para nossa emenda,
Precedido, ensinando,
E quem curara de seguir tal senda
De salvação e paz?
Vossos claros exemplos não olhando
Ah! quantos ficariam longe e atrás!

Eis-nos com almas tíbias e mofinas,
Mesmo depois de ouvir
Tantos prodígios vossos e doutrinas!
Como inda desfalecem!
Que se faria então se não tivessem
Tamanho lume a fim de vos seguir?!

Capítulo XIX

Da tolerância das injúrias, e quem é provado verdadeiro paciente

> *Quid est quod loqueris, Fili?*
> *Cessa conqueri considerata mea*
> *et alicrum Sanctorum passione.*

I
CRISTO

Que dizes, filho? De queixar-te cessa;
Minha paixão considerando e as penas
De outros santos e mártires, confessa
Que as tuas são amenas.

Inda não resististe
Até ao sangue. É sem valor, consiste
Em pouco o que padeces, comparado
Aos duros sofrimentos
Dos que passam, o espírito tentado
A todos os momentos
Da maneira mais forte,
E de modo tão grave atribulado,
Trazendo o coração,
Que exercitado fica em toda a sorte
De horrível provação.

Gravar, por isso, na memória deves
Dos outros às desgraças mais ferrenhas,
Afim de que conformidade tenhas
Nas tuas que são mínimas e leves.
E se leves assim não te parecem
Olha, repara bem
Se aos olhos teus não crescem,

Se de tua impaciência isto não vem.
Mas pequenas ou grandes põe estudo
Em aturá-las com paciência em tudo.

II

Quanto melhor a padecer estejas
Disposto, tanto mais merecerás,
E tanto mais, da vida nas pelejas,
Sabiamente andarás.

Também com o uso estando
Preparado, e com ânimo, verás
O teu sofrer mais brando.
Nem digas: "de tal homem esta coisa
Não a posso aturar, nem deste jeito
Hei de sofrê-la; e me obrigar quem ousa,
Se grave dano em mim é seu efeito?
Ele coisas imputa-me que à mente
Jamais me ocorreriam. Todavia,
De bom grado, e quem sabe satisfeito,
Conforme parecesse conveniente,
Tolerarei de um outro a aleivosia."
Esta cogitação é incipiente,
Porque não considera
Da paciência a virtude, nem de quem

Coroada será. Antes pondera,
Com culpado desdém,
Mais as pessoas, a paixões sujeitas,
E as ofensas a si acaso feitas.

III

Paciente verdadeiro
Não é o que não quer sofrer, senão
Quanto lhe parecer, e, interesseiro,
Só a quem lhe aprouver ao coração.
O paciente deveras não atende
À pessoa de quem foi molestado,

LIVRO TERCEIRO

Se foi do seu prelado,
De um igual, ou de quem de si depende
Se de pessoa pura
Ou de perversa e indigna criatura.

Mas, seja de quem for, sem diferença,
Quanto seja possível,
Toda vez que receba alguma ofensa,
Ou algo lhe suceda de penível,
Da mão de Deus com reconhecimento
Tudo aceita e reputa
Como grande provento,
Pois coisa alguma, embora diminuta.
Por Deus sofrida, poderá passar,
Sem ter merecimento
De Deus perante o olhar,

IV

Preparado à peleja
Deves, pois, sempre estar,
Se tua alma deseja
A vitória alcançar.

Para tê-la, trabalha;
Não podes vir, decerto, sem batalha
Da paciência à coroa. Se não queres
Sofrer, é que recusas tal coroa.
Se desejas, porém, para que a esperes,
Varonilmente bate-te, suporta
Com paciência o que mais te punja e doa.
Da quietação à porta,
À paz satisfatória,
Não se vai sem trabalho. Nem é dado
Sem combate esforçado
Atingir a vitória.

V
O FIEL

Que possível, Senhor, mediante a graça,
Me seja aquilo que, por natureza,
Como impossível vê minha fraqueza!
Vós que tudo regeis quanto se passa
Sabeis que pouco posso padecer;
E que um leve infortúnio que me empeça
Me derruba depressa
E me espezinha o ser.

Que se me torne, pelo vosso nome,
Apetecível, Senhor Deus, e amável,
A pena padecer que mais consome,
Todo exercício de tribulação
— Que à minha alma é muitíssimo saudável
A aflição mais atroz,
A pior vexação,
Sofrê-las todas, por amor de vós!

Capítulo XX

Da confissão da própria fraqueza,
e das misérias desta vida

*Confitebor adversum me,
injustitiam meam; confitebor tibi,
Domine, infirmitatem meam.*

I
O FIEL

*E*u a minha injustiça
Confessarei, Senhor, contra mim mesmo, e após,
A sua enfermidade a minha alma submissa
Confessará a vós.

Muita vez, coisa à toa é que me prostra e atrista,
Proponho de me haver fortemente, porém
A qualquer tentação que contra mim invista.
Grande angústia me vem.

Muito vil é, não raro, a causa donde emana
Ingente tentação, e, enquanto cuida estar
Algum tanto segura, a minha alma se engana,
Sem nada pressentir, sucede-lhe se achar,
Nalgumas ocasiões da dolorosa lida,
Quase de um leve sopro abalada e vencida.

II

Eis a fragilidade, eis a fraqueza minha
Que de modo total, por vós é conhecida.
Que condição mesquinha!
Tende pena de mim! Tirai-me deste lodo,
Para que não me atole e não fique de todo
Derribado, Senhor!

O que, freqüentemente,
Me confunde e atormenta ante vós é sentir
Que sou tão complacente,
Tão escorregadio
Para ao vil poderio
Das paixões resistir.

Conquanto não lhes dê inteiro assentimento,
É delas, todavia,
Grave, importuno, mau, sempre o encarniçamento
Em perseguir-me. E andar em luta cada dia,
Assim, é sofrimento
Que muito me enfastia.

A minha enfermidade
Acentua-se em que meu ânimo salteiam
E enchem meu coração,
Com, em subido grau, maior facilidade
Do que dele se alheiam
Fantasias que sempre abomináveis são.

III

Ó fortíssimo Deus de Israel, zelador
Das almas dos fiéis, prouvera a vós olhar
Os trabalhos e a dor
Do vosso servo, e em tudo assistir-lhe, Senhor,
Adonde quer que andar.

Com força celestial, roborai-me, de forma
Que o velho homem e a carne infeliz, miserável,
Que de todo inda não se avassalou à norma
Do espírito inefável,
Domínio sobre mim não logrem. Combater
Contra essa triste carne importa, sem clemência,
Enquanto nesta vil, misérrima existência,
Nos respirar o ser.
Ai! que vida esta aqui! Tribulações não faltam
Nem misérias, mas tudo é cheio de inimigos,
De laços, de perigos
Que cruéis nos assaltam.

LIVRO TERCEIRO 263

Se uma tribulação ou tentação termina,
Outra depressa vem; e até mesmo durante
O primeiro conflito, outra vem, repentina,
Sobre ele, e outras após, de maneira incessante.

IV

Como se pode amar a vida que amarguras
Tem tamanhas, assim?
Calamidades mil, misérias, desventuras,
Sujeitam-na, sem fim.

A denominação de vida como dá-la
Àquilo que produz tantas mortes e pestes,
Jamais gerando paz?
E, a despeito de tudo, em elevada escala
Muitos amam-na mais do que às coisas celestes,
Nela se deleitar buscando!

De falaz
Acoimam, e de vão, o mundo. Sem embargo,
Fogem dificilmente às suas más tendências,
Pois das concupiscências
Da carne é por demais predominante o encargo.

Umas coisas, porém, impelem a o amar
Outras a o desprezar.
— Os desejos carnais, dos olhos a cobiça,
E a soberba da vida a tal amor arrastam;
Mas as penas fatais que seguem, com justiça,
Misérias que devastam,
— Ao mundanal arrojo
Engendram ódio e nojo.

V

Mas a deleitação prava e torpe domina,
Impondo o jugo infando,
Oh! dor! à mente entregue ao mundo; reputando
Sob espinhos estar delícia peregrina,

Pois não viu, nem gostou de Deus a suavidade
Nem da santa virtude a interna amenidade.

Ao contrário, o que tem menosprezo perfeito
Pelo mundo, empregando estudo em só viver
Para Deus, e, em sujeito
À santa disciplina o coração trazer,
Esse bem sabe o que é a divina doçura
Que prometida foi aos abrenunciadores
Verdadeiros do mundo. Esse goza a ventura:
Esse mais claro vê quão gravemente o mundo
Erra, e de modos mil, é de enganos fecundo.

Capítulo XXI

Que se deve repousar em Deus sobre todos os bens e dons

> Super omnia et omnibus requiesces, Anima mea, in Domino semper; quia ipse est Sanctorum eterna requies.

I
O FIEL

Sobre todas as coisas, oh minha alma,
E em todas elas, sempre repousar
Deves em Deus, pois Ele mesmo é a calma
Para os santos, do eterno descansar.

Sobre toda criatura,
Dulcíssimo e amantíssimo Jesus,
Sobre toda saúde e formosura,
Dá-me que folgue em vós, fonte de luz.
Sobre toda honraria e glória pura,
Sobre todo poder e dignidade,
Sobre todo saber e subtileza,
Sobre todas as artes e riqueza,
Sobre todo prazer e alacridade,
Sobre todo louvor e toda fama,
Sobre toda doçura e lenitivo,
Sobre toda esperança, que embalsama,
Sobre toda promessa, ou incentivo,
Sobre todo e qualquer merecimento,
Sobre todo desejo que apareça,
Sobre todos os bens de valimento,
Sobre todas as graças que eu conheça,
Ou podeis, Senhor Deus, dar e infundir,
Sobre toda alegria e todo gozo,
Que a mente possa, cheia de repouso,

Conceber e sentir,
Sobre os anjos e arcanjos, finalmente,
E sobre todo o exercito do céu;
Sobre todo o visível e aparente,
  E o que jaz do invisível sob o véu,
  Sobre o universo, pois,
E sobre tudo o que, Deus meu, não sois.

II

Porquanto sobre tudo
Sois ótimo, Senhor;
Altíssimo só vós; se vos estudo,
Cada vez mais, só vós poderosíssimo,
Reconheço; só vós suficientíssimo,
Pleníssimo só vós, só vós suavíssimo,
  Vero consolador!
  Sim! vós só formosíssimo,
  Vós só amorosíssimo;
Só vós o sobre todos nobilíssimo,
  Vós só o gloriosíssimo,
Em quem todos os bons juntos, estão.
Como sempre estiveram e estarão.
Por conseguinte, é menos, e não basta
Quanto fora de vós, Senhor, me dais,
Ou prometeis a quem jamais se afasta
De vós, ou de vós mesmo revelais,
Não vos vendo, Deus meu, nem vos possuindo
  De modo pleno, infindo.
Certo, não pode repousar meu peito,
  Ou ficar o meu ser
  De todo satisfeito,
Se em vós não repousar e transcender
Todos os dons e toda criatura,
Toda e qualquer ventura.

III

Oh! dulcíssimo esposo,
Jesus Cristo, puríssimo amador,

Do conjunto dos seres, poderoso
            Sumo dominador.
Asas de verdadeira liberdade
            Quem más pudesse dar,
Para, adejando à eterna claridade,
Em vós, Senhor, pousar!

            Quando me será dado
Não me ocupar, Senhor Deus meu, senão
De vós; vendo, — dulçor jamais sonhado,
            Quão suave sois, então!

Quando de todo em vós me recolhendo,
De vosso bem no íntimo embebido,
A mim próprio não sinta, percebendo,
Sobre todo e qualquer modo e sentido,
Somente a vós, convosco e em vós vivendo
Em modo não de todos conhecido!

Porém agora assiduamente gemo,
Minha infelicidade suportando,
            Com desprazer extremo;
Pois muitos males neste vale infando
De misérias e lágrimas, sucedem,
Que, a mor parte das vezes, me turbando,
Me atristam, me escurecem e me impedem;
No comum, me distraem, me aliciam,
            Me implicam e desviam,
A fim de que eu não tenha livre ingresso
Junto de vós nos sacrossantos paços,
Nem desfrute, da glória no recesso,
Vossos jucundos, místicos abraços,
Sempre aí prestes prodigalizados
            Ao espírito puro
            Dos bem-aventurados
Meu suspiro vos mova, e o mal tão duro,
Desolação multíplice que encerra
            No seio seu a terra.

IV

Oh! Jesus resplendor da glória eterna,
Consolação da morte peregrina,
Ante vós minha boca não externa
Som algum, com palavras não atina,
    Mas, se o que sinto cala,
    Meu silêncio vos fala.

    Té quando se demora
    A vir o meu Senhor?
Venha a mim, pobre ser, que tanto o implora
Faça-me alegre, me extermine a dor,
Estenda a sua mão. Este coitado

De toda angústia, livre! Vinde!... Vinde! —
    Que de vós não prescinde
    Meu ser atribulado.
Porque, sem vós, não haverá, nem dia
    Nem hora leda e bela;
    Sois vós minha alegria,
Sem vós o coração se me enregela,
    Minha mesa é vazia.

Mísero sou, e em certo modo prezo,
De grilhões carregado, até que à luz
Que da presença vossa se produz,
    Finalize este peso,
    Até que reanimeis
    Meu ser agonizante,
Liberdade me dando, e me mostreis
    Amigável semblante

V

    Tudo quanto quiserem
Busquem os outros, em lugar de vós,
Que a mim, seja o que for que eles tiverem,
— E o desencanto lhes virá veloz, —
    Nenhuma coisa agrada

Nem, certo, agradará jamais oh! nada
Senão vós, Senhor meu, minha esperança,
Sempiterna saúde e segurança.

Eu não me calarei de deprecar-vos,
Não cessarei, meu Deus, até que em fim
Torne a vir vossa graça. Hei de rogar-vos
Até que me faleis dentro de mim.

VI
CRISTO

Eis-me... aqui estou... porquanto
Me chamaste... Eis-me aqui.
De tua alma os desejos, o teu pranto,
Tua humildade, e coração contrito
Me inclinaram, com pena de teu grito.
E trouxeram-me a ti.

VII
O FIEL

E disse: Oh! meu Senhor!
Chamei-vos e gozar-vos desejei,
Disposto a renunciar, por vosso amor,
Tudo, sem outra lei.

Porquanto vós primeiro me excitastes
A procurar-vos. Sejais, pois, bendito;
Que, Senhor Deus, desta bondade usastes
Com o vosso servo aflito,
Segundo a multidão
Da vossa generosa compaixão.

Que mais tem que dizer o vosso servo
Em a vossa presença resplendente?
Senão perante vós profundamente
Se humilhar, recordando que protervo
Já foi, e relembrando, cada dia,
A própria iniqüidade e vilania!

Porque não há em todas maravilhas
Já do céu, já da terra, semelhante
A vós, Senhor. Bondade culminante
Todas as obras que de vós são filhas
Apresentam. É sempre verdadeiro
Qualquer dos vossos juízos. E, abatidas,
Da vossa Providência são regidas
Todas as coisas do universo inteiro.

Louvor, portanto, a vós, e eterna glória
Oh! Sapiência do Padre, vos bendiga
E eleve a minha boca laudatória,
E minha alma, sem pausa, sem fadiga,
Como o maior de todos os deveres
   A só ocupação,
E assim procedam juntamente os seres
   Todos da criação.

Capítulo XXII

Da recordação dos inumeráveis benefícios de Deus

> *Aperi, Domine, cor meum in*
> *lege tua, et in praeceptis tuis doce*
> *me ambulare.*

I
O FIEL

Na vossa lei, Senhor, meu coração abri,
Ensinando-me a andar em vossos mandamentos;
Dai-me que entenda aqui
Vossa vontade sempre, e recorde os proventos
Dos vossos benefícios,
Quer em particular, quer em geral. Indícios
De grande reverência e apreço diligente
Sempre a manifestar, para que, dignamente,
Por tamanhas mercês possa render-vos graças.

Mas, bem sei e confesso, as condições escassas,
Os meios com que conto,
Não deixam responder com os devidos louvores
Nem ao mínimo ponto
De tão altos favores.
Menor, muito somenos
Do que todos os bens a mim prestados, sou;

— Pequeno entre os pequenos,
Quando em vossa nobreza
A meditar estou,
No abismo de grandeza
Que nela me aparece
Pasma o espírito meu baqueia e desfalece.

II

Tudo o que existe n'alma e no corpo também,
Tudo quanto de interno e de externo o homem tem,
    Ou seja natural,
    Ou sobrenatural,
Tudo isso é vosso dom,
Benefícios, Senhor, que só de vós provêm,
E testemunho dão de quanto pio e bom
E benfazejo sois. Sim, todo bem que temos
    De vós o recebemos!
E se alguém esses dons ganhou em demasia
E outrem, em grau menor, são vossos, todavia,
    Todos, sem exceção,
E deles conseguir quem, sem vós, poderia
    A mínima porção?

Não pode o que alcançou bens maiores gloriar-se
Do seu merecimento, ou então levantar-se
Sobre os outros altivo, e insultar o menor,
Pois aquele que a si, menos vai imputando,
Com mais funda humildade e fervor, graças dando,
    É maior e melhor.
E aquele que o mais vil de todos se reputa,
Mais indigno, inferior aos piores culpados,
Esse mais apto fica a receber, na luta,
    Bens mais avantajados.

III

Quem menos recebeu atristar-se não deve,
Nem com isso indignar-se e inveja, ném de leve,
    Do mais rico nutrir,
Senão os olhos pôr em vós, vossa bondade
Sobretudo louvar, pois tão boa vontade
Mostrais em vossos dons divinos repartir,
E com tanta abundância e liberalidade
Tão graciosa, espontânea, — isto ocorrer costuma.
E sem aceitação de pessoas, em suma!

LIVRO TERCEIRO 273

Todas as coisas vêm, Senhor, de vós. Por isso,
Se vos deve louvar em todas. Vós sabeis
O que é mais conveniente e presta mais serviço
A cada qual de nós e assim lho concedeis;
Vós sabeis o porque menos favorecidos
Estes são, quando mais àqueles outros cabe.
— Discernir coisas tais nossa mente não sabe:
Não é nosso, porém, de vós, que definidos
Tendes de cada qual os méritos, Senhor.

IV

Daí o julgar eu por imenso favor
Muitas coisas não ter que de fora apareçam
E aos olhos dos mortais glória e louvor mereçam.
Assim, ao ponderar quem quer sua pobreza
E da sua pessoa a mísera vileza,
Longe de conceber daqui abatimento
      Pesadume ou tristeza,
      Lhe seja isso motivo
      De grande aprazimento
      E fundo lenitivo.
Vós os pobres, Deus meu, humildes e vulgares,
Desprezados do mundo, elegei-os, fazendo-os
      Os vossos familiares,
      E como servos tendo-os.

Que isso deve servir de exemplo aos atos nossos
      E só verdade encerra,
Devem testemunhá-lo esses que vos cercaram
      Os apóstolos vossos
Que príncipes por vós e sobre toda a terra,
      Constituídos ficaram.
Todavia, sem queixa o mundo conversaram
Com tamanha simpleza e humildade tamanha,
Sem malícia nenhuma ou dolo, que em sofrer,
Se gozavam até dos ultrajes a sanha,
Por vosso nome santo, e aquilo que este mundo
Aborrece, de nojo e de aversão repleto,
Isto abraçado foi por eles, com profundo
      E verdadeiro afeto.

V

Nada, pois, deve tanto alegrar quem vos ama
E conhece as mercês que vossa mão derrama,
    Como ser nele feita
Vossa vontade qual, para seus fins reclama,
Vossa disposição sempiterna e perfeita.

E tal consolação e tal contentamento
    Deve com isso ter,
Que, da melhor vontade e sem constrangimento.
    Queira o mínimo ser
Como outrem desejara o máximo se ver.

    Assim, no derradeiro
    Dos lugares esteja,
    Tão tranqüilo e contente
Como erguido ao primeiro;
Desprezível e abjeto assim também se veja
De bom grado, sem nome ou fama, exatamente
    Como outrem poderia
Das honras ocupar no mundo a primazia.

    Pois a vontade vossa,
    Da vossa glória o zelo,
Deve a tudo exceder que imaginar-se possa
E consolá-lo mais, e mais satisfazê-lo,
Que os benefícios mil que já lhe foram dados
    Todos, e, até mais,
    Quaisquer mais avultados
    Que dar-lhe inda possais.

Capítulo XXIII

De quatro coisas que importam grande paz

Fili, nunc docebo te viam pacis
et verae libertatis.

I
CRISTO

O caminho da paz vou ensinar-te agora,
Da vera liberdade o caminho, oh! meu filho.

O FIEL

O que dizeis, Senhor, fazei-o, sem demora,
Que me é grato ouvir isto e seguir esse trilho.

CRISTO

Põe empenho em fazer dos outros a vontade
Antes que a tua própria. Escolhe sempre ter
Menos que mais, buscando, em perpétua humildade,
O lugar inferior, — sujeito a todos ser.
Deseja, e roga sempre a Deus que em ti se faça
Dele a inteira vontade. Eis aí. Quem assim
Proceder, entrará, cheio de luz e graça,
Os limites da paz, da quietação sem fim.

O FIEL

Embora breve seja esta lição, semeia
Dentro em mim, Senhor meu, a mais alta instrução;
Curta em palavras é, mas de sentido cheia,
De frutos abundante, encerra a perfeição.

De tão fácil maneira eu não fora turbado
Se fielmente guardar conseguisse essa lei,

Pois sempre que me sinto inquieto e carregado.
Da sua sã doutrina acho que me apartei.

Mas vós que podeis tudo e amais sempre os proveitos
Das almas, maior graça acrescentai, Senhor,
Porque eu possa cumprir à risca tais preceitos
E a minha salvação perfazer sem temor.

Oração contra os maus pensamentos

V

Deus meu, não vos afasteis
    Longe de mim;
Senhor, se me não valeis,
Se logo não me atendeis,
    Que triste fim!

Contra mim se alevantaram
Vãos pensamentos, Senhor,
Que a minha mente afogaram
Em aflitivo terror.

Como ileso avante irei?
    Como apartar
Tanta opressão? Não n'o sei,
Senhor Deus, me socorrei,
    Dai-me um olhar!

Eu irei de ti adiante
Dizeis vós, e os presunçosos,
Esses da terra gloriosos,
Humilharei num instante.

As portas irei abrindo
Das prisões. Não mais degredos!
E os arcanos dos segredos
Irei a ti descobrindo.

VI

Oh! dizei, como falais,
Vinde veloz!
As idéias infernais,
Que fujam, nem voltem mais
Perante vós.

Oh! minha única esperança,
Minha só consolação,
É confugir, sem tardança,
A vós em toda aflição;

E fiar-me em vós, neste exílio,
Do íntimo da alma invocando,
E com paciência esperando
Vosso auxilio.

Oração para que a mente seja alumiada

VII

Iluminai-me, bom Jesus,
Com o clarão da interna luz.
As trevas todas, em geral,
Deste habítaculo carnal,
Meu coração, vinde e expeli:
As distrações me reprimi;
E me tirai as tentações
Que me violentam; das paixões
Concupiscentes me domai
As bestas feras. Pelejai
Por mim, enérgico, porque
Vossa virtude paz me dê,
E em profusão, vosso louvor
Na corte santa do interior,
Que é a consciência pura e sã
Da forma se erga mais louçã.
Imponde aos ventos vossa lei
E aos temporais. Ao mar, dizei

DA IMITAÇÃO DE CRISTO

Fica-te quieto. Ao aquilão:
Não sopres mais, e quietação,
Em grau supremo, há de reinar
Seja onde for, no céu, no mar.

VIII

Vossa verdade, vossa luz,
Enviai. Que sobre a terra, a flux
Brilhem. Porquanto eu terra sou
Vazia e vã, em sombras vou,
Té que venhais em mim luzir.
Do alto, dignai-vos de infundir
A vossa graça divinal;
E, com orvalho celestial,
Roçiai, Senhor, meu coração.
Águas mandai de devoção
Que a face à terra bem regar
Possam, de modo a frutos dar
Bons e excelentes. Levantai
O meu espírito que cai,
Sob os pecados. Triste pó!
O meu desejo, (tende dó!)
Do céu às coisas suspendei,
Minha vontade, toda, erguei
A fim de que sentindo, assim,
A suavidade entrar em mim
Dos bens supernos e eternais,
Sem tédio e dor não possa mais
No que é da terra cogitar.

IX

Arrebatai-me! Oh! me livrar
Depressa vinde, de qualquer
Consolação que me vier
Das criaturas. É fugaz
Tal lenitivo, nada faz,
Pois coisa alguma, nenhum ser
Da criação, satisfazer

LIVRO TERCEIRO

Pode de todo o anelo meu
Ou consolar o anseio seu.
Prendei-me a vós, prendei-me a vós,
Pelos do amor sólidos nós,
Indissolúveis. Pois, Senhor,
Vós só bastais a quem amor
Vos vota, enquanto sem vos ter,
Sem vos amar e agradecer
Longe da vossa adoração,
Frívolo é tudo, é tudo vão!

Capítulo XXIV

Como se deve evitar a curiosa inquirição da vida alheia

Fili, noli esse curiosus nec vacuas gerere sollicitudines.

I
CRISTO

Não queiras, filho, ser curioso,
Não tenhas vãs solicitudes,
Segue-me... Assim nunca te iludes,
Teu coração goza repouso.

Isto ou aquilo não te importe,
Que aquele assim e assim proceda;
Que seja tal ou tal... Que ceda,
Que fale desta ou de outra sorte.

Pelos demais tu não respondes
Mas de ti mesmo hás de dar conta.
Porque te implicas? Nada monta
Que o proceder dos outros sondes.

Só eu conheço a todos. Vejo
Todas as obras praticadas
Do sol debaixo. As mais veladas,
Com as mais públicas cotejo.

Sei o que vai no pensamento
De cada qual, o que imagina,
O que deseja, o que rumina,
E os fins que mira o seu desejo.

Seja-me tudo cometido.
Em boa paz tu te conservas,

De agitadores a caterva
Quanto quiser faça alarido.

Que o seu bulício não te engode;
Virá sobre ela tudo quanto
Diga ou pratique, riso ou pranto,
Pois me enganar ela não pode.

II

De um grande nome não te ponhas
À sombra. Evita intimidade
Com muita gente. A soledade
Vantagens tem; como nem sonhas.

Particular amor humano
Também não busques, que isto gera
Distraimentos. Aglomera
No coração negrume e engano.

Minha palavra, de bom grado
Te falaria, e descobrira
Os meus mistérios, se te vira
De mim à espera, com cuidado,

Do coração me descerrando
A porta... Sê bem vigilante
Na prece; próvido bastante
E em tudo sempre tem humilhando

Capítulo XXV

Em que consiste a firme paz do coração e o verdadeiro aproveitamento

> *Fili, ego loquutus sum: Pacem relinquo vobis, pacem meam do vobis; non quomodo mundus dat ego do vobis.*

I

*A*ssim, meu filho, já
A minha voz falou:
A paz vos deixo, a minha paz vos dou,
Mas não vos dou a minha, como dá
O mundo a sua. A paz todos desejam,
Porém nem todos curam
De coisas que a procuram
E à verdadeira pertencentes sejam.

A minha paz está na humilde gente,
Mansa de coração. Será a tua
Em a minha paciência, que impaciente
Não há quem a possua,
Se me ouvires, seguindo
Minha voz, poderás
Ganhar repouso infindo,
Gozar de imensa paz.

II
O FIEL

Que farei, pois, Senhor?

III
CRISTO

Olha-te em tudo
Quanto faças ou digas. Põe estudo
Em todo intento dirigir assim
Que só a mim agrades, não buscando,
Ou sequer cobiçando
Nada fora de mim.
Temerário também não vás julgando
Das palavras dos outros e seus atos;
Nem em coisas te impliques
(Praticam-no insensatos)
Não cometidas, filho, ao teu cuidado;
Desta maneira há de ocorrer que fiques
Pouco e raro turbado.
Mas desta vida, da presente idade,
Não é, senão do estado
Da eterna quietação,
Não padecer alguma enfermidade
Do corpo ou coração,
Jamais ter ansiedade,
Nunca sentir alguma turbação.

Não cuides, pois, que, em suma,
Num permanente abrigo,
Tens encontrado verdadeira paz,
Se não sentires aspereza alguma;
Nem que jaz tudo bem, quando inimigo
Não tens, e nenhum dano se te faz;
Nem que isto vai direito,
Sucedendo a primor,
E é deveras perfeito
Porque tudo acontece ao teu sabor.
Nem grande coisa, então, vás presumindo
De ti ou, por ventura,
De maneira especial te consideres
Amado, quando, no íntimo sentindo
Uma extrema doçura,
Na devoção mais fervida estiveres,

Porque não se conhece em coisas tais
O amador verdadeiro da virtude,
(Que muita vez engana
A mais bela atitude,)
Nem podem consistir nestes sinais
O adiantamento e a perfeição humana.

IV
O FIEL

Em que, pois, Senhor Deus?

V
CRISTO

À vontade divina te ofertando
De todo coração, não procurando
Particulares interesses teus,
Nem no pequeno, nem no grande, nem
No tempo, e assim também
Na eternidade, de maneira tal
Que graças me rendendo, permaneças,
Com idêntico rosto,
Com espírito igual,
Nas emergências prósperas e avessas,
Na miséria, tal como na abastança
No riso e no desgosto,
Tudo pesando numa só balança

Se fores na esperança
Tão longânimo e forte que, tirado
Todo consolo interno, preparares
Teu coração a suportar calado,
Inda maiores males e pesares;
Nem te justificares,
Como se não deveras de sofrer
Coisas destas e tanto
Que te afligem o ser;
Mas justo me chamares, e por santo
Me louvares, do modo mais completo,

LIVRO TERCEIRO

Em todas e quaisquer disposições,
— Então, no trilho verdadeiro e reto
Andas da paz, livre de hesitações,
A esperança terás, certo, infinita
De, em regozijo ameno,
Rever o meu semblante.

Que, se chegares ao desprezo pleno
De ti mesmo, acredita,
Desfrutarás então paz abundante,
A maior paz possível,
Que aos eleitos concedo,
E quanta é compatível
Com esse teu degredo.

Capítulo XXVI

Da excelência da mente livre que mais merece por súplice oração que por muita leitura

Domine, hoc opus est perfecti viri numquam ab intentione caelestium animum relaxare et inter multas curas quasi sine cura transire.

I
O FIEL

Senhor, dum varão perfeito
Eis a obra: no seu peito
Nunca afrouxar a intenção
Das coisas do céu. Cercado
De cuidados, sem cuidado
Ir quase o seu coração.

Não que em torpor ele viva;
— Por uma prerrogativa,
Da mente livre, porém,
Com afeição desmedida,
Desordenada, sem brida,
Não aderindo a ninguém.

II

Deus puríssimo que adoro
Preservai-me, vos imploro,
De tantos cuidados que há
Nesta vida sem valia,
A fim de que em demasia
Nela implicado não vá.

De muitas necessidades
Do corpo, sensibilidades,
Também guardai-me, Senhor,
Porque minha alma não caia
Da volúpia que me atraia
Sob o jugo perversor.

De quaisquer impedimentos
Que à alma dão maus movimentos,
Guardai-me, em universal:
Para que, de quebrantado
De moléstias, derribado,
Eu me não veja afinal.

Não digo desses objetos
Que, com todos seus afetos,
A humana vaidade quer,
Mas de misérias e atritos
De que os mortais, vis proscritos,
Em comum, temos mister.

E as quais tão penivelmente
Retardam, gravam a mente
Do vosso servo que, enfim,
Não pode ter, quando queira,
liberdade verdadeira
No seu espírito, assim.

III

Oh! inefável doçura,
Deus meu, tornai-me amargura
Todo consolo carnal,
Que do eterno bem afasta
Meu ser e perverso o arrasta
Para o deleite atual,

Para um bem que dura apenas
Curto instante e gera penas
De perpétuo padecer!

Não vença, Deus meu, não vença
O sangue, e a carne propensa
Ao mal, esse pobre ser.

Não me engane o mundo e a glória
Que ele dá, breve, ilusória,
Nem me vingue suplantar
O diabo com as perfídias,
Com as astúcias e insídias
Que contra nós sói armar.

Dai-me para a resistência
Força bastante, e paciência
Para sofrer qualquer lei;
E para a perseverança
Dai-me constância. Abastança
De bem, dest'arte haverei.

Por todos os lenitivos
Do mundo, tão defectivos
Dai a suavíssima unção
Do vosso Espírito infindo;
Do vosso nome infundindo
O amor em meu coração,

Em lugar do amor suspeito
Da carne... Eis que, com efeito,
Vestir, comer e beber,
Todos os mais utensílios,
Indispensáveis auxílios
Para o corpo se entreter,

Não são mais que triste peso
Para um espírito aceso,
No verdadeiro fervor...
Que eu faça com temperança
De tais remédios usança
Sempre outorgai-me, Senhor.

Que desejo imoderado
Não me inspirem. Não é dado
Todos eles enjeitar,
Pois a nossa natureza,
De tantas fraquezas presa,
Precisa se sustentar.

Buscar proíbe a lei santa
O que mais deleita e encanta
Ou supérfluo e inútil é;
Pois, aliás, em rebeldia,
A carne se atreveria
Contra o espírito, de pé.

Entre essas coisas me reja
Vossa mão e me proteja
Nos transes, e enleios meus,
Ensinando-me vos peço,
A que nada com excesso
Seja feito, Senhor Deus.

Capítulo XXVII

Como o amor-próprio afasta no máximo grau do sumo bem

> *Fili, oportet te dare totum pro toto, et nihil tui ipsius esse.*

I
CRISTO

*F*ilho, importa que dês tudo por tudo
E nada, nada, de ti mesmo fique
    Sabe (e sempre te acudo)
Que coisa alguma existe neste mundo
    Que mais te prejudique
Que de ti próprio o amor.
           Pois é segundo
Ao afeto e ao amor que lhe tiveres
    Que a qualquer coisa aderes
Menos ou mais. Se o teu amor for puro,
Bem ordenado, simples, estarás
    Sem cativeiro duro
De tais coisas, em paz.

    O que ter não te é dado
    Não queiras cobiçar,
Nem possuir o que possa embaraçado
    Tornar-te, ou te privar

Da liberdade interna. Com efeito,
    É de causar espanto
    Que do íntimo do peito
Não entregues a mim todo o teu ser,
    Com tudo aquilo quanto
Possas acaso desejar ou ter.

II

Para que te gastar em vã tristeza,
Porque razão assim te afadigares.
Com supérfluos cuidados e pesares?
Está te ao meu assenso, e, com certeza,
Detrimento nenhum hás de sentir.
— Se isto ou aquilo buscas e querendo
Vais aqui ou alhures residir
Por teu cômodo e a fim de mais ir tendo
O próprio beneplácito, — tranqüilo
Jamais serás, nem de solicitude
Te livrarás, pois, em qualquer asilo,
Algum defeito rude,
Algum senão precário,
Hão de todas as coisas deparar-te,
E alguém a ti contrário,
Sem dúvida haverá em toda parte.

III

Não consiste, assim, pois, o que aproveita
Nas coisas alcançadas,
Ou nas do exterior multiplicadas:
Consiste, sim, naquelas que a alma enjeita
E menospreza, reputando-as vis;
Consiste, sim, naquelas que arrancadas
Foram ao coração pela raiz.
E isto deve entender-se não somente
Acerca do dinheiro e das riquezas,
Mas também da ambição de honra e grandezas.
Bem como do desejo, tão freqüente,
Do vão louvor efêmero e infecundo,
Coisas todas que passam com o mundo

Em de fervor o espírito faltando
Pouca defesa dá qualquer lugar,
E a paz que no de fora vais buscando,
Não pode perdurar,
Se do teu coração carece o estado

Do vero fundamento, isto é, si em mim
Não estiver firmado,
— Podes mudar-te, porém não assim
Melhorar. Visto como aparecendo
As ocasiões fatais,
E aceitas logo sendo,
Encontrarás o que fugiste, e mais.

Oração para implorar a pureza do coração e a sabedoria celestial

IV
O FIEL

Deus do Espírito Santo
Pela divina graça,
Me confirmai. Não passa
Sem isto o meu quebranto.

Senhor, dai que a virtude
Corroborada seja
No homem interno, e eu veja
De vã solicitude

E de afeições inúteis
Meu coração despido,
Nem seja constrangido
Pelos desejos fúteis

De coisas vis ou belas;
Mas como transitórias
Mesquinhas, ilusórias,
As julgue, e que, com elas,

De idêntica maneira
Hei de passar depressa;
Do mundo a sorte é essa,
Efêmera, rasteira.

LIVRO TERCEIRO

Nada de permanente
Do sol debaixo, existe:
Tudo vaidade triste,
Tudo aflições da mente.

Quão sábio o que assim pensa!
Senhor meu Deus, meu guia,
Dai-me a sabedoria
Celeste, sem detença,

Para que eu saiba, aos parvos
E aos maus sem ter estima,
Sempre, de tudo acima,
Buscar-vos e encontrar-vos,

Por sobre tudo ainda
Gostar-vos, e completo,
Apaixonado afeto
Dar-vos, de forma infinda

E em tudo o mais me avenha
Vendo-o, qual é, segundo
Vosso saber profundo
Determinado tenha.

Fazei que, com prudência,
Eu fuja aos que elogiam;
E os que me contrariam
Suporte com paciência.

Fazei que a todo vento
De frases não se mova
A mente que vos louva.
Nem preste ouvido atento

À pérfida sereia,
Que fala com blandícia,
Para infundir malícia,
De iniqüidades cheia.

A ciência consumada
Ei-la... Quem a consegue
Firme e seguro segue
Na começada senda.

Capítulo XXVIII

Contra as línguas maldizentes

> *Fili, non aegre feras si, quidam*
> *de te male senserint et dixerint*
> *quod non libenter audias.*

I
CRISTO

*F*ilho, não te incomodes
Se mal de ti julgarem,
E coisas afirmarem
Que a custo ouvi-las podes.

Inda pior conceito
Forma de ti. Ninguém
Julga mais imperfeito
De que tu és: vê bem.

Se andas de dentro, soam
Sem te abalar as frases;
Rumores são falazes
Que inanemente voam.

Calar é mui prudente
No tempo mau, e, assim,
Com fé, internamente,
Voltar-se para mim,

Com o juízo humano
Jamais te perturbando,
Não te quebrantes, quando
Busque te fazer dano.

A tua paz da boca
Dos homens depender

Não faças. Não te apouca,
Nem te ergue o seu dizer.

Estimem-te perverso,
Ou só ao bem submisso,
Não ficarás por isso,
Outro homem, ser diverso.

Adonde a glória pura,
A vera paz, está
Senão em mim? Ventura
Fora de mim não há.

Quem agradar não queira
Aos homens, sem receio
De desprazer-lhes, — cheio
Vede-o de paz fagueira.

Do amor desordenado
E do receio vão,
Provém todo cuidado
Que oprime o coração.

Também daí (e engana
Não raro o puro intento)
Todo distraimento
Para os sentidos mana.

Capítulo XXIX

Como durante a tribulação devemos de invocar a Deus, e bendizê-lo

> *Sit nomem tuum, Domine,*
> *benedictum in secula quia voluisti*
> *hanc tentationem et tribulationem*
> *venire super me.*

I
O FIEL

Bendito seja o vosso nome santo
Para sempre sem fim,
Senhor meu Deus, porquanto
Permitistes que venha sobre mim
Esta atribulação que me aniqüila
E tentação. Fugi-la
Não posso, e ante a tristeza que me invade;
Tenho necessidade
De confugir a vós que me ajudeis
E em bem meu me a torneis.

Senhor, sinto-me agora atribulado
E bem-estar não tem meu coração:
No mais subido grau, eis-me vexado
Da presente paixão
Que vos direi agora,
Pai dileto e querido!
Entre angústias me vejo comprimido:
Oh! salvai-me desta hora!

A este lance cheguei exatamente
Para glorificado serdes; quando,
Humilhado me achando,
Ser livrado por vós, Deus meu clemente

De livrar-me, Senhor, sejais servido,
Porque eu, pobre de mim, que poderei
Praticar, se de vós for desvalido?
          E onde sem vós irei?
Inda por esta vez, me dai paciência,
          Ajudai-me, Senhor,
E por mais que me agrave esta existência,
          Não sentirei temor.

II

E, agora, o que direi nestes apertos?
Senhor, vossa vontade feita seja;
Bem mereci, por muitos desacertos,
Que atribulado e em provação me veja.

Com razão, padecer minha alma deve
          Cruel adversidade;
E praza a vós que eu a paciência leve,
Até que se dissipe a tempestade,
E melhor se me faça. Todavia,
Bem pode a vossa onipotente mão
          Tirar-me esta agonia,
Afastando de mim a tentação,
Ou mitigar seu ímpeto pungente,

Para que eu não sucumba inteiramente,
Como já tantas vezes tendes feito
Comigo, quando a angústia me espezinha
          Senhor, Deus meu perfeito,
          Misericórdia minha.

E quanto a mim mais árdua esta mudança,
Obra da excelsa destra, tanto mais
Fácil a vós... A mim tudo me cansa;
          Vós tudo governais!

Capítulo XXX

Que se há de pedir o auxílio divino, e confiar para recuperar a graça

Fili, ego Dominus confortans in die tribulationis.

I
CRISTO

*F*ilho eu sou o Senhor que dou forças ao dia
Das atribulações. Por isso, vem a mim
Quando te não for bem. Eu sou tua alegria,
Teu refúgio, teu fim.

O que te impede mais do céu os lenitivos
É recorreres tarde às orações seguras;
Antes de me rogar com instância, procuras
Consolação achar e recreios nocivos
Nas coisas do exterior. Donde o pouco proveito
Que de tudo te vem, e faz com que esmoreças
       Até que reconheças
Ser eu quem livra os que, firmes, em mim esperam.
Nem há auxílio algum, eficaz e aceitável.
Nem conselho profícuo ou remédio durável,
Fora de mim. Os mais só misérias operam.

Mas quando recobrado o espírito, em seguida
       À tempestade havida,
Quando após o alvoroço, a calma se produz,
Da minha compaixão reconvalesce à luz,
Porque, diz o Senhor, perto estou, liberal,
Afim de restaurar tudo em universal,
Não só de modo inteiro e completo, porém
Profuso e acumulado em excesso também.

II

Coisa haverá capaz
De difícil me ser, sequer por breve instante,
Ou serei semelhante
Ao que diz, e não faz?
Tua fé onde está?
Firme e perseverante
Mantém-te sempre. Sê longânimo e varão
Bem forte. E sobre ti a seu tempo virá
Vera consolação.

Sim, espera-me. Espera,
Virei e curarei teu mal. A tentação
É que te vexa e ulcera;
É apenas vão temor aquilo que te aterra.
Que te importa mostrares
Solicitude, assim, que afinal mágoa encerra
Por futuros que são contingentes? Pesares
Terás só com certeza;
Só acharás tristeza
Sobre tristeza. Basta
Seu mal a cada dia. É inútil, arrasta
A mau caminho, o andar alguém a conturbar-se,
Ou as emboras dar-se,
Por coisas do futuro, incertas sempre, as quais
Não hão de vir talvez a suceder, jamais.

III

Mas ao homem é próprio o iludir-se, dest'arte,
Com imaginações vindas de toda parte.
De ânimo ainda pequeno é sinal igualmente
Do inimigo ceder tão leve e facilmente
Às sugestões. Pois ele, o inimigo, não cura
Do modo que há de ter: — se iluda, porventura,
Com verdadeiros bens, ou com falsos engane,
Se acaso a alma derribe o pensamento dane,
Em virtude do amor que lhes faça sentir
Pelas coisas de agora, ou lhes inspire o inane

LIVRO TERCEIRO

Receio do porvir.
Não se perturbe, pois; nem medo ou covardia
Haja o teu coração.
Crê em mim e confia
Na minha compaixão.

Quando pensas que estás longe de mim, não raro,
Mais próximo me encontro, e venho em teu amparo
Quando julgas que tudo está perdido quase,
É nessa muita vez exatamente a fase
De mereceres mais. Tudo, tudo perdido
Não está quando a coisa acontece em contrário;
Não deves de julgar segundo o que é sentido
No presente precário;
E quando te acabrunhe uma pena qualquer,
Venha donde vier,
Não te entregues à dor, nem a recebas como
Se de remédio algum perderas a esperança;
Mas, da fé num assomo,
Revigora a confiança.

IV

Não queiras te julgar de todo abandonado,
Inda que alguma dor, tribulação bem grande,
Por um tempo eu te mande,
Ou te prive também do consolo almejado,
Que, assim, dos céus se passa ao reino resplendente.
É mais útil a ti, bem como, certamente,
Aos outros servos meus, exercitados serem
Da contrária fortuna em provações, que terem
Tudo a seu bel prazer.
Eu muito bem conheço
Quaisquer cogitações recônditas; portanto,
À tua salvação convém, é de alto preço,
Que algumas ocasiões, sem sabor, em quebranto,
Sejas por mim deixado, a fim de que em excesso
Não te ergas, se te ocorra um próspero sucesso,
E comprazer te queiras
No que não és, nutrindo ilusões embusteiras.

Posso o que dei, tirar, e restituí-lo, quando
E como me aprouver.

V

Meu é, quanto te der.
E quando subtrair, não irei arrancando
O teu. Porque meu é — tudo quanto de bom
Outorgado te for, nem terás outro dom.
Se penas, ou qualquer contraste, eu te mandar
Não deves te indignar,
Nem o teu coração cair. Eu, num momento,
Posso erguê-lo, e mudar toda carga e tormento
Na maior alegria.
Contigo, todavia,
Usando assim sou justo, e mereço louvores.

VI

Se julgas, retamente, e se vês em verdade,
Não deves aos rigores
De atroz adversidade
Contristar-te de modo excessivo, senão
Regozijar-te mais e dar graças, julgando
Teu único prazer, o te eu ir verberando
De dores, sem perdão.

Aos discípulos meus prediletos eu disse:
"Como meu Pai me amou, assim eu vos amei."
E à mundana ledice,
Aos gozos temporais,
Decerto, os não mandei,
Mas a grandes combates;
Não às honras, porém a desprezos mortais;
Não ao ócio, senão do trabalho a inclemência,
A terríveis embates;
Não ao repouso, e sim, a darem em paciência
Bons frutos eficazes."

Não te esqueças jamais, meu filho, destas frases.

Capítulo XXXI

Do desprezo de toda criatura, para que se possa achar o Criador

> *Domine, bene indigeo adhuc*
> *majori gratia, si debeam illuc per*
> *venire ut me nemo poterit nec*
> *ulla, creatura impedire.*

I
O FIEL

Senhor muito hei mister de maior graça ainda
Se devo de atingir
Ajudado por vós, com indulgência infinda,
O ponto onde ninguém, nenhuma criatura,
Poderá me impedir.

Porque não lograrei para vós, lá na Altura,
Livremente adejar, enquanto me retém
Alguma coisa. Assim livre adejar também
Aquele desejava
Que dest'arte exclamava:
"Quem asas me dará como de pomba, e irei
Voando e descansarei?"

Que há por aí mais quieto
Do que o olho simples? Nada
Tanta quietude encerra.
E há quem mais livre seja,
Na terrenal estrada,
Que aquele que na terra
Coisa nenhuma almeja?

Importa, pois, passar
De toda criatura acima e plenamente
A si mesmo deixar,

E em excesso da mente
Estando, ver que vós, de tudo o sumo autor,
Nada tendes, Senhor,
De igual ou de comum
Com ser criado algum.

E não estando alguém de tudo que é criado
Bem desembaraçado,
Livremente, jamais,
Poderá entender nas coisas divinais.
Poucos contemplativos
Encontram-se, por isso: é que poucos conhecem
E sabem seqüestrar-se, inteiramente esquivos,
Das criaturas vis, das coisas que perecem.

II

Para tal se requer grande graça, bem forte,
Que a nossa alma alevante
E por sobre si mesma a arrebate e transporte;
E se o homem não for enlevado bastante
Em espírito, e livre assim das criaturas
Sem exceção, e unido
De todo a Deus, votando às mundanas venturas
O mais fundo desprezo,
Quanto saiba e outrossim quanto tem coligido
Não é de grande peso.

Muito tempo será pequeno e subalterno
Quem estima por grande outra coisa senão
Só um, imenso bem, o bem que é sempiterno,
Porque é nada, e se deve em nada, com razão,
Ter tudo quanto Deus não é. Entre a sapiência
Do varão alumiado e fervoroso e a ciência
Do letrado e estudioso há diferença grande,
Pois é muito mais nobre a doutrina que emana
De cima, e que se expande
Da inspiração divina à luz, que a conseguida
Pelo engenho banal da inteligência humana,
Depois de imensa lida.

LIVRO TERCEIRO　　　　305

III

Dar-se à contemplação deseja muita gente;
Não emprega porém estudo conveniente
Em as coisas obrar que para ela se exigem.
É grande impedimento, igualmente, parar
Nas coisas e sinais sensíveis, cuja origem
　　　Não é sempre exemplar,
Pouco caso a fazer, dessa maneira estreita,
Da mortificação salutar e perfeita.

O espírito não sei pelo qual conduzidos
Somos nós, e, outrossim, que escopo pretendemos
Os que neste viver parece sermos tidos
Por internos varões, quando nos entretemos,
Pondo vivo labor e o mais amplo cuidado,
Com tanta coisa vil e transitória, e apenas
Rara vez, com empenho intenso e devotado,
Recolhidos de todo os sentidos, às cenas
E às coisas mundanais surdos, indiferentes,
Nas do nosso interior meditamos ferventes.

IV

Grande lástima! Após recolhimento breve,
Por fora, sem tardar, logo nos espalhamos,
Nem as nossas ações com exame que deve
　　　Ser estreito, pesamos.
Deixamos de atender onde nossos afetos
　　　Jazem tristes e inquietos
E quão impuro é tudo em nós não deploramos.

Porquanto toda carne havia corrompido
Seu caminho, surgiu grande dilúvio.
　　　　　　　　　　Estando
Também o nosso interno afeto pervertido,
Por força toda ação que ele for provocando
Corrompida será, indício de carência
De intrínseco vigor, de intento resoluto.
De puro coração procede com freqüência
　　　Da boa vida o fruto.

V

Quanto faz cada qual pergunta-se. Porém,
Com interesse igual não cogita ninguém
Da virtude que mostra em seus feitos. Atento,
Se robusto será indaga-se, e opulento,
Hábil, belo, escritor de mérito, ou, então,
Bom cantor, bom obreiro, em sua profissão,
    E calam geralmente
Quão pobre possa ser de espírito, quão manso,
Quão devoto e paciente,
Quão recolhido, e qual o seu interno avanço.

No homem a natureza olha a parte de fora;
A graça no interior se converte e o pondera.
Freqüentemente aquela em enganos labora;
Para enganos não ter, só em Deus esta espera.

Capítulo XXXII

Da abnegação de si mesmo e abdicação de toda cobiça

Fili, non potes perfectam possidere libertatem, nisi totaliter abneges temetipsum.

I
CRISTO

*N*ão podes desfrutar liberdade perfeita,
Se, de modo total, meu filho, não te negas
A ti mesmo. Jazendo em servidão estreita
Estão as almas cegas
Dos que a si próprios amam,
De si mesmo possuídos,
Que em cobiça se inflamam
Vagabundos, movidos
De vã curiosidade, e sempre procurando
As molícies, que não as coisas atinentes
A Jesus, mas não raro o fingindo e engendrando
Projetos que durar não hão, de inconsistentes.

Porque perecerá tudo o que não deriva
Do Senhor Deus. Retém na memória, bem viva,
Esta máxima breve e profunda: Despede
Tudo de ti, e tudo acharás. A cobiça
Deixa, e terás repouso. A quem assim procede
A existência é submissa.

Na mente isto retém, e o praticado havendo,
Tudo irás entendendo.

II
O FIEL

Senhor, isto não é trabalho de um só dia,
Nem brinquedo infantil. Frase tão resumida,
No entanto, compendia
A inteira perfeição da religiosa vida.

III
CRISTO

Filho, tornar atrás não deves, nem deixar-te
Logo cair, qual seja o caminho a escrutar
Dos perfeitos, senão a coisas excitar-te
Mais altas e mais belas,
Ou, ao menos, a elas
Com desejo aspirar.

Quão serias ditoso
Se assim fora contigo, e no ponto te achasses
De não mais a ti próprio amares, mas ficasses,
Satisfeito e zeloso,
Puramente sujeito ao meu querer, à lei
E à vontade de quem por superior te dei!

Sobremaneira, então, teu ser me aprazeria
E todo o teu viver em sossego e alegria
Havia de passar.
Muitas coisas, meu filho, inda tens que deixar,
E se as não resignares
Em minhas mãos, de todo é inútil rogares,
Jamais conseguirás o que pedes. Enfim,
Compra-me, eu te aconselho, ouro ao fogo afinado,
Para que rico, assim,
Fiques, — quero dizer,
O celeste saber
Que só de mim precisa
E tudo quanto é baixo aos pés sereno pisa.

Pospõe inteiramente a terrena sapiência;
Despreza toda humana e própria complacência.

IV

Eu, se as coisas mais vis disse comprasses, filho.
Para ti, em lugar das que apresentam brilho
E avultado valor ante o humano conceito,
  É porque, com efeito,
  Muito vil, apoucada
  E quase que olvidada
  Achar-se se diria   .
Aquela celestial, vera sabedoria
Que não cuida de si altas coisas, nem trata
De exaltada se ver na terra. A qual de boca
Muita gente elogia e reverente acata
  Mas a desdiz, — que louca!
Um caminho a seguir que lhe é de todo avesso
  Com as obras e a vida:
Ela é sempre contudo a pérola de preço
  A muitos escondida.

Capítulo XXXIII

Da instabilidade do coração e que a Intenção final se há de dirigir a Deus

> *Fili, noli credere afectui tuo.*
> *Qui numo est cito mutabitur in aliud.*

I
CRISTO

*F*ilho não queiras crer ao teu afeto,
  Pois o que existe agora
  Em diferente objeto
Se mudará, sem a menor demora.
  Hás de enquanto viveres,
Sujeito ser à mutabilidade,
  Mesmo contra a vontade.
Sucederá, assim, ora te veres
Contente, ora tristonho; agora quieto,
Turbado agora; já devoto e pio,
Já indevoto; alguma vez repleto
De estudioso fervor, ora vadia;
Grave neste momento, e circunspecto,
No momento depois leve e indiscreto.

Mas, acima de tais vicissitudes,
Eis o sábio, o bem douto nas virtudes
Espirituais, que deixa de atentar
Para o que sente em si, ou para o lado
  Donde esteja a soprar
O vento da inconstância; mas, firmado
  Unicamente em mim,
  Põe empenho fervente
Em que toda a intenção da sua mente
Se enderece ao devido e ótimo fim.

LIVRO TERCEIRO

Um poderá dest'arte
Sempre permanecer em toda parte,
E o mesmo e imoto, com vigor infindo,
Em quaisquer ocasiões,
A mim continuamente dirigindo,
Nos casos mais contrários,
Entre sucessos tantos e tão vários
O olho simples das suas intenções.

II

Quanto forem mais puras
As vistas dos intentos, tanto mais
Entre diversas tempestades duras,
Com firmeza e constância andando vais.

Mas em muitos os olhos se escurecem
Do puro intento, porque logo fitam
As coisas deleitáveis que aparecem.
E igualmente porque entre os que habitam
O triste mundo, aí,
Raro de todo se acha
Alguém livre da taxa
De se buscar a si.

Foi assim que os judeus antigamente,
Na Bethânia, de Martha e de Maria
Concorreram à casa, não somente
Por amor de Jesus; — que os atraía
Também de ver a Lázaro o desejo.

As vistas da intenção purificai-as
Devemos sempre, sem perder ensejo,
Para fazê-las simples e direitas,
E a mim encaminhai-as
(Deixando tudo que me for alheio),
E além das varias coisas imperfeitas
Que existem de permeio.

Capítulo XXXXIV

Como Deus é saboroso em tudo e sobre tudo a quem ama

> *Ece Deus meus et omnia! Quid volo amplius? Et quid felicius desiderare possum?*

I
O FIEL

Eis meu Deus, eis o meu tudo!
Que mais me é licito querer?
Toda ambição de mim sacudo,
Que maior dita pretender?

Quanto sabor, quanta doçura
Na mesmas vozes para quem
Amando a Deus, de amar não cura
O mundo e as coisas que ele tem!

Deus meu, meu tudo! Isto é bastante
Para o que entende, e o repetir
Freqüentes vezes, ao amante
Quanto é jucundo e o faz sorrir!

Todas as coisas, vós presente.
De fato júbilo nos dão;
Todas, porém, se estais ausente,
Causam fastio, ingratas são.

O coração tornais tranqüilo,
Com alegria festival
E paz imensa. Compungi-lo
Defeso então se torna ao mal.

LIVRO TERCEIRO

Das coisas todas que enxergamos,
Senhor, fazei-nos bem julgar,
(Desde que em vós nos inspiramos),
— E em todas elas vos louvar.

Nem coisa alguma longo prazo
Pode, sem vós, nos comprazer,
Para que seja grata, e, acaso,
Sabor perfeito alcance ter.

É necessário, que lhe assista
A vossa graça divinal
E, temperando-a, em quanto exista
Do sabor vosso a adube o sal.

II

O sabor vosso quem o goza
Tudo aqui bem lhe saberá,
E coisa alguma saborosa
Quem o não sente encontrará.

Do mundo os sábios!... Quanto engano
No saber seu e nos carnais!
Nuns só se encontra orgulho insano,
Noutros a morte, e nada mais.

Mas quem, o mundo conculcando,
Do mundo às coisas a fugir,
O corpo vai mortificando,
Para somente vos seguir,

É sábio, sim, na realidade,
Pois para o espírito passou
Da carne mísera, e a vaidade
Pela Verdade abandonou.

Este o sabor de Deus o enleva
E tudo o bom que achando for
Nas criaturas, tudo leva
Do seu artífice a louvor.

Mas o sabor das criaturas
Diverge, e muito, do que tem
O Criador. Coisas impuras
Não são iguais ao Sumo Bem.

Sabem também diversamente
A Eternidade e o Tempo; e a luz
Criada efeito diferente
Do da incriada em nós produz.

Ò luz perpétua que transcende
Tudo que é luz na criação,
Lá das alturas onde esplende
Vossa infinita perfeição,

Arremessai (e nada impetre
Meu coração com tal prazer)
Um raio ardente que penetre
Té ao mais íntimo o meu ser.

Com as potências que ele encerra
O meu espírito alegrai;
Purificai-o sobre a terra
Fortalecei, vivificai,

Para, do júbilo em excessos,
Ir embeber-se em vós, em fim.
— Quando farei tantos progressos
Que possa entrar na glória, assim?!

Quando virá, sem mais detença,
A hora feliz em que me deis,
Senhor, Deus meu, vossa presença
E em que, com ela, me farteis?

Hora ditosa e ambicionada!
Vós para mim sereis então
Nas coisas todas, tudo. Nada
Terá, sem vós, meu coração.

LIVRO TERCEIRO

Não haverá prazer completo
Enquanto assim não suceder;
Mas, ai de mim! Com mágoa, inquieto,
Sinto o homem velho inda viver!

Sim! não ficou crucificado
De todo ainda. Nem morreu
Perfeitamente. Um desgraçado,
Desta maneira, inda sou eu.

Inda cobiça fortemente
Contra o espírito, a mover
Guerras internas. Nem consente
No reino da alma paz haver,

Mas vós, Senhor, que o poderio
Do mar contendes e amansais:
Que o dessossego tão bravio
Das ondas suas aquietais;

Oh! levantai-me, me ajudando
E dispersai essas nações
Que guerras querem. Vá quebrando,
Vosso poder tais pretensões.

As maravilhas vossas, peço,
Mostrai e seja, sem cessar,
Glorificada com excesso
A vossa destra tutelar.

Outra esperança nesta vida
Não há. Nem têm os passos meus
Outro refúgio, outra guarida
Senão em vós, Senhor, meu Deus.

Capítulo XXXV

Como nesta vida não há segurança contra a tentação

> *Fili, nunquam securus es in hac vita; sed quoad viveris, semper arma spiritualia tibi sunt necessaria.*

I
CRISTO

*F*ilho nunca seguro nesta vida
Jaz o teu coração,
Mas das armas do espírito, na lida,
Tu, enquanto viveres,
Sempre terás imensa precisão.

Mal de ti se esqueceres
Que andas entre inimigos que te assaltam
Da direita e da esquerda. Não te faltam
Ocasiões de tombar,
Nem poderás, se da paciência o escudo
Não te cobrir completamente, em tudo,
Por longo tempo incólume ficar.

Se não pões, além disso, fixamente
Teu coração em mim, acesa a mente
Com vontade sincera e verdadeira,
De tudo padecer por meu amor,
De nenhuma maneira,
Com tamanhos cuidados,
Lograrás suportar do prélio o ardor,
Nem alcançar a palma sobranceira
Dos bem-aventurados.

LIVRO TERCEIRO

317

Portanto, é necessário
Que tudo arrostes virilmente, usando
De poderosa mão com o que, contrário
Diante de ti se for apresentando,
Porquanto ao vencedor se lhe dará
O celeste maná.
Mas o que se acobarda
Muita miséria o aguarda.

II

Se buscas quietação nesta existência,
Como ao descanso eterno chegarás?
Para grande paciência
Dispõe- te, e nunca para muita paz.

Não busque vera paz, na terra impura
Mas nos céus, — nos homens que são pó,
E não em qualquer outra criatura,
Mas em Deus, em Deus só.

Por seu amor, tu deves, de bom grado,
Tudo aturar, isto é, trabalhos, dores,
Tentações, vexações, necessidades,
Das moléstias o enfado,

Exprobações, malévolos rumores,
Injúrias, ansiedades,
Humilhações, castigos,
Desprezos e perigos

Estas coisas ajudam à virtude,
Provam de modo rude,
Porém que aperfeiçoa,
O bisonho soldado de Jesus,
Fabricando a corda
Do céu, cheia de luz.
Responderei, com sempiterno prêmio,
À breve pena, e, com infinda glória,
Dos eleitos no grêmio,
À humilhação ligeira e transitória.

Cuidas que terás sempre a teu talante
Espirituais consolos? Os meus santos
Não os tiveram sempre, e a cada instante,
Mas muitas penas, varias tentações,
        Multíplices quebrantos,
        Grandes desolações.

Com paciência, porém, eles se houveram
        Em todas, — mais em Deus
Que em si confiando, debelar souberam
        Os sofrimentos seus.
        Pois sabedores eram
        De que as paixões presentes
        Da vida subalterna
Proporcionais não são, nem suficientes
Para se merecer a glória eterna.

        Queres ter, sem detença,
O que muitos apenas alcançaram,
Depois que muita lágrima choraram
E após labores mil, de angústia imensa.

Espera ao Senhor Deus; varonilmente
        Porta-te e, desta sorte,
Teu coração se firme e se conforte:
Desconfiança ou temor não alimente.
        Não queiras apartar-te,
Porém, constantemente, em qualquer parte.
Expor teu corpo e bens, como tua alma
Pela glória de Deus. Eu pagarei
De pleníssima forma, dando a palma
        De excelsos galardões,
        E contigo serei.
Em todas e quaisquer tribulações.

Capítulo XXXVI

Contra os vãos juízos dos homens

> *Fili, jacta cor tuum firmiter in*
> *Domino; et humanum ne metuas*
> *judicium, ubi te conscientia pium*
> *reddit et insontem.*

I
CRISTO

$\mathcal{P}$õe filho, firme e direito,
Teu coração no Senhor,
E dos homens o conceito
Nunca te cause temor.

Não o temas, se a consciência
Que tu és pio te diz
E de que estás na inocência
Dá testemunho, feliz.

É bom, é afortunado
Padecer desta feição;
Não será isto pesado
Para o humilde coração.

Não será, pois o alivia
A fé aos encargos seus,
Ao coração que confia
Menos em si do que em Deus.

Que falar inexaurível
Em muitos! Pouco lhes crer
Cumpre, assim. Nem é possível
A todos satisfazer.

S. Paulo que pôs estudo
Em a todos agradar

No Senhor, e se fez tudo
A todos sem discrepar,

Nenhum apreço ligava
Aos juízos que, afinal,
Sobre ele manifestava
Dos homens o tribunal.

II

Quanto em si era e podia.
Fê-lo assaz para os demais
Levar à celeste via,
Da salvação aos umbrais.

Contudo não lhe foi dado
Proibir, dos mais não ser
Algumas vezes julgado,
E em seu desprezo incorrer.

Por isso a Deus que soubera
Tudo, tudo cometeu,
E, com paciência sincera,
Humilde se defendeu.

Contra a boca dos que falam
Coisas iníquas e vis
E contra os que se assinalam
Por engendrarem, sutis,

Mentiras, temeridades,
Que espalham a seu sabor,
E constituem maldades,
Origem de mágoa e dor,

Algumas vezes, contudo,
Não duvidou retrucar,
Que aos fracos, ficando mudo,
Podia escandalizar.

LIVRO TERCEIRO

Quem és tu, para que temas,
Do homem mortal? Hoje está
Vivo, com forças extremas,
E amanhã não se erguerá,

Teme a Deus, e dos humanos
Esses terrores, — que são
Sempre infundados e insanos, —
Nunca pavor te farão.

Com palavra ou com injúria
Contra a ti que pode alguém?
A si próprio de tal fúria
Mais dano que a ti lhe vem.

E escapar, por mais que o tente,
Dos juízos do Senhor,
Não logrará, impotente,
— Seja onde for e quem for.

Põe a Deus perante os olhos
E não queiras contender
Com queixumes. Os refolhos
Claros sejam de teu ser.

Porque, se agora parece
Que sucumbes, sem perdão;
Que, sem merecer, padece
Tua alma atroz confusão,

Não deve isto, inda que doa.
Indignação te causar;
Não queiras tua coroa,
Por impaciência apoucar.

Antes, os olhos, zeloso,
Ergue aos céus, lança-os em mim
Que sou assaz poderoso
Para a tais penas dar fim.

O padecer mais intenso
Transformo em supremo bem,
E cada qual recompenso,
Segundo as obras que tem.

Capítulo XXXVII

Da pura e inteira resignação de si, para obter liberdade do coração

Fili, relique te, et inventes me.

I
CRISTO

*F*ilho, deixa-te a ti e me acharás, de certo;
Está sem eleição, está sem propriedade
De coisa alguma, e sempre, o teu peito liberto
Lucrará, em verdade.
Porque se ajuntará a ti mais ampla graça
Logo que renunciares
Completamente a ti, e atrás não mais tornares.

II
O FIEL

Quantas vezes, Senhor, é preciso que eu faça
Resignação, e quais
São as coisas em que me deixarei a mim?

III
CRISTO

Sempre, a todo momento; em as coisas banais
E pequenas, bem como em as grandes. Assim,
Nada excetuo, mas, em tudo, em toda parte,
Quero desapegado inteiramente achar-te.

Como, doutra maneira, em diferente estado,
Poderás tu ser meu e eu ser teu, se não fores
No de dentro e também nas coisas exteriores
Do teu próprio querer de todo despojado?
Quanto mais apressado isto fizeres tanto

Melhor te irá, e quanto
Mais plenária, mais pura, e mais sinceramente,
Mais me satisfarás, tornando-me contente,
E de modo mais amplo hás de lucrar.
          Há quem
De fato se resigna; efetua-o porém,
Com alguma exceção. Porque em Deus não confia
Plenariamente, e, pois, com empenho, porfia
Em se prover a si. Outros tudo oferecem
No início, mais se os pulsa a tentação falaz,
Dão-se de novo a si, e regressam atrás;
Na virtude, assim pois, de forma alguma crescem,
Do puro coração a vera liberdade,
Nem à graça de minha alegre intimidade
Não chegarão, jamais, a menos de primeiro
Resignação total fazerem, — um inteiro
Sacrifício de si, quotidiano, — se não
Não há, nem haverá a fruitiva união.

IV

Muitas vezes te disse e agora te repito:
Resigna-te, deixando a ti próprio, e terás
    Imensa interna paz.
    Um sossego infinito.
Tudo por tudo dá; nada inquiras, e nada
Reclames, ouve bem: em mim, sem hesitar,
E puramente esteja a tua alma firmada,
E terás me em qualquer ocasião ou lugar.
Livre no coração serás, e te encobrir
Não poderão dest'arte as trevas conseguir.
Esforça-te por isto, isto roga, isto almeja:
    Que despojado seja
    Teu ser de todo bem,
    E que, nesta nudez,
Vás seguindo a Jesus, desnudado também,
    Morrendo de uma vez
    A ti para que, enfim,
Possas livre viver eternamente em mim.
— Hão de então falecer quaisquer vãs fantasias,

LIVRO TERCEIRO

Iníquas turbações, e supérfluos cuidados.
Removidas também do excessivo temor
   Serão as agonias,
   Os atrozes enfados;
Bem como morrerá o desregrado amor.

Capítulo XXXVIII

Do bom regime das coisas exteriores, e do recurso a Deus nos perigos

Fili, ad istud diligenter tendere debes, ut in omni loco et actione seu ocupatione externae sis intimus liber et tui ipsius potens.

I
CRISTO

*F*ilho, busca, diligente
Em todo lugar e ação,
Ou externa ocupação,
Livre ser intimamente

Se de ti mesmo,senhor,
De forma que tudo rejas,
E de tudo não estejas
Sofrendo o jugo opressor.

Deves domínio perfeito
Sobre teus atos manter,
Sem servilmente lhes ser,
Como um escravo, sujeito.

Se como os veros hebreus,
Isentos, passando à sorte,
À liberdade ampla e forte,
Própria dos filhos de Deus.

Esses se elevam acima
Do presente, do atual,
Só contemplando o eternal
Com todo o ardor que os anima.

Olham com o esquerdo olhar
As breves coisas que passam;
Com o direito, entanto, abraçam
As que no céu têm lugar.

Bens temporais não atraem
A esses, nem os retém;
Deles tais coisas, porém,
Na dependência recaem.

E as sabem utilizar,
Segundo são ordenadas
De Deus, e forem formadas
Pelo Opífice exemplar,

Que na sua criatura
Nada sem ordem deixou,
E tudo quanto criou
Governa com mão segura.

II

Se em todo evento, demais,
Não ficas só na aparência
Externa, sem permanência,
Nem só com olhos carnais

Ponderas o que escutaste
E viste de ti aos pés,
Mas entras, como Moisés,
Sem nada haver que te afaste,

Logo, em qualquer ocasião,
No tabernáculo austero,
Para conselho, sincero,
Pedir a Deus, com unção,

Muitas vezes, certamente,
A resposta divinal,
Receberás, e, afinal,
Voltarás, tendo na mente

Noções que te hão de servir,
Exatas e luminosas,
Sobre coisas numerosas,
Do presente e do porvir.

Sempre Moisés recorria
Ao tabernáculo, assim,
Para às dúvidas dar fim
E nas questões ter um guia;

Para dos homens vencer
As maldades e o perigo,
Buscava do auxílio e abrigo
Das orações se valer.

Deves, assim, ao secreto
Do coração te asilar,
Divino auxílio a implorar,
De mais empenho repleto.

Escrito está: Josué
E outros mil israelitas
Foram pelos gabonitas
Burlados em sua fé,

Pois antes não consultaram
Ao oráculo de Deus,
Porém os ouvidos seus
A doces frases prestaram

E, cheios, sem refletir,
De nímia credulidade,
Com fementida piedade
Se deixaram embair.

Capítulo XXXIX

Que o homem não seja importuno nos negócios

> *Fili, comitte mihi semper causam tuam, ego bene disponam in tempore suo.*

I
CRISTO

Filho o teu negócio sempre a mim confia
Que, em devido tempo, lhe darei bom fim;
Meu mandado aguarda, só por mim te guia,
Vantajosos frutos colherás assim.

II
O FIEL

Meus negócios todos eu, do melhor grado,
Quero, sem detença, vo-los entregar,
Senhor Deus, porquanto meu maior cuidado
Muito pouco pode lhes aproveitar.

Oh! quão bom seria que eu não me ocupasse
Das futuras coisas, mas, sem dilação,
À vontade vossa todo me ofertasse
Como venturoso ficaria então!

III
CRISTO

Filho, muitas vezes, excessivamente,
Por alguma coisa que deseja e quer
O homem se desvela, mas se a vê presente,
Logo que a consegue, nem a olhou sequer.

A sentir começa de outra forma e jeito,
Pois o seu afeto logo passa e cai;
Nunca à mesma coisa se conserva atreito,
De umas para as outras impelido vai.

Nas pequenas coisas, assim pois, deixar-se
A si mesmo, fato sem valor não é;
Verdadeiro avanço só costuma achar-se
Nesse que a si próprio se negou, com fé.

IV

O homem que a si próprio renuncia, alcança
Grande liberdade, segurança tem,
Mas o velho inimigo que jamais descansa,
Perturbar buscando tudo quanto é bem,

De tentar não cessa; pérfidas ciladas
Arma dia e noite, para o fim de ver
Se em seus laços caem — mentes descuidadas,
Se com seus enganos pode alguém colher.

Nunca, em seu ataque, vejas imprevisto.
Tens para atalhá-lo forças na oração;
Sede vigilantes, e rezai, diz Cristo,
Fará não entrardes logo em tentação

Capítulo XL

Que o homem por si mesmo nada tem de bom e de nada se pode gloriar

Domine, quid est omo, quod menor es ejus? aut filius hominis, quoniam visitas eum?

I
O FIEL

Que é o homem, Senhor, para que vos lembreis
Dele, a quem coisas vis sem número consomem?
Ou o filho do homem
Para que o visiteis?
O homem que mereceu para que lhe outorgásseis
A vossa graça, — imenso esplêndido favor?
E de que eu me queixar, se me desamparásseis,
Poderia, Senhor?
Com justo fundamento
Que vos posso eu opor,
Se o que desejo e peço
Não fizerdes, — contrário às pretensões que alento?

Certo, posso cuidar e dizer, com verdade,
De meu ser no recesso:
Nada sou, nada posso, e nenhuma bondade
Possuo em mim, Senhor, mas tenho falta em tudo
E a nada sempre vou. Se de vós não me ajudo
Se não me iluminais,
Com interno clarão,
E não me secundais,
Fico tíbio de todo, e na dissipação.
Vós, porém, sempre sois o mesmo. Eternamente
Permaneceis, Senhor, sempre bom, justo e santo,
Bem, justa e santamente
Fazendo tudo quanto

331

Determinais fazer, e com sabedoria
Dispondo tudo; mas, eu, que sou inclinado
À falta, à aleivosia,
Mais do que a aproveitar, eu em um mesmo estado,
Quando a vossa bondade e poder não me acudam,
Não perduro constante,
Porquanto sobre mim sete tempos se mudam.

Todavia, no instante
Em que vos aprouver, tudo melhor me vai,
Desde que me estendais a destra protetora;
Porque vós só, Deus meu e Onipotente Pai,
Sem humana assistência,
Socorro podeis dar, força confirmadora,
De sorte que jamais exista divergência
No meu rosto, e não mais ele se altere e mude;
Porém só para vós se converta o meu peito
E só a vós sujeito,
Somente em vós descanse, em completa quietude.

II

Donde, se eu bem soubera
Toda consolação humana desprezar,
Quer para conseguir a devoção sincera,
Quer pela precisão que me força a buscar
Vosso auxílio, porque não há homem que possa
Consolar-me, eu, então,
Pudera a graça vossa,
Esperar, com motivo,
E, com viva efusão,
Exultar pelo dom do novo lenitivo.

III

Graças a vós, Senhor, donde tudo provém
Todas as ocasiões que me acontece bem!
Mas eu, vaidade e nada, ante vós, inconstante
E frágil homem, donde aqui me gloriarei,
Ou que razão bastante

LIVRO TERCEIRO

Do desejo de ser estimado darei?
Por nada, porventura?
Vaníssimo será:
Que a vanglória, em verdade,
É grandemente impura
É, como peste, má;
É máxima vaidade,
Porque da vera glória aparta, despojando
Da graça celestial. Enquanto se compraz
O homem; a si, a vós desagrada, e, se faz
Vivo empenho em humano encômio ir alcançando,
Das virtudes reais permanece privado.

IV

É, porém, vera glória e júbilo sagrado
Gloriar-se em vós, e não em si, regozijar-se
No vosso nome, e, nunca, em a própria virtude,
Jamais em criatura alguma deleitar-se,
Mas por amor de vós somente. Que a miúde
Louvado seja, oh Deus, vosso nome infinito,
Não ó meu, e também sejam magnificadas,

Vossas obras e não as minhas apoucadas.
Vosso nome tão santo e bom, seja bendito
No meio de esplendores.
E nada se atribua a mim, pobre proscrito,
Dos humanos louvores.

Vós, glória minha; vós, de meu peito a alegria,
Em vós me gloriarei, a exultar todo dia;
Nada, porém, de mim, senão em as mesquinhas
E vis fraquezas minhas.

Procurem os judeus
A glória que se dão uns aos outros, insanos;
Eu esta buscarei que é somente de Deus,
Certo que toda glória e louvores humanos,
As honras temporais e esplendores mundanos,
Tudo, sem exceção, é vaidade e loucura
Comparando-se à vossa eterna glória pura.

Misericórdia minha oh! Deus meu, oh Verdade
Suprema imperatória,
Santíssima Trindade,
Somente a vós louvor, honra, virtude e glória
Por toda eternidade.

Capítulo XLI

Do desprezo de toda a honra temporal

> *Fili, noli tibi attrahe e, si*
> *videas alios honorari et elevari, te*
> *autem despici e humiliari.*

I
CRISTO

Não te inquietes, meu filho, se vires
Nobrecido e elevado outrem ser,
E que tu, só desprezos inspires,
Humilhado e abatido a viver.

Ergue ao céu, que os meus anjos encerra,
Para mim, teu fiel coração,
E o desprezo dos homens na terra,
Deixará de causar-te aflição.

II
O FIEL

Nós estamos, Senhor, em cegueira,
E a vaidade seduz-nos veloz;
Se em mim olho de reta maneira,
Não me posso queixar contra vós.

Porque nunca, em verdade uma injúria
Criatura nenhuma me fez,
Gravemente: porém, quanta incuria!
Contra vós eu pequei muita vez.

Com razão, se armam todos, portanto
Contra mim, pois me cabem Senhor,
Confusão e desprezos, enquanto
Só a vós honra, glória e louvor.

E, se a isto me não preparando,
Não quiser de bom grado me ver
Desprezado de todos, vagando
Sem amparo, deixado, a sofrer,

Que me tenham de todo por nada,
— Nunca, dentro de mim, poderei
Alcançar paz segura e firmada,
Nem na mente aclarado serei.

Só assim o meu ser, puro e forte
Ficará neste mundo, nem eu
Posso a vós, se viver doutra sorte,
Plenamente me unir, Senhor meu.

Capítulo XLII

Como não se deve pôr nos homens a paz

*Fili, si ponis pacem tuam cum
aliqua persona propter tuum
sentire et convivere instabilis eris
et implicatus.*

I
CRISTO

Se pões a tua paz em alguma pessoa,
Por ser do teu sentir e do teu conviver,
Sem firmeza serás, meu filho, irás à toa,
Sempre estorvos a ter.

Se recorres, porém, à sempre permanente
Verdade, sempre viva, o teu ser contristar
Não poderá amigo, ou se conserve ausente,
Ou mesmo se expirar.

Deve de estar em mim a dileção do amigo
E, por causa de mim, há de inspirar-te amor
O que bom te pareça, e, ajustando contigo,
Mui caro aqui te pôr.

Amizade, sem mim, não vale e não perdura;
Nem verdadeira e limpa é qualquer dileção
Que eu não uno. Assim, pois, resguardar-te procura
Dessa inane afeição.

Sim! morto deves ser a todo humano afeto,
De modo a desejar, quanto possas, fugir
Todo comércio humano, e, de modo completo,
Fora dele existir.

338 DA IMITAÇÃO DE CRISTO

Tanto mais o homem vai de Deus se aproximando,
Quanto mais de quaisquer consolos terrenais
Se afasta, e bem assim, mais alto remontando
    Para Deus quanto mais

Profundamente desce em si e considera
A si mesmo bem vil.

II

Aquele que, porém,
A si mesmo, sem ver quanto o mal o encarcera
    Atribui algum bem,

Impede que de Deus a graça se lhe infunda;
Pois do Espírito Santo a graça os corações
Humildes busca sempre, e os conforta e fecunda
    Com seus doces clarões.

Soubesses te aniilar de maneira perfeita,
Sacudindo de ti todo o criado amor,
E, então, de grande graça, em tua alma direita,
    Brotaria o esplendor.

Quando, tu, por acaso, olhas as criaturas,
Do Criador o aspecto é tirado de ti;
Por ele aprende, filho, a, nas coisas mais duras,
    Vencer-te em tudo aqui.

Poderás, vencedor ficando na peleja,
Chegar ao divinal conhecimento, então;
Qualquer coisa, porém, por pequena que seja
    De frágil condição,

Se, por ventura, for desordenadamente
Amada e contemplada, entenebrece a paz,
Do sumo bem retarda o gozo, e, eivando a mente,
    Grande dano lhe faz.

Capítulo XLIII

Contra a vã e secular ciência

*Fili, non te moveant pulchra et
subtilia, hominum dicta.*

I
CRISTO

𝒟os homens, filho meu, não te movam os ditos
Formosos e sutis, porque o reino de Deus
Em frases não está, em termos eruditos,
Porém sim na virtude. Ouve os dizeres meus
    Que os corações inflamam
    As mentes alumiam,
Várias consolações no espírito derramam
E à vera compunção estimulam e guiam;
Nunca leias no intuito apenas de poder
Mais letrado, ou mais douto aos outros parecer.
Põe estudo, porém, em as tuas paixões
Mortificar, porquanto aproveita isso mais
Do que teres notícia, informações cabais
    De muitas magistrais
    E difíceis questões.

II

Quando hajas lido muito e muito conhecido,
A um princípio tornar serás sempre coagido.
Sou eu só quem ensina os homens toda ciência
E aos pequeninos dou mais clara inteligência
Do que é possível ser dos homens ensinada.
Aquele a quem eu falo, a ser sábio começa
E muito crescerá no espírito depressa,
    — Sem mim a ciência é nada:
    Ai de quem inquirir
    Muita coisa curiosa

Dos homens, e trouxer a mente descuidosa
Do caminho no qual se me pode servir!

O dia chegará em que o mestre dos mestres,
      Dos anjos o Senhor,
Jesus, há de surgir para as lições terrestres
      De todos escutar,
      Isto é, para, em rigor,
A todos, de per si, austero examinar
A consciência; e será Jerusalém, então,
      Inteira esquadrinhada
      Com lâmpadas na mão,
E a coisa que estiver nas trevas sepultada
      Há de a todos os ventos
      Ser posta e publicada,
      Enquanto os argumentos
      Das línguas calarão.

III

Sou eu quem, num momento,
Levanto a mente humilde, o fraco entendimento,
Para que mais razões entenda, mais arcanos
      De perene verdade
Que se alguém estudado em escola dez anos
      Houvera, com vontade.
Sem estrépito alguém de palavras ensino.
Sem confusão jamais de opiniões e comentos,
Sem fausto de honra, e sem o debate mofino,
      A pugna de argumentos.

A desdenhar da terra as coisas subalternas
Sou eu que ensino, a ter fastio das presentes,
A gostar e buscar apenas as eternas,
A das honras fugir, a aturar compungentes
Escândalos, a pôr toda esperança em mim,
Nada fora de mim a cobiçar, e, enfim,
A, por sobre o total das coisas, procurar-me,
      E ardentemente amar-me.

LIVRO TERCEIRO

Amando-me, por isso, alguém intimamente,
Do divino aprendeu as noções luminosas
        E falava eloqüente
        Coisas maravilhosas,
Mais proveitos ganhou, abandonando tudo
Que em sutilezas pondo escrupuloso estudo.

A estes falo, porém, coisas comuns, vulgares;
        Àqueles especiais,
        E mais particulares;
Em figuras a alguns, docemente; e em sinais
Apareço, entretanto; a estes outros revelo
Em abundante luz os mistérios que zelo.

Dos livros é uma voz, porém da mesma forma
        A todos não informa,
Pois da verdade eu sou de dentro o ensinador
        Escruto os corações,
        Sou das cogitações
Penetrador; se quero, os intentos divulgo,
        Sou motor das ações,
Repartindo a cada um segundo digno julgo.

Capítulo XLIV

Que se não deve de atrair a si as coisas exteriores

Fili, in multis oportet te esse inscium, et aestimare te tanquam mortuum super terram.

I
CRISTO

*M*uitas coisas, filho, importa
Não sabê-las, a estimar
Que és na terra coisa morta,
Já morto a te imaginar.

Que o mundo crucificado
Todo te seja, e, também,
Importa, o ouvido cerrado,
Em muito passar além.

Cuida mais no que redunda
Em tua paz. Remover
Os olhos de quanto infunda
Displicência e desprazer,

E a cada qual ir deixando
Seu parecer e opiniões,
É mais útil que se ir dando
A controversas questões.

Se estás bem com Deus, presente
Dele o juízo eficaz
Trazendo, mui facilmente
Ser vencido sofrerás.

II
O FIEL

Ah! Senhor! a que chegamos
Por um dano temporal!
Quanta vez hoje choramos,
E por um ganho banal

Trabalhamos e corremos?
O detrimento, porém,
Espiritual, o esquecemos,
Tarde à memória nos vem.

Só se atenta no que escasso,
Ou nulo proveito dá,
Enquanto em desleixo crasso,
O imprescindível está.

Pois o homem todo se espalha
Pelas coisas do exterior,
E se logo não atalha
Esse pérfido pendor,

Se em si depressa não torna,
— No externo (que é tão fugaz)
E o mal de atrativos orna,
Com boa vontade jaz.

Capítulo XLV

Que se não deve de crer a todos e como é fácil o lapso de palavras

> Da mihi auxilium, Domine, da tribulatione, quia vana salus hominis.

I
O FIEL

Dai-me auxílio, Senhor, vindo a tribulação,
Que é totalmente vã do homem a salvação,
Oh! quanta vez deixei de achar fidelidade,
Onde cuidei que a tinha e como em quantidade
Também a achei aí onde menos pensei!
Vã a esperança, pois, posta na humana grei,
Mas é em vós, Deus meu, a salvação do justo;
Bendito sejais vós, Senhor, meu Deus, augusto;
Em tudo o que nos pode acontecer, oh! sim!
Somos fracos, sabeis, e, inconstantes. Assim
Nos enganamos logo e mudamos de aspecto.

II

Que homem há por aí tão cauto e circunspeto
Que se guardar consiga em tudo, e seja tal
Que alguma vez não caia, em surpresa fatal,
Ou perplexo não fique? Esse que, todavia,
Com simples coração vos busca e em vós confia
Tão fácil não resvala. E, se, acaso, cair
Numa atribulação e implicações sentir,
De maneira qualquer será por vós livrado
Mais depressa, decerto, ou por vós consolado;
Porque não deixareis em desamparo atroz
Esse que até ao fim, Senhor, espera em vós.
Raro o amigo fiel que em todo aperto instante

LIVRO TERCEIRO

Em que o amigo se vê, fique perseverante.
Só vós em tudo sois fidelíssimo, e além
De vós, outro não há que tal seja, — ninguém.
Oh! que ciência expressou uma alma santa, nisto:
"Com solidez fundada eis minha mente em Cristo"
Fora comigo assim, e do humano temor
Não tanto me nascera inquietação e dor,
Nem os arremessões de palavras puderam
Mover-me então. Acaso os homens enumeram
Quem baste a prover tudo, ou logre precaver
Males que têm de vir? Se costumam fazer
Os que previstos são aflições, prejuízos,
Que se deve esperar dos que vêm improvisos,
Senão que firam fundo? Eu, porém, que, bem sei,
Mísero sou, porque melhor não me guardei
E provi? E, também, como tão facilmente
Aos outros cri? Mas, oh! somos homens somente,
Nem outra coisa mais que homens frágeis e vis,
Por anjos muito embora estimações gentis
Nos tomem a miúde: enganadoras cenas!
A quem crerei, Senhor? A quem, senão apenas
A vós, Deus meu, que sois a verdade e jamais
Podeis ser enganado e que nunca enganais.

Todo homem, ao contrário, é mentiroso, instável,
Fraco, nas expressões, mormente escorregável.
Dificilmente, assim, logo se deve crer
Mesmo o que na aparência exato parecer.

III

Com que grande prudência haveis aconselhado
Que dos homens, Senhor, tivéssemos cuidado,
Pois do homem miserando os inimigos são
Os domésticos seus! Nem se há de crer, oh! não
Se ei-lo aqui, ou ei-lo aí, — alguém disser. Sabido
Fiquei à minha custa, e, seja Deus servido,
Só cautela maior me provenha daí,
Não me agrave a estultícia a falta em que caí.
"Sê cauto, diz alguém, sê cauto: o que te digo

Deves, no coração, guardá-lo bem contigo."
E, enquanto eu emudeço e creio que ficou
A coisa clandestina, o mesmo que impetrou
Silêncio, ei-lo a falar, silêncio não agüenta,
Mas logo me descobre, e a si próprio, e se ausenta.
Defendei-me, Senhor, de palradores tais,
Sujeitos sem critério, a fim de que jamais
Nas mãos deles eu caia, e coisas destas faça
Palavra verdadeira e estável, dai-me a graça
De pô-la em minha boca. E de mim alongai
A língua mentirosa, em distância a deixai.
Do que sofrer não quero, eu, de toda maneira,
Me devo acautelar.

IV

Que bem, que paz fagueira
Produz calar dos mais, não crer, sem ponderar,
Indiferente, tudo, e adiante não passar
Facilmente o escutado; abrir-se a pouca gente,
Sempre buscar a vós que escrutais nossa mente,
Não se deixar levar com um sopro qualquer
De palavras — porém, sem hesitar sequer,
Sempre querer que, em tudo, ou íntimo, ou externo,
Se cumpra o bel-prazer do vosso arbítrio eterno.
— Para conservação da graça celestial
Quão seguro é fugir a aparência humanal
E, não apetecer as coisas que de fora
Parecem provocar admiração agora,
E, ao contrário, seguir, com diligência e ardor,
As que emendam a vida e produzem fervor.
A quantos foi nocivo o se tornar sabida
Sua virtude, e ser louvada e encarecida,
Antes do tempo próprio, e quanto aproveitou
A graça que em silêncio aqui se conservou,
Neste frágil viver sobre a terra corrupta
O qual todo se leva em tentação e luta!

Capítulo XLVI

Da confiança que se deve ter em Deus quando se nos levantam palavras afrontosas

Fili sta firmiter et spera in me.

CRISTO

Filho, mantém-te firme e espera em mim, porquanto
As palavras que são senão palavras? Voam
Pelo ar; entretanto,
A pedra não magoam.

Se és réu, de melhor grado
Em querer emendar-te emprega o teu cuidado;
Se de nada, porém, te acusar a consciência,
Pensa que, por amor de Deus, deves sofrer
Qualquer mal, com paciência.

Palavras não é muito às vezes padecer,
Esse que tolerar castigos mais veementes
Inda não pode; e qual, dize, qual a razão
Porque coisas tão vis, tão leves acidentes
Te entram o coração,
Senão porque tu és inda carnal, prestando
Aos homens atenção
Maior do que convém, seus ditos escutando?

Como receias ser desprezado, não queres
Receber argüições, por faltas de que abusas
E abrigar-te preferes
À sombra das escusas.

II

Mas, melhor olha em ti, e que em ti inda o mundo
Vive, conhecerás, e o desejo infecundo

De aos homens agradar,
Pois, fugindo de ser confundido e abatido
Pelos defeitos teus, dás indício seguro
De que não és ainda humilde, vero e puro,
Nem morto inteiramente ao mundo fementido,
Nem o mundo também
Crucificado está para teu ser. Porém
Ouve a minha palavra e não te curarás
De dez mil que haja dito a humana voz falaz.

Dize, se contra ti essa voz assacasse
        As coisas mais severas,
Quanto a pior malícia engendrar alcançasse,
        Que dano te faria,
Se o deixasses passar totalmente, nem deras
Mais peso que à palhinha exposta à ventania?
        Acaso poderia
Depenar-te sequer um cabelo, deveras?

III

Esse que o coração não possui, recolhido,
Nem ante os olhos traz constantemente a Deus,
Fácil, por expressões de desprezo é movido;
Mas quem confia em mim, e aos pareceres seus
Prender-se não deseja, esse, seja onde for,
Certamente estará sem humano terror.

Porquanto eu sou juiz; de todos os segredos
        Eu sou conhecedor;
De como se faz tudo apreendo os enredos,
        Como tudo se tece;
Sei bem quem faz a injúria e aquele que a merece

        Filho, saiu de mim
Esta palavra e foi com meu consentimento
        Que isto ocorreu assim,
Para que se revele o oculto pensamento
De muitos corações. O culpado e o inocente
        Eu julgarei, mas quis

Por oculto juízo, ambos primeiramente
Provar, e tal o fiz.

IV

O testemunho humano
Muita vez gera engano:
Verdadeiro é, porém, meu juízo: estará;
Nada o subverterá.

Jaz quase sempre oculto, e a bem poucos patente
Se torna em cada coisa; entretanto, não erra,
Jamais, nem pode errar, apesar de, na terra,
Reto não parecer ao olhar incipiente.
        É, portanto, preciso,
Que recorras a mim em todo teu juízo,
Sem que no próprio arbítrio, — estribes. Pois ao justo

Não o conturbará qualquer sucesso vindo
        De Deus, porém, sem custo,
Pouco se lhe dará que estejam proferindo
Contra ele acusação iníqüa. Mas também
Não rejubilará vamente quando alguém
Bem o justificar, pensando que esquadrinho
Os rins e os corações, e não julgo segundo
A face ou a humanal aparência. Adivinho
        O arcano mais profundo.
E o que o juízo humano acreditar louvável
Não raro aos olhos meus foi achado culpável.

V
O FIEL

Senhor, Deus meu, juiz, justo, paciente e forte,
Que dos homens sabeis a maldade e a fraqueza,
Toda a minha confiança e minha fortaleza
Sede, — o meu protetor, meu refúgio e meu norte
        Porque a minha consciência
Não me basta, Senhor, vós conheceis aquilo
Que eu não conheço, e, pois, me devo, em vós, tranqüilo

Em toda repreensão, humilhar, com paciência
Suportando-a. Outrossim, propício, me perdoai
Sempre que assim não fiz. E de novo me dai
De mais amplo sofrer a graça. Certamente,
A vossa paternal misericórdia ingente
Me é melhor, do perdão para o conseguimento,
Do que, por defender a consciência latente,
Da justiça, que tenho imaginado, o alento.
Posto em coisa nenhuma eu me sinta culpado,
Nem por isso, decerto, estou justificado
  E não há quem o possa;
Pois vivente nenhum, ante a vossa presença
Justo se encontrará, se afastardes a vossa
  Misericórdia imensa.

Capítulo XLVII

*Que todas as coisas graves de sofrer se devem de
tolerar pela vida eterna*

> *Fili, non te frangant labores
> quos assumpsisti propter me.*

I
CRISTO

*F*ilho, não te quebrantem os labores
Que tens tomado por amor de mim,
Nem da tribulação os amargores
Te derrubem, sem fim,
Mas a minha promessa, teu alento
Fortifique e console em todo evento.

Sobre todo e qualquer modo e medida
Eu sou bastante para responder.
Não terás os trabalhos desta vida
Muito tempo a sofrer,
E nem sempre de dores agravado
Neste mundo estarás;
Espera um pouco e o fim acelerado
Dos males teus verás.

Virá hora em que deve
Cessar todo trabalho e inquietação,
Tudo o que passa com o tempo é breve,
É diminuto, é vão.

II

Faze o que fazes. Com fidelidade,
Trabalha em minha vinha e eu, a verdade,
Serei teu galardão.

Escreve, canta, lê, geme, ora, cala,
Virilmente recebe a adversidade,
Que destas todas, e, em maior escala,
De outras pelejas, cheias de agonia,
A vida eterna é digna. A paz num dia,
Que é conhecido do Senhor, virá,
Mas dia como agora não será,
Nem noite, e sim, de modo excelso e puro,
Luz perpétua, serena claridade,
Firme paz, singular tranqüilidade,
    E descanso seguro.

Não dirás nesse instante: Quem liberto
Me tornará do corpo desta morte,
    Nem soltarás, de certo,
    Clamores desta sorte:
Ai de mim! ai de mim! que prolongada
Me vai aqui a peregrinação,
Pois a morte será precipitada,
E indefectível a saúde, então,
Há de reinar, sem ansiedade alguma,
    Jucundidade suma
    E bendita alegria
Em doce e decorosa companhia.

III

Oh! se acaso no céu viras dos santos
    As coroas eternas
E quais as glórias de que gozam tantos
Outrora em condições tão subalternas,
Desprezíveis julgados pelo mundo,
E indignos quase até da própria vida
Sem dúvida, com alma esclarecida
    Do fervor mais profundo,
Te havias de humilhar até o pó,
    E antes estar sujeito
A todos desejaras, satisfeito
    Que presidir a um só;
Nem jamais dias ledos cobiçaras

Senão mais te gozaras
Em, por amor de Deus, atribulada
A vida ter; a máxima vantagem
Viras em ser dos homens na paragem,
Reputado por nada.

IV

Se destas coisas o saber tiveras
    E elas teu coração
    Penetrassem deveras,
Como, uma vez sequer, te atreverias
A queixas formular? Acaso, então
Não se devem trabalhos e porfias
Pela vida eternal todos sofrer?
Não é de pouca monta certamente
    Alcançar ou perder
De Deus o reino. Assim, ao céu fulgente
Levanta a face tua: eis-me, e, comigo,
Meus santos todos. Eles grandes lutas
Sustentaram no século inimigo;
Agora gozam glórias impolutas,
Agora consolados são, agora
Em segurança estão, e neles mora
    A paz que não se esvai;
E repousam agora, e resplandecem
E comigo sem termo permanecem
    No reino de meu Pai.

Capítulo XLVIII

Do dia da eternidade, e das angústias desta vida

O Supernae civitatis mansio
beatissima!

I
O FIEL

Oh! morada beatíssima
Da superna cidade!
Dia de luz claríssima,
Dia da eternidade,
Que jamais anoitece
E ao qual sempre esclarece
A suprema verdade!
Dia sempre seguro
Sempre ledo e plenário
E cujo estado puro
Nunca muda em contrário.
Oh! se tivesse já tal dia amanhecido.
E as coisas temporais
Todas, sem exceção, seu fim houvessem tido!
Desse dia os clarões sublimes, imortais
Os santos iluminam
Decerto, e os maravilham;
Só de longe, porém, e por espelho, brilham
Para os que sobre a terra ainda peregrinam

II

Os cidadãos do céu conhecem quanto gozo
Há naquele; entretanto
Gemem os degradados
Filhos de Eva, porquanto
Este aqui é amargoso,
É repleto de enfados.

Sim! são curtos e maus os dias do presente
De dores e aflições, cheios constantemente.
Neles o homem se vê de pecados sem conta
Inquinado, se enreda em paixões abundantes,
Muita vez se amedronta,
Muita vez se derrama em cuidados picantes,
Muita vez se distrai em vis curiosidades,
Muita vez se emaranha em estultas vaidades
Cercado de erros mil; de inúmeros labores,
Quebrantado; os rigores
Das tentações sofrendo; em delícias o alento
Enervando; e a curtir da pobreza o tormento.

III

Oh! quando terão fim estes males? oh! quando
Liberto me verei
Do cativeiro infando
Dos vícios, em que jaz imersa a humana grei!
Quando de vós somente
Me lembrarei, Senhor, quando plenariamente
Em vós me alegrarei?
Quando estarei isento
De todo impedimento,
Em vera liberdade, e sem nenhum gravame
Da mente ou corporal? Quando sólida paz
Existirá, segura, extreme de vexame,
Inconcussa, eficaz
E imperturbável? Paz de dentro, paz de fora,
De toda parte firme e que tudo robora...
Quando, oh! meu bom Jesus, vos ver me será dado?
Quando contemplarei do vosso reino a glória?
Quando me sereis tudo em tudo, e eu desligado
De todo ficarei da vida transitória?
Quando serei convosco em vosso reino, o qual
Vós haveis preparado
Para vossos eleitos
De toda a eternidade? Eu, mísero mortal,
Fui tão pobre, tão vil, tão cheio de defeitos,
Deixado e desterrado em terra de inimigos,

DA IMITAÇÃO DE CRISTO

Onde continuamente há batalhas malditas,
    Os mais graves perigos
    E máximas desditas.

IV

    Consolai meu exílio,
    Mitigai minha dor,
Que todo o meu desejo a vós suspira. Auxílio
Não me negueis, Senhor.
    Pois tudo que este mundo
Para consolações oferece é infecundo
E peso me produz. Desejo intimamente
Gozar-vos, mas não posso apreender. Fervente,
Escolho me embeber nas coisas celestiais,
    Porém as temporais,
Assim como as paixões inda imortificadas,
Me deprimem, Deus meu. Das coisas todas quero
Acima estar com a mente. Emprego esforço austero.
    Tentativas baldadas!
Contra a minha vontade a carne me constrange
A sujeitar-me. E, pois, desgraça que confrange!
Comigo mesmo luto e a mim próprio pesado
Me tenho feito; enquanto o espírito procura
    Subir alevantado,
Embaixo quer estar a carne, e me segura.

V

Oh! como no interior padeço, quando trato
As coisas celestiais no espírito, e depressa
Das carnais um tropel a oração me atravessa
    E nelas me debato!

Longe de mim, Deus meu, jamais vos afasteis,
Nem vosso servidor com ira abandoneis,
    Vossos raios lançai,
    As sombras dissipai,
    Despedi vossas setas,
    E sejam conturbadas,

LIVRO TERCEIRO

De vergonha repletas
Do inimigo quaisquer fantasias ousadas.
Meus sentidos em vós
Recolhei e fazei que do mundo eu esqueça
As coisas todas; dai que rejeite veloz
Dos vícios as visões e sempre as aborreça.

Sempiterna verdade,
Socorrei-me, porque de nenhuma vaidade
Minha alma seja presa
E, movida por ela, ao pecado se enlace!
Celeste suavidade
Vinde, e toda impureza
Fuja da vossa face.
E perdoai-me também, havei de mim clemência,
Sempre que na oração ocupo a inteligência
Em coisa alheia a vós, pois confesso, é verdade.
Ao orar, grandemente a distração me invade,
Muitas vezes ali não estou, com efeito,
Onde se acha o meu corpo, ou de pé, ou sentado;
Mas ali mais estou adonde sou levado
Dos pensamentos meus, totalmente sujeito.
Ali adonde está meu pensamento, estou,
E o pensamento meu costuma estar adonde
Jaz aquilo que eu amo, e de lá não responde,
E é para lá que eu vou.
Logo me ocorre à mente
O que deleite faz
Em mim, naturalmente,
Ou que pelo uso apraz.

VI

Por isso, abertamente, oh! Verdade, haveis dito
"Onde está teu tesouro, aí teu coração
Também está" Se acaso amo o céu infinito,
Penso no que é do céu, com prazer e atenção.
Se o mundo amo, me gozo
Do mundo nas venturas,
A sorte dele esposo,

Os infortúnios seus me produzem tristuras.
Se amo a carne, imagino
Não raro, o que é carnal, só para lá me inclino.
O espírito, ao contrário, amando, me deleito
Em apenas cuidar no que lhe diz respeito.
A verdade é que falo e ouço falar contente
De quaisquer coisas que amo, e, gravadas na mente,
Trago de coisas tais a imagem para casa.

Mas bemaventurado o homem a quem abrasa
Vosso amor, Senhor meu, de modo que despede
De si, por esse amor todas as criaturas;
Que à natureza faz violência, e que procede
Sempre com intenções elevadas e puras,
E sabe, com fervor de espírito e insistência,
Crucificar qualquer carnal concupiscência
Para uma prece pura, enfim, vos ofertar,
Serenada a consciência,
E digno ser de estar
Nos coros triunfais,
Dos anjos, excluídas,
De todo suprimidas,
Ou de fora ou de dentro, as coisas terrenais.

Capítulo XLIX

Do desejo da vida eterna, e quantos bens estão prometidos aos que combatem

*Fili, cum tibi desiderium eterna
beatitudinis desuper infundi
sentis...*

I
CRISTO

Quanto sentes, meu filho, que infundido
É do alto em ti o lúcido desejo
Da beatitude eterna e que, insofrido,
Suspiras pelo ensejo
De sair do corpóreo tabernáculo,
Para poder o esplêndido espetáculo
Da claridade minha contemplar,
Sem sombra alguma de vicissitude
Suprimido o pesar,
— Dilata o coração
Do afeto teu em toda latitude,
Recebendo esta santa inspiração.

Rende amplíssimas graças
À bondade suprema que há por bem
Fazer contigo assim, embora escassas
Sejam as luzes que tua alma tem;
A qual clementemente te visita
Ardentemente excita,
Com poderosa mão alevantando,
A fim de que não vás com o próprio peso,
Negligente e indefeso,
Para terrenas coisas resvalando.

Pois nada disso emana
Do pensamento ou dos esforços teus,

Mas provém só da graça soberana
    E divino respeito.
Dignou-se de outorgá-lo o Sumo Deus,
Para que cresças com maior proveito
Em virtude e humildade, te prepares
De futuros combates aos azares,
E a mim, do coração com todo o afeto,
Ponhas constante estudo em aderir,
Com fervente vontade e ânimo reto
    Buscando me servir.

II

Filho, arde o fogo muita vez intenso
Mas sem fumaça não ascende a chama:
De alguns assim também desejo imenso
Às coisas celestiais o peito inflama,
    Livres, porém, não jazem
De tentação do amor carnal. Por isso,
Pela glória de Deus e seu serviço
De tudo puramente esses não fazem
O que lhe pedem com ardor tão forte.
    E não é de outra sorte
Muita vez teu desejo que insinuaste
Haver de ser tão importuno: erraste
    Com empenho baldado,
    Que não é, por seguro,
    Nem perfeito nem puro
O do próprio interesse infeccionado.

III

Pede, não o que é cômodo e agradável
A ti, mas honorífico e aceitável
A mim, porque, se tens discernimento,
Ao teu desejo e a tudo desejado,
Deves de preferir meu mandamento
    E o seguir, de bom grado.

LIVRO TERCEIRO

Conheci teu desejo e tenho ouvido
O freqüente gemido:
Já quiseras estar na liberdade
Que há na glória dos filhos do Senhor
Já te deleita o lar da eternidade,
Celeste Pátria, Pátria do esplendor,
     De júbilos repleta.
Mas esta hora dileta
Inda não veio; o tempo é outro ainda,
Isto é, tempo de guerra e de trabalho,
     Tempo sem agasalho,
Tempo de provação e mágoa infinda.
Do sumo bem desejas de ser cheio,
     Mas não podes agora,
     Sem extensa demora,
     Conseguir este anseio.
Eu sou, diz o Senhor; até chegar
De Deus o reino, deves me esperar.

IV

Sobre a terra inda tens de ser provado
E exercitado em muita e muita lida,
Consolo alguma vez te será dado;
     Mas copiosa fartura
     Não será concedida.

Esforça-te, assim pois, mostra bravura,
Não só em obras, como em padecer
O que é contrário à natureza. Importa
Que vistas o novo homem. Deves ser
Noutro varão mudado; o antigo corta.
Cumpre que muita vez o que não queres
Vás fazendo, e deixando o que preferes.
     O que aos outros agrada -
     Irá tendo andamento;
E o que te apraz é coisa malograda,
Jamais alcançará conseguimento.
O que dizem os mais será ouvido
E por nada o que dizes será tido:

Outros hão de pedir
E receber o fruto do pedido;
Tu pedirás sem nada conseguir.

V

Eis dos homens na boca
Grandes os outros; mil louvores têm:
E enquanto toda a glória aos mais é pouca
Ninguém de ti se ocupará, ninguém!
Os outros a incumbência
Terão disto ou daquilo, tu, porém,
Serás julgado, em suma,
Inútil, sem valor, sem competência
Para coisa nenhuma.

Muitas vezes, por causa disto tudo,
A natureza se contristará,
Mas se a sobrelevares, brando e mudo,
Grande coisa será.
Nestas e em muitas coisas semelhantes
Ser provado costuma o do Senhor
Servo fiel que, assim, mostras flagrantes
De que sabe abnegar-se
Pode dar, com vigor,
E em tudo quebrantar-se.

Apenas se achará coisa em que tanto
A ti mesmo precisas de morrer,
Como ver e sofrer, talvez em pranto,
As que contrárias são ao teu querer,
Quando, maximamente,
Mandam que faças as que te parecem
Menos úteis, trazendo inconveniente
E, pois, mais te aborrecem.
E porque resistir, sujeito estando,
Não ousas de um mais alto ao poderio,
Duro reputas de outrem ir andando
À vontade, omitindo, abandonando,
Todo próprio alvedrio.

VI

Mas, filho, destas penas considera
    O fruto, o breve fim,
O grandíssimo prêmio que te espera,
    Entre os celestes bens,
E pesadume não verás, mas, sim,
    Que consolo fortíssimo se gera
        Da paciência que tens.

Porque por esse pouco de vontade
A que espontâneo agora renuncias,
    Tudo o que queiras há de
Sempre no céu ser feito, em breves dias

Certo, ali acharás o que quiseres
E tudo quanto desejar puderes,
Ali terás de todo o bem a posse,
Sem temor de o perder que te alvoroce.
    Uma sempre comigo,
Nada de estranho ou de particular
    Ali, no excelso abrigo,
Há de a tua vontade cobiçar.

De ninguém resistência ou embaraço
Ali encontrarás, ninguém de ti
Queixas formulará, nada teu passo
    Impedirá ali;
    Mas estará presente
Quanto almejares, simultaneamente,
Fartando e enchendo todo teu afeto
    Do modo mais completo.

    Pela sofrida ofensa,
Darei ali a glória em recompensa;
Pela tristeza, manto de louvor;
Assento no meu reino sempiterno
Pelo lugar que for mais subalterno.
    Que derradeiro for.

O fruto da obediência
Fará ali a sua aparição,
Gozará o labor da penitência
E será coroada,
De glória circundada,
A humilde sujeição.

VII

Humildemente agora, pois, te inclina,
De todos sob a mão,
Nem te importe saber quem determina,
Ou disse aquilo que te foi mandado,
Mas põe muito cuidado
Para que, seja igual
Seja inferior, ou seja teu prelado,
Quem algo te pedir,
Ou te fizer sinal,
Tudo, tudo por bem vás aceitando,
Com sincera vontade te esforçando
Para o satisfazer e bem servir.

Isto um busque, outro aquilo, glória tire
Aquele desta coisa, este daquela,
Louvores mil e mil receba e inspire;
Tu, porém, tem cautela,
Que tua alma isto eleja,
Nem conheça outro norte:
Ou por vida ou por morte
Deus sempre em ti glorificado seja.

Sem te aprazer em nada, a mim caminha,
Só te dê alegria, só te ufane
De ti próprio o desprezo, ou quanto emane
De meu querer, e seja em honra minha.

Capítulo L

Como o homem desolado se deve de oferecer nas mãos de Deus

*Domine Deus, sancte Pater, sis
nunc et in aeternum benedictus
quia sicut vis, sic factum est.*

I
O FIEL

Senhor Deus, Santo Pai, por todo o sempre, e agora,
Sejais bendito; pois, assim como quereis
Assim tudo foi feito, assim tudo vigora
    E é bom o que fazeis.
Rejubile-se em vós o vosso servo, e não
Em si ou nalgum outro, em vós só, com razão,
Porquanto só vós sois verdadeira alegria;
    Só vós banis a dor,
Vós a minha esperança, o gozo que sacia
Vós, a minha coroa, a honra minha, Senhor.

Que tem o vosso servo, oh! piedoso Deus meu,
Senão o que de vós recebe ou recebeu,
Inda sem merecer? Vosso é tudo o que destes
    E tudo o que fizestes.
Pobre sou eu, Senhor, e, desde a mocidade,

Em trabalhos metido; e, algumas ocasiões,
Contrista-se minha alma, e, no pesar que a invade,
Té às lagrimas vai; às vezes, indecisa,
Conturba-se também em si, pelas paixões
    Que iminentes divisa.

II

Da paz desejo o gozo, instantemente o peço,
    A paz dos vossos filhos

Que apascentados são de vós, sem empecilhos,
Do consolo em o lume! Oh! se à paz dais ingresso
Na alma do vosso servo, e infundis gozo santo,
Ela cheia será de melodia e encanto,
E no vosso louvor devota afervorada;
        Mas se vos afastais
(E tanta, tanta vez fazê-lo costumais)
Ele não poderá caminhar pela estrada
        Dos vossos mandamentos,
Porém para bater no peito dobrará
        Os joelhos macilentos,
        Porque não lhe vai já
Conforme se passava em dias anteriores,
Quando a vossa lucerna espargia fulgores
Sobre a sua cabeça e se achava abrigado
De quaisquer tentações contra ela arremetentes
        À sombra das potentes
Asas vossas, — asilo eterno e imaculado.

III

        Pai justo, de louvor
        Sempre merecedor,
        É chegado o momento
No qual da provação ature o sofrimento
        O vosso servidor.
Pai que se deve amar, é justo que em tal hora
Por vós o vosso servo algum tanto padeça.
Pai de veneração eternal digno, agora
É o instante que vós sabíeis ab-eterno
Que viria e no qual cumpre que desfaleça
O vosso servidor no de fora, no externo,
Por um pouco de tempo; em vós sempre vivendo
No de dentro, porém, — aí jamais cedendo.
Diante dos homens seja algum tanto abatido,
Vilipêndios sofrendo, humilhações, desprezo,
        De langor consumido,
        Das paixões sob o peso,
Para ressuscitar convosco na alvorada
Da nova luz e ver nos céus clarificada

LIVRO TERCEIRO

Sua alma. Vós assim, Santo Pai, ordenastes,
   Quisestes deste jeito
   E conforme mandastes,
   Assim tem sido feito.

IV

   Pois para o vosso amigo
   A graça é padecer
E, por amor de vós, no mundo, ao desabrigo,
   Atribulado ser,
   Quantas vezes quiserdes
E seja de quem for que permitido houverdes
Sem conselho, Deus meu, e providência vossa
E sem causa, não há coisa alguma que possa
Ser feita sobre a terra.
                    Oh! foi bom para mim
Humilhardes-me assim,
Para vos aprender as justificações,
E toda soberbia e quaisquer presunções
   Do peito sacudir.
Útil me é que cobrisse a confusão meu rosto.
Porque procure a vós, Senhor, no meu desgosto,
Antes que aos homens vá consolações pedir.
   Também com este aviso,
Aprendi a temer o inescrutável juízo
Com que ao justo afligis e ao ímpio, por igual,
Mas não sem eqüidade e justiça total.

V

Graças vos dou, Senhor, porquanto não perdoastes
Os males meus, senão, com açoites amargos,
   O meu ser flagelastes,
   Infligindo-me dores,
Mandando-me aflições enchendo-me de encargos
No de fora e também nas coisas interiores.

De tudo quanto está do céu abaixo, nada
Senão vós, Senhor Deus, me consola e me agrada

Oh! médico celestial das almas que feris
    E igualmente sarais,
Que aos tormentos do inferno as almas conduzis
    E daí as tirais.
Que venha sobre mim a vossa disciplina:
    Vosso látego ensina!

VI

Eis-me aqui, Pai dileto, em vossas mãos eu sou.
Da vossa correição sob a vara se inclina
    Meu ser, submisso estou;
Açoitai-me a cerviz, azorragai-me o dorso,
Porque à vossa vontade
Eu possa endireitar, cheio de santo esforço,
    Minha tortuosidade.

Fazei-me, como estais costumado a fazê-lo,
Um discípulo pio, humilde, ardendo em zelo,
A fim de que eu caminhe a todo vosso aceno.
A vós me entrego, a mim, e tudo o meu, sereno,
Para que o corrijais, pois prefiro curtir
Os castigos, aqui, a tê-los no porvir.
Das coisas vós sabeis todas e cada qual
    Na espécie e no total.
Nada vos é oculto em a humana consciência.
Antes de suceder um acontecimento,
Já dele vós possuis pleno conhecimento,
E não haveis mister de nenhuma advertência,
Ou ensino de alguém, do que se faz na terra,
Sabeis o que convém para o aproveitamento
Da minha alma; sabeis a vantagem que encerra
Atribulado ser; como traz benefícios,
Para limpar servindo a ferrugem dos vícios.

Em mim fazei a vossa almejada vontade
E não me desprezeis a pecadora vida,
    Tão cheia de maldade.
Vida que de ninguém é melhor conhecida,

Nem de modo mais claro
Que de só vós, meu Deus, minha luz, meu amparo.

VII

Dai-me, Senhor, que eu saiba o que importa saber,
Ame o que cumpre amar, só louve o que prazer
Sumamente vos dá, estime o que é precioso
Para vós, vitupere ao sórdido, ao odioso,
Perante o vosso olhar.
Segundo a vista só dos olhos exteriores
Não me deixeis julgar,
Nem sentenciar conforme os falazes rumores
Que às orelhas vão ter dos homens imperitos,
Porém do juízo vero
Dando-me os requisitos,
Fazei-me discernir entre as coisas visíveis
E as do espírito. Quero,
Sempre, nas condições que me forem possíveis,
Sobretudo inquerir o que conformidade
Tiver, em grau maior, com a vossa vontade.

VIII

Em julgar, muita vez dos homens os sentidos
Enganam-se, e, também, são, não raro, iludidos
Os mundanos, amando o visível somente
Mais que todos alguém é, acaso, excelente
Porque outrem por maior o repute? Ilusão...
O falaz ao falaz engana, o vão ao vão,
O cego ao cego, o doente ao doente, enquanto o exalta,
E, verdadeiramente, os vãos louvores dão
Ao vão que os recebeu mais confusão e falta.
Disso bem certo estou,
Pois quanto cada qual aos vossos olhos é
Tanto é, e nada mais. Assim, cheio de fé,
O humilde S. Francisco outrora asseverou.

Capítulo LI

Que se hão de praticar obras humildes, pois só é insuficiente para as mais altas

> *Fili non vales semper in ferventiori desiderio virtutum stare...*

I
CRISTO

Sempre não podes estar
No desejo mais fervente
De virtudes, filho meu,
Nem no grau mais eminente
Da contemplação ficar,
Pois precisas, em razão
Do pristino vício teu,
Da original corrupção,
Algumas vezes descer
Às coisas baixas, e a carga
Desta vida tão amarga
E corruptível trazer.
Conquanto muito te enfade
E seja contra a vontade.
Enquanto o corpo mortal
Trouxeres, hás de sentir

Tédio, e um gravame fatal
O coração te oprimir.
Importa, pois, muita vez,
Estando na carne preso,
Da carne gemer ao peso,
Pois à tua mesquinhez
Não pode ser permitido,
De modo ininterrompido
Nos estudos embeber-se,
Que só de espírito são,

LIVRO TERCEIRO

E do divino manter-se
Sempre na contemplação.

II

Então, confugir convém
Aos trabalhos exteriores
E humildes, recreio achando
Em banir os dissabores
Com ações filhas do bem,
Firme a confiar, esperando
A minha vinda e a superna
Visitação; suportando
Com paciência o teu desterro
Nesta vida subalterna,
E do espírito a secura
Até que, não mais em erro,
Tua alma fique segura,
Banhada de claridades,
Seja de mim visitada
Novamente, e libertada
De todas as ansiedades.

Pois esquecer-te farei
Os trabalhos aturados.
E o gozo da quietação
Inteiro te outorgarei;
Das Escrituras os prados
Diante de ti abrirei,
Para que teu coração
Se dilatando, resplenda,
Sem nenhuns impedimentos,
E comeces pelas sendas
Dos meus santos mandamentos
A correr. E exclamarás
Então repleto de paz:
Não existe, certamente,
Proporção nenhuma e em nada
Entre as penas do presente,
Por mais que ele seja duro,
E a glória que no futuro
Será em nós revelada.

Capítulo LII

Que o homem se não repute digno de consolação, mas antes de castigo

> Domine, non sum dignus consolatione tua nec aliqua spirituale visitatione.

I
O FIEL

*N*ão sou digno, Senhor, de que me consoleis,
Nem de alguma visita espiritual. Portanto,
Quando me deixais pobre e em desolado pranto,
    Justiça me fazeis.
      Pois, quando derramar,
      Em contrição sincera,
      A minha alma pudera
      De lágrimas um mar,
      Inda não fora digna
De receber de vós consolação benigna.

Mereço apenas ser punido e flagelado,
    Pois vos tenho ofendido
Gravemente, e não raro, e muito delinqüido,
Em muita coisa. Oh! sou pertinaz no pecado!
E assim considerando a razão verdadeira,
Nem a consolação mereço mais ligeira.

    Mas vós, Senhor piedoso,
    Deus misericordioso,
Que, certo, não quereis vossas obras pereçam,
Para que se conheçam,
As riquezas de vossa inefável bondade,
    — Em vasos de clemência,
Dignai-vos de outorgar consolos à indigência
Do vosso servidor, repleto de maldade,

LIVRO TERCEIRO

De modo sobre-humano,
Indo além de qualquer próprio merecimento.
— Vossa consolação, oh! Senhor Soberano,
Como a humana não é jamais, um só momento.

II

Senhor, que tenho eu feito
Para que vós me deis do céu algum consolo!
Merecimento meu não me é dado supô-lo,
Não, não tenho direito...
Nada de bom me lembro houvesse praticado,
Porém que sempre fui aos vícios inclinado,
E tardo no emendar.
Eis a pura verdade e não posso negar.
Se outra coisa dissesse,
Serieis contra mim, sem que ninguém houvesse
Para me defender. Que tenho merecido
Pelos pecados meus, senão, Senhor, o inferno,
Senão, no fogo eterno
Ser um dia metido?
De verdade confesso
Que de todo desprezo e irrisão digno sou,
Nem é bem que contado eu seja e tenha ingresso
Entre os vossos fiéis, pois maculá-los vou.

E conquanto isto ouvir muito custe e aborreça,
Pela verdade, entanto argüirei, contra mim
Meus pecados, — porque mais facilmente assim
Vossa misericórdia impetrar eu mereça.

III

Que poderei dizer, sendo réu, e repleto
De toda confusão?
Boca para falar não a tenho senão
Esta palavra só: pequei, Senhor, pequei
Do modo mais abjeto;
Misericórdia havei
De mim, dai-me perdão.

Deixai-me que eu pranteie um pouco a minha dor,
Antes que vá morar na tenebrosa terra
Da escuridão da morte encoberta e que encerra
Unicamente horror.
Que é o que mais quereis do réu, do pecador
Tão mísero, senão que se mostre contrito
E se humilhe por ter tanta culpa e delito?
Na vera contrição e humilhação cordial,
De perdão se produz a esperança afinal;
Fica reconciliada.
A consciência turbada;
Recupera-se a graça apagada e perdida;
Da cólera por vir se assegura e se abriga
O homem, enquanto a Deus um beijo santo liga
A mente arrependida.

IV

Senhor, dos pecadores
A humilde contrição, sacrifício aceitável
Vos é seguramente,
Que reacende ante vós mais suaves olores
Que o perfume inefável
Do incenso mais olente.
E' o bálsamo também agradável e doce
Que permitistes fosse
Nos vossos sacros pés outrora derramado,
Pois jamais desprezastes,
Antes sempre amparastes,
Coração que contrito estivesse e humilhado.
Eis aí o lugar do refúgio seguro
Contra o furor do imigo. Aí se emenda e lava
Tudo que alhures foi inquinado, e se achava
Com algum erro impuro.

Capítulo LIII

Que a graça de Deus não se comunica aos que gostam das coisas terrenas

Fili, pretiosa est gratia mea non patitur se misceri extranei rebus nec consolationibus terrenis

I
CRISTO

É preciosa, meu filho, a minha graça,
De estranhas coisas mescla não comporta
Nem terreno consolo. Assim, importa
Sacudir-te de tudo que a embaraça,
Se a infusão dela receber desejas,
Procura para ti lugar secreto;
Ama habitar contigo só. Discreto
        Cumpre que sempre sejas,
Não busques a conversa de ninguém,
Antes derrama a Deus devotas preces,
        Para ver se mereces
Ter compungida a mente, e, afeita ao bem
A consciência sem mácula. Por nada
Estima todo mundo. Primazia
Ao serviço de Deus deve ser dada;
        Por ele renuncia
A todas e quaisquer coisas externas,
Pois impossível é que a mim te apliques
E, ao mesmo tempo, deleitado fiques
Nas transitórias coisas subalternas.

Importa que alongar-te
Dos conhecidos e queridos venha.
E, despojada a mente, em toda parte,
De qualquer temporal cuidado tenhas.
        Assim o recomenda

O bem-aventurado
Apóstolo S. Pedro: que, na senda
Deste mundo culpado,
Os cristãos verdadeiros
Se contenham, julgando o seu estado
Como o de peregrinos e estrangeiros,

II

Oh! quão grande confiança
Terá o moribundo
Que de coisa nenhuma neste mundo
Não é preso do afeto ou da lembrança:
Mas o ânimo inda enfermo não alcança
Das coisas todas ter, na realidade,
Segregado dest'arte o coração,
Nem o homem animal, da liberdade
Do homem interno pode ter noção.

Todavia, se verdadeiramente
Quer ser espiritual, — tanto o parente
Como o estranho convém que renuncie
E que de ninguém mais se vele atento
Que de si mesmo. Nunca em si confie.
Se, de modo perfeito,
Venceres a ti próprio, num momento
Tornarás todo resto a ti sujeito.
De si próprio triunfar — eis a vitória
Perfeita e meritória.

E aquele que sujeito de tal forma
Tem a si mesmo, que a sensualidade
Da razão obedeça em tudo à norma
E, cheia de humildade,
A razão obedeça em tudo a mim,
Esse é de si deveras vencedor,
E do mundo senhor
Se tornará por fim.

III

Se aspiras remontar-te a tal altura
Varonilmente importa começar,
E o machado à raiz da árvore impura
Meter sem hesitar.
Para que desarraigues e destruas
A oculta inclinação desordenada
Que tens por ti e pelas coisas tuas
E por todos os bens particulares
E da matéria. Cumpre ponderares
Que do vício do amor mui desregrado
Que a si mesmo o homem tem, louco e infeliz,
Depende quase tudo o que arrancado
Deve ser de raiz;
Haverá sem detença,
Em sendo o mal vencido e subjugado,
Completa paz, tranqüilidade imensa.

Mas, como poucos são os que deveras
Para si mesmos falecer trabalham.
Nem, plenamente, em elações austeras
Fora de si se tiram, — se tresmalham,
Permanecendo em si, embaraçados,
Seus rasteiros afetos não sacodem,
E elevar-se em espírito não podem
Sobre si, desgraçados.

Mas quem livre comigo andar deseja,
Toda afeição que seja
Desordenada e prava,
Mortificar precisa inteiramente;
E de nenhum vivente,
Torne sua alma escrava
Particular amor concupiscente.

CAPITULO LIV

Dos diversos movimentos da natureza e da graça

> Fili, diligenter adverte motus
> Naturae et Gratiae, quia valde
> contrarie et subtiliter moventur.

I
CRISTO

$\mathcal{D}$a Natureza, atento, e da Graça pondera
Meu filho, os movimentos,
Pois cada qual opera
De modo mui contrário e subtil, e, arduamente
Seus veros elementos
Podem ser discernidos
Senão pelos varões espirituais que a mente
Apuraram, e são de dentro esclarecidos.
Todos, certo, apetecem
O bem, e algo de bem nos seus ditos ou feitos
Pretendem, nem conhecem
Diferente tendência,
Por isso muita vez são a engano sujeitos
Do bem sob a aparência.

II

A Natureza é astuta; arrebata, ilaqueia
E ilude a muita gente, e tem, de embustes cheia,
Sempre a si como fim. Mas a Graça caminha
Simplesmente, a evitar toda sombra do mal,
Não intenta embair com falácia daninha;
E tudo, puramente,
Faz por amor de Deus, em quem vai resplendente
Repousar afinal.

III

Só consente em morrer forçada, a Natureza.
Não quer ser oprimida ou se ver superada,
 Curvar-se não lhe agrada,
Nem de um jugo se entrega espontânea à dureza.
Na mortificação de si própria, entretanto,
 A Graça põe estudo;
 Doma a sensualidade,
 Resiste-lhe ao quebranto,
Busca se ver sujeita, apetecendo em tudo
Ser vencida; nem quer da própria liberdade
Ter o gozo; ama o estar sofrendo disciplina,
Não cobiça a ninguém dominar, nem domina,
Porém viver, ficar, sempre permanecer
 Em submissa postura,
Da mão de Deus debaixo, e, de Deus por amor,
Disposta porá a toda humana criatura
 Humilde se abater,
 Sempre, seja a quem for.

IV

Pelo cômodo seu a Natureza lida,
Só no ganho a atentar que de outrem lhe provenha,
 Da maneira eficaz;
Mas a Graça, porém, considera na vida
Não o que útil lhe seja, ou cômodo contenha,
Senão o que proveito a muita gente faz.

Recebe a natureza honras e reverência
Com gosto. Mas a Graça atribui ao Senhor,
 Com fiel diligência,
 Toda a glória e louvor.

V

Temor a natureza ao menoscabo tem
 E à confusão também;
Ao contrário, em sofrer qualquer aleivosia.
Pelo nome de Cristo, a Graça se gloria.

VI

Ama o ócio a Natureza e do corpo a quietude,
        Mas a Graça operosa,
        Não pode estar ociosa
E de vontade abraça o trabalho mais rude.

VII

Procura coisas ter curiosas e gentis
        A natureza, enquanto
Aborrece e repele as grosseiras e vis.
        Deleita-se, entretanto.
No que é simples e humilde a Graça. Não despreza
        O de áspero sentir
        Nem tampouco lhe pesa
        Panos velhos vestir.

VIII

A Natureza estima as coisas temporais,
Regozijo lhe dão os ganhos terrenais,
No dano se entristece e acesa fica em fúria
Com qualquer expressão, leve embora, de injúria.
A Graça ao eternal atende. Não se embebe
Nas coisas temporais; nem, se perdas recebe,
Sente perturbações. Nem se azeda e enfurece
A mais dura palavra ouvindo, pois tem posto
        O seu trono e o seu gosto
No resplendor do céu, onde nada perece,

IX

Enquanto a Natureza é cobiçosa, aceita
Com vontade melhor do que dá e a deleita
O amor particular e próprio, — a Graça é pia
        É comum; renuncia
E evita o singular. Para a satisfazer,
        Pouco basta; a julgar, com certeza arraigada,
Que coisa sem questão, mais bem-aventurada
        É dar que receber.

LIVRO TERCEIRO

X

Às criaturas vis a Natureza inclina,
Bem como à carne própria, à vaidade supina
E às distrações. A graça
Às virtudes e a Deus atrai. Às criaturas
Renuncia, fugindo ao mundo. Não se enlaça
Nos desejos da carne: aborrece-os. Refreia
As distrações impuras
E, de vergonha cheia,
Não ama aparecer em público.

XI

De achar
Algum consolo externo a Natureza folga,
Com que os sentidos seus
Consiga deleitar.
A Graça não se amolga,
Consolar-se procura unicamente em Deus,
E só no sumo bem, sobre todo o visível
Seu deleite é possível.

XII

Tudo quanto pratica a Natureza é feito
Para cômodo próprio e visando proveito;
Nada pode fazer gratuitamente. Espera,
Por qualquer benefício, ou melhor, ou igual,
Ou aplauso, ou favor o que, enfim, remunera,
E vivamente almeja em conta sem rival
Suas obras e dons sejam tidos. Porém
Nada de temporal a Graça busca, e, em paga,
O prêmio só que pede, a aspiração que afaga,
É Deus, apenas Deus; outra ambição não tem;
Nem pretende e deseja
Das coisas temporais necessárias senão
O que nelas profícuo e aproveitável seja
Para das eternais chegar à aquisição.

XIII

Compraz-se a Natureza em ter cópia avultada
De amigos e parentes
De nobre posição, e de estirpe elevada
Se gloria. Sorri
Do poder aos agentes,
Aos ricos lisonjeia, a opulência lhe agrada
Aplaudindo aos que são semelhantes a si.

Mas a Graça até mesmo os inimigos ama;
Ter amigos sem conta orgulho não lhe dá,
Desdenha o alto lugar, da linhagem a fama,
Se virtude maior nessas coisas não há.
Mais ao pobre que ao rico anima e favorece
Mais que do poderoso
Do inocente se dói, do vil se compadece,
Alegra-se com quem à verdade obedece,
Não com o mentiroso,
Exorta sempre os bons que se tornem melhores,
Com o filho de Deus em virtude buscando
Se assemelhar e nisso, ao menos, empregando
Os esforços maiores.

XIV

A Natureza é pronta
Em se queixar da falta e da moléstia. A Graça
A pobreza cruel, perseverante, afronta,
Sem que nada uma queixa articular lhe faça.

XV

A Natureza tudo a si mesma reflete,
Por amor de si própria em debates se mete,
E porfias promove. Eis a Graça, porém,
Tudo reduz a Deus, donde tudo dimana
Originariamente; a si nada de bem
Atribui, nem de si, com arrogância insana,
Costuma presumir. Não contende, e, jamais.

LIVRO TERCEIRO — 383

Seu modo de entender antepõe aos dos mais,
Mas em tudo o que sente e pensa se prosterna
Ao exame divino, à ciência sempiterna.

XVI

De segredos saber e novas escutar
    A Natureza gosta;
    Quer ao público olhar,
    Mostrar-se, andar exposta,
    E através os sentidos
    Muito experimentar.
Ser conhecida almeja e proceder de jeito
Que quaisquer atos seus lhe deparem respeito,
Causem admiração, e sejam aplaudidos.
    Mas a Graça não cura
    De, atentando no mundo,
Coisas novas ouvir nem curiosas, porque
Da velha corrupção, constantemente impura,
    Isto tudo é oriundo,
    E nada, certamente,
    De novo e permanente
    Sobre a terra se vê.
    Assim, pois, restringir
    Os sentidos ensina,
De complacência vã e ostentação fugir,
Com profunda humildade e austera disciplina,
As coisas esconder que forem admiradas
    E com razão louvadas,
E em tudo, em toda ciência, e seja adonde for,
Da utilidade o fruto e de Deus o louvor
E a glória procurar. Não quer nem para si
Nem para os atos seus exaltação aqui,
Mas prefere que Deus em seus dons que, infinito,
Todos, profusamente, outorga por bondade,
    E mera caridade,
    Seja sempre bendito.

XVII

Esta Graça é de Deus certo dom especial,
    Luz sobrenatural,
    E propriamente o selo
    Que marca os escolhidos,
Penhor da salvação eterna, a qual levanta
    Com fortaleza santa,
    Os homens embebidos
Nas coisas terrenais, ao puro amor, ao zelo
Das celestes, e faz espirituais deveras
Os de todo carnais. Quanto, pois, mais premida
A Natureza está, em condições severas,
    E quanto mais vencida,
Tanto mais se lhe infunde a Graça, e, cada dia,
Novas visitações recebe, com vantagem,
O homem interior que com elas amplia
E reforma seu ser, de Deus segundo a imagem.

CAPITULO LV

Da corrupção da natureza e da eficácia da graça divina

> Domine, Deus meus, qui me creasti ad imaginem et similidunem tuam, concede mihi hanc gratiam...

I
O FIEL

Senhor, Deus meu, que à vossa imagem
E semelhança me criastes,
Dai-me esta Graça que em linguagem
Incomparável me mostrastes
Tamanha ser e necessária
Para alcançar a salvação,
Por que eu domine a Natureza
Que em mim é péssima; e, nefária,
Me impele a mísera fraqueza
Para o pecado e a perdição.

Em minha carne, do pecado
A lei eu sinto que contrasta
A lei do espírito, e me arrasta
Como um cativo, manietado;
A render preito de obediência
Em muito, à vil sensualidade;
Nem contrapor-lhe resistência,
Posso às paixões que ela alevanta
No peito meu, quando me invade,
Se a vossa Graça sacrossanta
Não me amparar eficazmente,
Não se apressar em me assistir
Senão vier, de modo ardente,
No coração se me infundir.

II

A vossa Graça e grande Graça
Mister se faz para que vença,
A natureza ao mal propensa
Constantemente, e ao qual se enlaça
Já desde a infância. Que em Adão
O homem primeiro, decaída,
E do pecado pervertida,
Desceu a toda humanidade
Desse labéu a punição;
De modo tal que já é tida
Por vício e como enfermidade
Da Natureza depravada,
Aquela própria Natureza
Que reta e boa foi formada
Por vós, porque sempre a baixeza
E a mal vai ter seu movimento
Deixado a si por um momento.

A exígua força que inda resta
É qual centelha em cinza oculta,
A natural razão é esta,
Caligem grande em torno avulta.
Discriminar inda podendo
O mal do bem, e conhecendo
Toda a distância que medeia
Entre o que é falso e verdadeiro,
Se bem que força lhe escasseia
Para cumprir de modo inteiro
Tudo que aprova, e da verdade
Não logre já plenos clarões,
Nem alcançar a sanidade
Vingue das suas afeições.

III

Assim, Deus meu, eis disto o efeito
Em vossa lei eu me deleito,
Conforme ao homem interior,

LIVRO TERCEIRO 387

Pois sei que o vosso mandamento
É bom, é justo, é santo, e, atento,
Também argüi todo pecado,
E todo o mal que, com temor,
Deve por nós ser evitado.

Mas do pecado sirvo à lei
Pela carnal escravidão,
Enquanto à vil sensualidade
Mais obedeço que à razão,
Há o querer em mim, bem sei;
O bem; contudo, em realidade
Tornar não logro: esforço vão!

Proponho, assim, fazer não raro,
Muita obra boa, mas se amparo
Minha fraqueza não achou
Na Graça, ao mínimo tropeço
Já torno atrás, já desfaleço,
De bem andar capaz não sou.

Vem também disso que conheço
Da perfeição a estrada, vendo
Mui claramente como importa
Sempre ir na vida procedendo,
Porém do peso carregado
Da corrupção que há no meu ser,
Ao mais perfeito, ao que me exorta
Vossa bondade, não me é dado,
Não posso a tanto a mente erguer.

IV

Quão grandemente vossa Graça
Me é necessária, para que eu
Comece o bem, progressos faça
E me aprimore, Senhor meu.
Sim, dai-me a graça; pois, sem ela
Nada consigo praticar;
Mas se em minha alma se revela

Com seu conforto a me amparar.
Tudo em vós posso! Oh! veramente,
Celeste Graça, em tu ausente,
Os próprios méritos não têm
Preço nenhum; nulificados
Devendo ser considerados
Da natureza os dons também.
— As opulências, a riqueza,
A formosura, a fortaleza,
O engenho, as artes, a eloqüência
De todo nuas de valor,
Sem dela terem a assistência
Diante de vós ficam, Senhor,
Comuns, de fato, são os dons
Da Natureza a maus e a bons,
Enquanto a Graça ou dileção
É o próprio dom dos escolhidos,
Que dele estando distinguidos
Da vida eterna dignos são.
Há nela tal sublimidade
Que nem o dom da profecia,
Nem o mais alto especular,
Nem do milagre a faculdade,
Podem sem ela ter valia,
Ou de algum modo se estimar.
Se não há Graça e caridade,
— Nem inda a fé, ou a esperança,
Ou qualquer outra das virtudes
Nas mais sinceras altitudes,
Aceitação de vós alcança.

V

Graça beatíssima, a quem for
Pobre de espírito tornais
Rico em virtudes, e forçais
De muitos bens o possessor
A humilde ser de coração.
Oh! vinde, vinde! Em mim descei,
Pela manhã logo, me enchei

De divinal consolação,
Porque meu ser não desfaleça
Com a aridez da mente espessa
Sem que o quebrante a lassidão.

Que em vossos olhos graça eu possa
Achar, Senhor, vos intercede
(Porque me basta a Graça vossa)
Minha alma — embora tudo o mais
Que a Natureza almeja e pede
Não o consiga ter jamais.

Se for tentado do inimigo,
Vexado em mil tribulações
Enquanto a Graça está comigo
Não temerei algum perigo,
Mal não me vem das aflições.

Nela reside a força minha;
Ela aconselha, ela apadrinha,
Auxílio presta. Mais poder
Que os inimigos todos têm,
E, sapientíssima, no saber,
Dos sábios todos vai além.

Ela é a mestra da verdade,
Da disciplina ensinadora,
Do coração a claridade,
Das aflições consoladora,
Ela a tristeza mais severa,
Do coração nos afugenta,
A devoção nutre e sustenta.
Tira o temor, lágrimas gera.

E o que, sem ela, me amparar,
Sem ter a força que ela traz,
Sou eu, senão seco madeiro
E tronco inútil, de deitar
Quaisquer rebentos incapaz?...

Sempre, assim pois, Deus verdadeiro
A vossa Graça me previna
E siga esta alma peregrina,
E a me banhar do vero brilho
Que só de vós, Senhor, provém,
Faça-me andar continuamente
Em boas obras diligente
Por Jesus Cristo, vosso filho,
E Redentor do mundo. Amén

Capítulo LVI

Que devemos de abnegar a nós mesmos,
e imitar a Cristo pela cruz

Fili, quantum a te vales exire
tantum in me poteris transire.

I
CRISTO

Quanto fora de ti sair consegues
Tanto, meu filho, poderás passar
Para ruim que me afasto dos que entregues
Vivem de mais a si. Da mesma sorte
Que nada do de fora cobiçar
A interna paz produz, profunda e forte,
O deixar-se, também, inteiramente
Une com Deus. Que aprendas diligente
De ti mesmo a perfeita abnegação
No meu querer, exijo, — sem contenda
E sem contradição.

Segue-me: eu sou a senda,
Sou a verdade e a vida: sem estrada.
Não se vai; sem verdade,
Não se conhece, nada;
Sem vida, não se vive. A estrada eu sou
Que deves de seguir, à claridade
Dos conselhos que dou,
Sou a verdade a quem deves de crer
A vida em que esperança deves ter.

Sou caminho sem erro, inalterável,
A verdade infalível,
A vida interminável;
Sou a estrada mais reta que é possível,
Verdade suma, vida afortunada,

A vida verdadeira,
A vida não criada.

Se no caminho meu te mantiveres,
Da verdade terás noção inteira,
E liberto a verdade te fará,
E, se livre estiveres,
Tua alma a eterna vida apreenderá.

II

Se entrar na vida queres
Os mandamentos guarda. Se te empenhas
Em saber a verdade, crê a mim;
Vende tudo o que tenhas,
Se a perfeição pretendes. Renuncia
A ti mesmo, se acaso for teu fim
Meu discípulo ser, me haver por guia.
Se a bem-aventurada vida aspiras,
A presente despreza. Se exaltado
Te ver no céu, sinceramente miras,
Em no mundo humilhar-te põe cuidado.

Se deveras reinar queres comigo
Leva comigo a cruz,
Pois só da cruz o amigo,
Só quem é dela servidor alcança
A estrada achar da bem-aventurança,
E da genuína luz.

III
O FIEL

Pois que o vosso caminho é tão estreito
E ao desprezo do mundo tão sujeito,
Dai-me, Senhor Jesus, que vos imite
No desprezo do mundo, e, com fervor,
Do mundo me seqüestre,
Sem que nada do mundo necessite,
Pois não é mais o servo que o Senhor,

Nem maior o discípulo que o mestre.
— Que na vossa existência se exercite
O vosso servidor,
Pois é nela que a minha salvação
E verdadeira santidade estão;
Tudo o que fora dela eu ouça ou leia
Minha alma não recreia
Nem me produz cabal satisfação.

IV
CRISTO

Pois que estas coisas, filho, tu conheces
E todas leste, — bem-aventurado,
Se as fizeres, serás. Vê se mereces
Chegar a tal estado.

Quem os meus mandamentos
Tem na memória, a todos os momentos,
E os guarda, é esse o que me tem amor.
Eu também o amarei,
Condescendente e brando;
A ele eu próprio, me manifestando.
E assentar-se comigo eu o farei
Do reino de meu Pai no resplendor.

V
O FIEL

Assim como, Jesus, vós o dissestes
E o prometestes, seja feito assim,
E merecer os vossos dons celestes
Possa minha alma, enfim!
Recebi, recebi da vossa mão
A cruz, Senhor, e como me a impusestes
A levarei, a levarei, oh! sim!
Até morrer, nem tenho outra ambição.
É, na verdade, a cruz
Do religioso bom a vida inteira;
Ao paraíso ela, porém, conduz,

DA IMITAÇÃO DE CRISTO

Nem há, sem ela, estrada verdadeira.
Já temos começado,
Importa não deixar;
Volver o passo atrás, não mais é dado;
Cumpre perseverar.

VI

Coragem, meus irmãos, unidos vamos;
Jesus será conosco. Por amor
De Jesus sacrossanto,
Foi que esta cruz tomamos
Por amor de Jesus na cruz, portanto,
Perseveremos, cheios de fervor.

Nosso chefe será amparo e guia,
Eis nosso rei que marcha a nossa frente,
E por nós travará qualquer porfia.
Sigamos virilmente;
Ninguém tema os terrores, mas esteja
Cada qual preparado a, na peleja,
Morrer como um valente;
Nem a glória,que temos
E nossa alma festeja,
Desertando da cruz, a maculemos.
Por amor de Jesus na cruz, portanto,
Perseveremos, cheios de fervor.

Nosso chefe será amparo e guia,
Eis nosso rei que marcha a nossa frente,
E por nós travará qualquer porfia.
Sigamos virilmente;
Ninguém tema os terrores, mas esteja
Cada qual preparado a, na peleja,
Morrer como um valente;
Nem a glória que temos
E nossa alma festeja,
Desertando da cruz, a maculemos.

Capítulo LVII

Que o homem não se desanime em demasia, quando resvala em algumas faltas

> *Fili, magis placent mihi patientia et humilitas in adversis, quam multa consotatio et devotio in prosperis.*

I
CRISTO

*M*ais oh! meu filho, me agrada
Dos revezes na ocasião,
Teres paciência e humildade,
Que muita consolação,
E devoção apurada
Durante a prosperidade.
Porque ficas triste e aflito
Se algum pequenino dito
Contra ti nalguma parte
Se espalhou? Inda que fora
Coisa mais grave e ofensora
Não devias de abalar-te.

Deixa-a passar. A primeira
Ela não é, nem encerra
Novidade, certamente,

Nem será a derradeira
Se viveres sobre a terra
Longo tempo. Assás valente
És, enquanto um acidente
Contrário não suceder;
Dás bons conselhos, e alento
Sabes dos mais ao tormento
Com palavras fornecer.

Mas se vem bater-te à porta
Tribulação repentina,
Tua razão desatina,
Nenhum valor te conforta,
Conselho algum te ilumina,
Na tua fraqueza imensa,
De que a todos os instantes,
Em ocorrências banais,
Há provas completas, — pensa.
É, porém, para salvar
Tua alma que coisas tais
E outras muitas semelhantes
Tantas vezes têm lugar.

II

Faze o melhor que puderes,
Como ditar o teu peito,
E se tocado estiveres,
Derribado não te prostres,
Nem longo tempo, sujeito
Ao embaraço te mostres.

Vence, ao menos, com paciência,
Se alegremente o não podes,
E, por mais que te incomodes
Diante de alguma ocorrência,
E te sintas indignado
Ao certas coisas ouvir,
O teu ímpeto irritado
Sobre os outros não recaia;
Mas deves te reprimir,
E não permitas que saia
Dos lábios teus frase má
Que os fracos escandalize.
Depressa se acalmará,
A comoção dessa crise
E enfim, a interna tortura.
Tornando a graça, em doçura,
De todo se mudará.

Inda vivo, o Senhor diz,
Para ajudar-te disposto
E mais do que nunca fiz,
A consolar teu desgosto.
Mitigarei teus pesares
Porei tua alma em bonança,
Se em mim tiveres confiança
E, com fervor, me invocares.

III

Ânimo tem preparado
Para maiores revezes:
Tudo não fica frustrado
Se te achas as mais das vezes
Em dura tribulação,
Ou gravemente tentado,
Homem tu és e não Deus,
Carne apenas anjo não.

Como, em tamanhas porfias,
Gastando os esforços teus,
Permanecer poderás,
Sempre, com ânimo inteiro,
No mesmo grau de virtude
Quando isto ao anjo faltou
Lá do céu na excelsitude
Bem como ao homem primeiro
Que o paraíso habitou?

Sou eu que aos que vertem pranto
Com segurança levanto
Consolando os que padecem,
E ergo à minha divindade
Os que, cheios de humildade,
Sua fraqueza conhecem.

IV
O FIEL

Vossa palavra, Senhor,
Bendita seja, bendita.
A minha boca fiel
A celebrar o louvor
Da vossa glória infinita,
Nela encontra mais dulçor
Do que no favo e no mel.

V

Que poderia eu fazer
Em tantas tribulações
E angústias minhas, sem ter
Vossas santas expressões
Para me darem conforto?

Que me importa a espécie e o quanto
Do que eu houver de sofrer
Nesta existência, contanto
Que, superando a voragem,
Da salvação chegue ao porto?

Dai-me, Senhor, um bom fim.
Dai-me ditosa passagem
Deste mundo tão estreito.

Lembrai-vos, Deus meu, de mim,
E, por caminho direito,
Ao vosso reino onde o bem
Resplende puro e perfeito,
Levai-me, Senhor. Amén!

Capítulo LVIII

Que não devemos de escrutar as coisas mais altas e os ocultos juízos de Deus

Fili, caveas disputare de altis materiis et de occultis Dei judiciis.

I
CRISTO

*F*ilho, altas matérias
Não queiras disputar,
E acerca dos de Deus recônditos juízos;
A razão pela qual, em meio de misérias,
Este é desamparado, e, cheio de sorrisos,
Vive tamanha graça aquele a desfrutar.
    O porque jaz aqui
    Este assim torturado
    E, a dois passos, ali,
Tão grandissimamente eis aquele exaltado.
    Excedem coisas tais
Toda capacidade humana, — que mofino
    É dos homens o ser, —
E nenhuma razão ou disputa, jamais,
A fim de investigar o juízo divino
    Pode prevalecer.
Quando o inimigo, pois, isto te sugerir
    Ou se algum indiscreto,
    Ou curioso, o inquerir,
Responde do profeta empregando a expressão
"Justo sois, Senhor meu, e o vosso juízo é reto"
    Ou dizendo também:
Os desígnios de Deus só verdade contêm,
E em si mesmos, bem sei, justificados são.
Qualquer juízo seu deve de ser temido
    E nunca discutido;

400   DA IMITAÇÃO DE CRISTO

Pois é incompreensível
À inteligência humana: ultrapassa-lhe o nível.

II

Disputar e inquerir não queiras igualmente
    Sobre o merecimento
    Que nos meus santos há,
    Qual é mais eminente
Do que os outros, ou tem mais alto valimento,
Qual no reino dos céus maior se encontrará.
Inúteis contenções, debates e porfia
Tais coisas muita vez engendram, soberbia
E vanglória a nutrir. Invejas, dissensões,
Nascem também daí, quando este pretensões
Mostra de preferir soberbamente um santo.
    E outro aquele. Entretanto,
Isto querer saber e investigar não traz
Fruto algum; ao contrário, aos santos desagrada,
Porque Deus de discórdia eu não sou, mas de paz,
    E menos é fundada
Na própria exaltação essa paz, que em sincera
Verdadeira humildade, a que jamais se altera.

III

São levados alguns pelo zelo do afeto
Para estes ou então para aqueles, e têm
    Seu santo predileto;
    Mais humano, é, porém,
Que divino esse amor. Eu sou, filho, o que fiz
Que os santos sejam tais, todo eles, e dei
    Da graça o dom feliz;
    Eu a glória prestei;
    De cada um conheci
    Os méritos reais;
E da minha doçura a todos preveni
    Com bênçãos divinais.
    Eu muito anteriormente
    Aos séculos sem fim,

LIVRO TERCEIRO

Pela minha presciência,
Os diletos notei; discerni-os, contente,
Do mundo os elegi, e não eles a mim
Eu chamei pela graça, atraí por clemência,
Por varias tentações os guiei, infundindo
Consolo sem igual,
Quando o transe era findo;
Perseverança dei, e a paciência mostrada,
Na terrível jornada,
Coroei afinal

IV

Eu conheço o primeiro
Bem como o derradeiro;
Eu a todos abraço
De afeto inestimável
Abrangendo-os no laço.
Eu devo ser louvado em todos os meus santos
Sempre em quaisquer recantos
Do mundo miserável
E no céu infinito:
Sobre tudo, em geral, eu devo ser bendito.
Deles em cada qual eu devo ser honrado
Que, assim, gloriosamente, os hei engrandecido
E os hei predestinado
Sem que, pelo seu lado,
Nenhum mérito próprio houvesse precedido.
O que, pois, um dos meus acaso desprezar,
Por mínimo que seja,
Ao grande deixará igualmente de honrar,
Como talvez deseja,
Pois o pequeno e o grande eu fiz. E o que deprime
De meus santos algum, também a mim o faz
E a todos os demais que no reino sublime
Dos céus vivem em paz.
Todos, da caridade ao vínculo, são um,
Têm o mesmo sentir, a vontade em comum,
E se unem, com fervor,
Todos, num só amor.

V

Coisa muito mais alta inda há neles, porém:
Mais a mim do que a si e aos méritos que têm
Eles amam, porque, sobre si enlevados,
E fora arrebatados
Da própria dileção,
Totalmente se vão
Ao meu amor, no qual
De perfeito repouso acham gozo cabal.
Desviar ou deprimir nesses puros afetos
Os meus santos no céu é de todo impossível,
Pois da eterna verdade
Estando eles repletos,
Ardem de caridade
No fogo inextinguível.

Calem, pois, e, jamais,
Metam-se a disputar
Dos santos sobre o estado,
Esses homens carnais
Que da vida animal têm o espírito eivado
E não sabem amar
Senão o que produz gozo particular.
Tiram e acrescentam
Conforme a inclinação que no íntimo alimentam
E não conforme apraz
À verdade eternal.

VI

A ignorância é que faz
Tudo isso em muita gente;
Nesses, principalmente,
Que, pouco iluminados,
Raro sabem amar alguém com dileção
Perfeita espiritual. Inda muito arrastados
Esses pela vontade
Do natural afeto e da humana amizade,
Para estes ou aqueles

Constantemente vão,
E (que ilusão a deles!)
Assim como se avêm
Nas coisas terrenais,
Imaginam também
Assim as espirituais.
Entre as coisas, porém, que um imperfeito pensa
E as especulações do varão que a inefável
Revelação superna esclarece, há imensa
Suprema diferença
Distância incomparável.

VII

Não queiras, assim pois, curioso discorrer
De assuntos, filho meu, que excedem teu saber.
Empenha-te, porém,
Vivamente labora
Para que possas ter, pequeno seja embora,
No reino do Senhor um lugar. E se alguém
Houvera conhecido
Qual mais santo ou maior que os outros fora tido
Em o reino dos céus, que proveito, por fim,
Lhe adviera daí, se, por esta noção,
Humilhar-se ante mim
Esse alguém não buscara
E se não exaltara
Meu nome com louvor mais fervoroso então?
Faz coisa muito mais aceitável a Deus
Quem dos pecados seus,
Cuida na imensidade;
Das virtudes que tem na escassa quantidade,
Bem como em quanto está
Longe da perfeição que nos meus santos há,
Que aquele que, sem ver quanto me desatende,
Deles sobre a grandeza ou pequenez contende.

É melhor exorar devotamente os santos,
Com orações e prantos,
E com mente humilhada implorar seus gloriosos

404   DA IMITAÇÃO DE CRISTO

Sufrágios poderosos,
Do que os segredos seus pretender perscrutar
Com uma inquiricão que os não pode alcançar.

VIII

Eles otimamente
Satisfeitos estão; assim o homem soubesse
Permanecer prudente
E a seus discursos vãos um freio dar pudesse.
Eles não se gloriam
Dos seus merecimentos,
Pois nada bom a si atribuem. Confiam
Só em mim, tudo a mim referem, que, em verdade.
Todos os seus proventos
Tudo, tudo, lhes dei, por minha caridade
Infinita. Tão cheio
Do amor da divindade
Deles está o seio
E de delícia tal transbordante, que nada
Lhes falta à glória pura,
E nada de ventura
Lhes poderá faltar na divina morada.
Todos os santos meus, quanto mais elevados
Em glória, tanto mais são humildes em si,
Mais vizinhos de mim se tornam, mais amados
Se me fazendo ali.
Por isso escrito está que as coroas lançaram
Ante Deus verdadeiro,
Bem como se prostraram
Em face do Cordeiro,
E aquele que é vivente
Dos séculos sem fim, nos séculos, adoram.

IX

Muitos, curiosamente,
Indagam quais de Deus no reino são maiores;
E, no entretanto, ignoram
Se de contados ser entre os próprios menores.

LIVRO TERCEIRO

Dignos serão, talvez. É grande ser até
O mínimo no céu, adonde grandes são
     Todos, de Deus ao pé,
Porque filhos de Deus todos se chamarão.
     E, em verdade, o serão.
O menor sobre mil será; e o pecador
De cem anos, a morte há de achar. Assim, quando
Os discípulos meus, comigo praticando,
     Um dia me inquiriram
Qual no reino do céu teria mais valor,
Ou seria maior, esta resposta ouviram:
     Se não vos converterdes
     E não vos resolverdes
A fazer-vos iguais a meninos, entrada
Em o reino do céu não vos pode ser dada.
Todo aquele, porém, que, como este menino
Se humilhar, o maior é no reino divino.

X

     Ai! de quem se dedigna
     De espontâneo humilhar-se
Como os pequenos! pois, se, com mente benigna,
     Não o faz, sem disfarce,
Ingresso não dará à sua alma imperfeita
Do reino celestial a porta humilde e estreita.

     Ai! dos ricos também
     Que cá na terra têm
Suas consolações, pois os pobres entrando
No reino do Senhor, onde a pureza mora,
     Esses ricos de fora
     Hão de ficar chorando.
     De júbilo deveis,
Humildes, vos encher, e, oh! pobres, exultai
Porquanto vos pertence o reino de Meu Pai
Desde que da Verdade o caminho trilheis!

Capítulo LIX

Que só em Deus devemos de firmar toda esperança e confiança

> Domine, que est fiducia mea
> quam in hac vita habeo?

I
O FIEL

Senhor, qual é a confiança
Que eu tenho neste viver?
Ou de tudo o que descansa,
De tudo o que possa haver
Do céu debaixo, qual é
A maior consolação
De minha alma? Não sois vós,
Senhor, Deus meu, minha fé,
Minha luz na terra atroz,
Vós, de cuja compaixão
Não há número? Onde, acaso,
Me foi bem, sem vós? Ou quando
Me pode ir mal, em estando
Vós presente? Só me aprazo
Em vosso amor. Antes quero
Ser pobre por esse amor,
(E sabeis que sou sincero)
Que rico sem vós, Senhor.
Prefiro peregrinar
Da terra nos espinhais
Convosco, a na posse entrar
Do céu, sem vós. Onde estais,
Aí o céu; e aí a morte,
Ah terrível inferno,
Onde vós não vos achais.
Dos meus desejos o norte
Sois vós, o fito superno

LIVRO TERCEIRO

Das ambições do meu ser
Por isso, após vós gemer,
Chamar e exorar ardente
Se torna tão necessário...
Eu, em ninguém, finalmente,
Posso, de modo plenário,
Confiar que me traga auxílio
Mais pronto e oportunamente,
Nas precisões deste exílio,
Senão em só vós, Deus meu.
Vós sois a minha esperança;
Sem ela, em tanto amargor,
Que alívio posso ter eu?
Vós sois a minha confiança,
Meu amparo, meu escudo,
Sois o meu consolador
Meu fidelíssimo em tudo.

II

Todos buscam o que é seu,
Vós somente pretendeis
Meu proveito e salvação;
Tudo em bem me converteis
E inda quando algumas vezes
Me exponhais à tentação,
E a diferentes revezes,

Tudo isto, eu sei, ordenais
Para minha utilidade,
Porquanto, na realidade,
De modos mil costumais
Vossos diletos provar.
Não devo, assim, vos amar
E menos louvar, ferido
Nesses lances aflitivos
Que se me houvéreis enchido
De celestes lenitivos.

III

Ponho, pois, toda esperança
Todo asilo e segurança
Somente em vós, Senhor Deus.
Em toda tribulação,
Em todos os transes meus,
Deixo tudo em vossa mão,
E só servir-vos desejo,
Porque débil e inconstante
Acho tudo quanto vejo
Fora de vós. Com efeito,
Nenhum auxílio prestante,
Nem verdadeiro proveito
Me darão muitos amigos,
Nem fortes auxiliadores
Conseguirão me ajudar
E me tirar dos perigos,
Nem os livros dos doutores
Dos sábios mais altaneiros,
Lograrão me consolar,
Nem prudentes conselheiros
Útil resposta me dar,
Nem coisa alguma preciosa,
A substância mais custosa,
Do embaraço me livrar;
Nem algum lugar secreto,
De amenidade repleto,
Seguro me preservar,
— Se vós mesmo protetor
Não fordes, não assistirdes,
Ajudardes, confortardes,
Consolardes e instruirdes,
Defenderdes e guardardes,
Bondosamente, Senhor.

IV

Pois tudo que se afigura
Como sendo para paz,

LIVRO TERCEIRO 409

E, como tendo ventura,
É nada se estais ausente,
Nada vale veramente
Nenhuma ventura traz.
De todos os bens, portanto,
Sois o fim, Deus sacrossanto,
Sois da existência a altitude
Da ciência a profundidade,
Sois a fonte da virtude
De toda luz e verdade,
E em vós esperar, acima.
De todas as coisas que há,
— O alívio que mais anima;
O fortíssimo conforto,
Dos vossos servos está:

Para vós os olhos meus
Erguidos estão, e, absorto.
Confio em vós, oh! meu Deus,
Das misericórdias pai.
Com a benção celestial,
Benzei e santificai
Minha alma, de modo tal
Que se tornar ela possa
Em santa morada vossa,
E ser a sede bendita
Da vossa glória eternal,
E nesse templo onde habita
Vossa augusta dignidade
Nada se encontre ou exista
Que da vossa majestade
Causar possa ofensa à vista.

Da vossa imensa bondade
Olhai-me à luz da grandeza
E segundo a multidão
Das compaixões que há em vós;
E do vosso servidor,
Cheio de infinda pobreza,
Longe exilado, em região

Das sombras da morte atroz
Ouvi a oração, Senhor.
— Do vosso servo tão vil
Esta alma, que em vós se esteia,
Conservai-a e protegei-a,
Por entre os perigos mil
Deste viver corruptível;
E acompanhando-a indizível
Graça vossa, egrégio bem,
— De todo a vós consagrada,
Sem mais humana vaidade,
Dirigi-a, pela estrada
Da paz, à excelsa morada
Da perpétua claridade,
À Pátria celeste! Amém!

LIVRO QUARTO

Do Sacramento

DO SACRAMENTO

Exortação devota para receber a Sagrada Comunhão

> *Venite ad me omnes qui laboratis et onerati estis; et ego refreiam vos, dicit Dominus.*

JESUS

$\mathcal{V}$inde, a mim, vinde a mim
Todos os que penais
Em trabalhos sem fim
E onerados estais,
E eu vos consolarei,
Diz o Senhor. O pão que eu então vos darei
Para a vida do mundo é minha carne. Sim,
Aceitai e comei;
Este é o meu corpo, o qual será por vós entregue;
Em memória de mim, isto fazei. Consegue
Quem come a carne minha e bebe o sangue meu
Ficar em mim e eu nele, e sabeis quem sou eu:
Vede quem vos convida,
Com paternal meiguice;
As frases que eu vos disse
São espírito e vida.

Capítulo I

Com quanta reverência cumpre receber Cristo

> *Haec sunt verba tua, Christe, Veritas aeterna; quamvis non uno tempore prolata, nec uno in loco conscripta.*

I
O FIEL

Cristo, Verdade Eterna, estas palavras são
Todas vossas, conquanto
Não fossem proferidas
Numa só ocasião
Nem no mesmo lugar escritas. E, portanto,
Como foram de vós todas elas ouvidas
E verdade contêm, é, Senhor, meu dever
Todas com gratidão e fielmente acolher.

São vossas e vós mesmo as haveis divulgado.
E minhas são também que, para me salvar,
As falastes, Deus meu. Recebo-as de bom grado
Da vossa boca santa e as quero conservar
De modo que em meu peito
Venham a se inserir do modo mais estreito.

Excitam-me expressões de tamanha piedade,
Tão cheias de doçura,
Repassadas de amor,
Mas os delitos meus, a minha iniqüidade,
Me produzem terror;
E ai! a consciência impura
Me retrai de apanhar tão profundos mistérios.
Das frases que dizeis o dulçor me provoca,
Porém à multidão dos vícios deletérios
Me carrega e sufoca.

II

Ordenais que me achegue a vós confiadamente,
Se ter parte convosco almejo, e, assim também
Que da imortalidade eu receba, fervente,
O alimento, se quero alcançar veramente
A vida eterna, e a glória, o soberano bem,
    Vós dizeis: "Vinde a mim
    Todos os que penais
    Em trabalhos sem fim
    E onerados estais
E eu vos consolarei..."
        Do pecador no ouvido
Este vosso falar como é doce e amoroso!
Porquanto convidais o indigente, o abatido,
E o pobre à comunhão do vosso portentoso
E santíssimo corpo!
        E quem sou eu, Senhor,
    Para de me achegar
    A vós, sumo fulgor,
Nutrir a presunção? Eis que vos abarcar
Não podem nem os céus dos céus; e vós dizeis;
"Vinde todos a mim! — e a todos acolheis!"

III

Que explicação terá esta condescendência
Tão piedosa, e um convite assim tão amigável?
Como ousarei a vir, se não tenho consciência
De nenhum bem em mim de que possa tirar
    Confiança aproveitável?

Como vos poderei dar ingresso em meu lar,
Onde, vezes sem conta, ofendi, miserável,
Vossa face, Deus meu, clementíssima, oh! sim!
Os anjos e também os arcanjos estão
    De reverência cheios,
Os santos, e igualmente os justos têm receios,
E, entretanto, dizeis: "Vinde todos a mim!"
    Infinda compaixão!

416 DA IMITAÇÃO DE CRISTO

Quem o acreditaria
Se o não houvéreis dito? E sem terdes mandado
Fosse isto praticado
Quem achegar-se a vós, Senhor, se atreveria?

IV

Eis Noé, varão justo.
Cem anos trabalhou em fabricar, a custo,
A arca para salvar-se, e a poucos mais, bem sei,
E eu, como poderei
Numa hora preparar-me a acolher, com profundo
E supremo respeito, o Sumo autor do mundo?

Vosso amigo especial e grande servidor,
Moisés, também, outrora uma arca fabricou
Com imenso esplendor;
Madeira incorruptível
Tão-somente empregou,
E de ouro a guarneceu o mais fino possível,
Para as tábuas da lei nela depositar;
E eu criatura vil e pútrida hei de ousar
Tão facilmente a vós receber, de corrida,
A vós, autor da lei, dispensador da vida?
O mais sábio dos reis de Israel, Salomão,
Do vosso nome augusto em louvor, levantou
Em sete anos um templo esplêndido, e levou
Em festas oito dias,
Afim de celebrar dele a dedicação.
Mil hóstias ofertou
Pacifias; e ao som de trombetas, ao brado
De intensas alegrias,
E da maior folgança,
Solenemente pôs a arca da aliança
No lugar que lhe havia adrede preparado.

E como no meu lar vos introduzirei
Eu, triste desgraçado,
Dos homens o mais pobre, eu que somente sei
Gastar com devoção meia hora? E a vós prouvera

LIVRO QUARTO 417

Que fora alguma vez inda menos de meia
Mas dignamente gasta, a tudo mais alheia,
Com atrição sincera!

V

Para vos comprazer, oh! meu Deus, quanto estudo
Estes santos varões empregaram em tudo!
Ai! quanto o que eu pratico é pouco, e nada! Como
Breve é o tempo que tomo
Sempre que me preparo
A fim de comungar? Permanecer é raro
De todo recolhido e, rarissimamente,
De toda distração limpa trazer a mente!

Na salutar presença
Da vossa divindade
Sem dúvida, Senhor, nenhuma idéia impura
Devera de surdir em minha alma suspensa
A tal sublimidade.
Nem também lhe ocorrer nenhuma criatura,
Pois um anjo não é que hei de hospedar, porém
Dos anjos ao Senhor, fonte de todo bem.

VI

Muito grande, além disto, a distância existente
Entre a Arca da Aliança as relíquias guardando
E o vosso próprio corpo, oh! Deus onipotente,
Puríssimo encerrando
Mil inefáveis dons, virtudes sem iguais;
Entre aqueles legais
Sacrifícios de outrora,
Que a prefiguração eram dos do porvir,
E a hóstia verdadeira
(Que se venera e adora
Hoje na terra inteira)
Do corpo de Jesus que veio redimir
Dos homens os flagícios,
— Complemento total dos velhos sacrifícios.

VII

Assim, pois, porque mais não se me abrasa a mente
Em a vossa presença adorável? Porque
Não me hei de preparar, com zelo mais fervente,
    A receber atento
    Do vosso Sacramento
    A sagrada mercê?
    Quando aqueles antigos
    Santos vossos e amigos
    Profetas e patriarcas
    Até mesmo monarcas,
E príncipes, com todo o seu povo em geral,
Demonstraram assim tamanho, tão completo
    De devoção afeto
    Ao culto divinal?

VIII

Eis David, esse rei tão devoto, dançando
Ante a arca de Deus; com todo ardor lembrando
Os benefícios mil noutro tempo outorgados
    A seus antepassados;
De gênero diverso, órgãos fez; publicou
    Salmos seus, e ordenou
Fossem, com efusões de júbilo, cantados;
E, do Espírito Santo inspirado da graça,
A uma harpa muita vez ele próprio os cantou;
O povo de Israel ensinou a louvar
De todo coração ao Senhor que devassa
    Nosso íntimo pensar,
E, em uníssona voz, cada dia exaltá-lo,
    Bendizê-lo e pregá-lo.

Se tanta devoção era assim praticada,
E houve recordação do divino louvor,
    Ante a arca sagrada,
Quanto não deve ser agora o meu fervor
    E o meu respeito oh! quanto!
E o de todo o cristão perante o Sacramento,

LIVRO QUARTO

No indizível momento
De receber de Cristo o corpo sacrossanto?

IX

Muitas pessoas há que a diversos lugares
Correm, a visitar as relíquias deixadas
Pelos santos; e ouvindo as coisas singulares
Que souberam fazer, ficam maravilhadas
Diante de tais exemplos;
A vasta construção consideram dos templos
E beijam compungidos
Desses santos os ossos
Em ouro e seda aí ricamente envolvidos.
E eis que vós sois presente aqui, diante de mim,
No altar, Senhor, Deus meu, Santo dos Santos nossos
Dos homens criador.
E dos anjos senhor,
De tudo início e fim!
Muitas vezes naquilo há só curiosidade
De ver homens, bem,como a simples novidade
Do que inda não foi visto;
E se recolhe disto
Pouco fruto de emenda,
Mormente onde a excursão
Se faz por fácil senda,
Sem viva constrição.

Mas vós todo presente estais no Sacramento
Do altar, aqui, Deus meu, homem Cristo, Jesus:
Puro contentamento
Aqui nas almas luz;
Pois o fruto copioso
De eterna salvação, sempre que recebido
Fordes de modo digno e deveras piedoso,
É por elas colhido.
A isto não nos atrai nenhuma leviandade
Nem desejo curioso;
Nem de sensualidade
A influência denota;

Forem sólida fé, esperança devota,
Sincera caridade.

X

Invisível autor do mundo, oh! Deus clemente,
Quão portentosamente
Conosco praticais!
Que bondade e doçura aos eleitos mostrais,
Pois vos ofereceis a vós mesmo, Senhor,
Para, no Sacramento,
Vos receberem todo, — oh! milagre de amor!

Isto, decerto, excede a todo o entendimento
E particularmente atrai os corações
Dos devotos, e acende as suas afeições.

Pois mesmo esses fiéis verdadeiros e ardentes,
Os quais toda a existência
Para a emenda dispõem, seguros, persistentes,
Recebem, com freqüência,
Na excelsa plenitude
Desse tão liberal Sacramento, — assistência,
De fervor grande graça, e amor pela virtude!

XI

Oh! graça singular
Admirável e oculta
A deste Sacramento, a qual só se faculta
Aos fiéis de Jesus, e que experimentar
A infiéis não é dado,
Nem tampouco a quem é servidor do pecado.

A graça espiritual é nele conferida;
Na alma se recupera a virtude perdida,
E torna a formosura encantadora e rara
Que o vício deformara.

Às vezes é tamanha esta graça, divina
Que, na plena expansão do fervor que confere,

Não apenas a mente
Se alenta e se ilumina:
Novas forças também o débil corpo aufere,
E mais amplo vigor a si prestado sente.

XII

Causa pena, assim, pois, e confrange a tibieza,
A triste negligência e o descuido que existe
Em não sermos levados
Com maior afeição e mais viva presteza
A Jesus receber,
Em quem toda esperança e mérito consiste
Dos bem-aventurados
Que salvos hão de ser.
Pois o nosso resgate e santificação
Dos viandantes consolo, e dos santos fruição
Eterna, ele é. Assim produz imensa dor

Ver que a tão salutar mistério muitos dão.
        Medíocre valor,
Quando o mundo universo ele, entanto, conserva
E regozija o céu!
            Oh! dureza proterva,
        Cegueira miserável
        Do coração humano,
Que não atende mais a dom tão inefável
        De tamanha excelência
        E para a inadvertência
Sói descair até pelo uso quotidiano.

XIII

        Se fora celebrado
Num único lugar sacramento tão santo
E por um sacerdote apenas consagrado
No mundo, — julga lá quanto desejo, quanto
        De ir logo a esse lugar
        Os homens sentiriam,
        E como acorreriam

Ansiosos peregrinos
Àquele sacerdote, a verem celebrar
Os mistérios divinos!

Mas há padres agora em número crescido,
E em diversos altares
De múltiplos lugares,
A Cristo oferecido,
Por que tanto maior de Deus seja patente
A graça, e a dileção
Pelo homem, quanto mais larga e profusamente
É no orbe difundida a Sacra Comunhão.

Graças louvores mil, constantemente dados
Vos sejam, bom Jesus, oh! eterno Pastor,
Porquanto vos dignastes
De refazer a nós, pobres e desterrados,
Com vosso corpo e sangue inefáveis, Senhor!
E todos convidastes,
Com palavras de amor
Da vossa própria boca, — à participação
De tais mistérios, quando
Tão generoso e brando,
Tão cheio de perdão,
Dissestes: "Vinde a mim
Todos os que penais
Em contínuo trabalho, e onerados estais
E eu vos outorgarei um consolo sem fim.

Capítulo II

Como no Sacramento se mostra ao homem a grande bondade, e a caridade de Deus

> *Super bonitate tua et magna misericórdia tua, Domine, confisus, accedo aeger ad Salvatorem, esuriens et sitiens ad fontem vitae.*

I
O FIEL

*C*onfiado na bondade
E infinita piedade
Que tendes, oh! Deus meu, — me achego a vós, ansioso,
Como se achega o enfermo a quem o salva e cura,
E vai da vida à fonte o faminto e sequioso,
Como do céu ao rei o indigente procura,
Como o servo ao Senhor,
Como o desconsolado
Ao seu doce, adorado,
Pio consolador.
Mas de virdes a mim donde provém a graça?
Para que a mim vos deis vós mesmo quem sou eu?
Como ousa o pecador que a vícios mil se enlaça
Assomar ante vós? Quando é que o mereceu?

E como vos dignais, vós, Deus Onipotente,
De vir ao pecador, vós que bem conheceis
Vosso servo, e sabeis que ele em si, veramente,
Nada de bom possui, por onde isto lhe deis?

Minha vileza, assim confesso; reconheço
Vossa bondade: louvo a piedade bendita
De inestimável preço,
E mil graças vos rendo

Pela vossa imortal caridade infinita.

Certo, assim procedendo,
Com tamanhos portentos,
Por vós mesmo o fazeis, não por merecimentos
Que eu possa ter, mas só para mais conhecida
Ser-me a vossa bondade,
Ter em mim inserida
Mais ampla caridade;
Sem dúvida também para recomendável,
De modo mais perfeito,
Tornar-se-me a humildade,
Porque, pois, agradável
Isto vos é, e, assim, com infinda clemência,
Mandastes seja feito,
Praz-me igualmente a mim vossa condescendência,
E oxálá não lhe oponha embaraço a mesquinha
Iniqüidade minha.

II

Dulcíssimo Jesus, tão bom, tão generoso,
Oh! quanta reverência e ação de graças, quanto
Incessante louvor não se vos deve dar,
Por este excelso gozo,

Por esta recepção do vosso corpo santo
Do qual a dignidade, e a excelência que encerra,
Nenhum homem na terra
Logrará explicar?!
Mas nesta comunhão que hei de considerar
Em o acesso ao Deus meu, a quem devidamente
Venerar não consigo, e, entretanto, desejo
De receber em mim, com devoção fervente?

Poderei, porventura,
Ter idéia melhor, mais salutar, mais pura,
Senão perante vós me humilhar, totalmente,
Exaltando a suprema, infinita bondade
Que tendes para mim?

LIVRO QUARTO

Eu vos louvo, Deus meu, por toda a eternidade.
Vos elevo sem fim;
Desprezo-me a mim mesmo e me sujeito a vós
Da minha sordidez na profundeza atroz.

III

Eis-vos aqui, Senhor, vós dos santos o santo,
E eu que dos pecadores
Sou a escória! Entretanto,
Eis-vos me concedendo o maior dos favores,
Eis que vos inclinais para mim tão benigno;
Para mim, que de erguer os olhos não sou digno,
A vós, Deus meu! Amigo,
Eis que a mim vindes. Eis
Que almejais ser comigo;
Eis que ao vosso festim me convidais. Quereis
O celeste manjar e dos anjos o pão
Dar-me a comer, o qual outro não é senão
Vós mesmo, sim, pão vivo, assombroso, fecundo,
Que descestes do céu e que dais vida ao mundo.

IV

Eis a fonte do amor! Quão cheia de fulgores!
Vossa condescendência infinda resplandece !
Que inúmeros louvores,
Que bênçों não merece !
Quão imensas ações de graças compungidas
Por benefícios tais, vos devem ser rendidas!

Oh! como salutar e proveitoso há sido,
Quando este Sacramento
Por vós foi instituído,
Vosso conselho, o intento
Que bondoso tivestes!
Quão suave e jucundo o banquete querido,
No qual, como alimento
A vós mesmo vos destes!
Oh! quanto o que operais é, Senhor, admirável

426   DA IMITAÇÃO DE CRISTO

Que potente virtude e verdade inefável
A que tendes mostrado!
Tudo vos é sujeito!
Pois falastes e foi todo o universo feito,
E fez-se porque haveis assim determinado!

V

Coisa maravilhosa, assombroso portento,
Digno de fé, embora o humano entendimento
Ultrapasse, — é que vós, Deus meu, Deus verdadeiro
E homem, ao mesmo tempo, estejais por inteiro
Encerrado e contido
Sob a do pão e vinho exígua espécie, e mais
Que, sem ser consumido,
De quem vos recebeu ingerido sejais.
Vós que de todos sendo
Soberano Senhor, e precisão não tendo
De ninguém, habitar, todavia, quisestes,
Por vosso Sacramento, em nós, a quem vos destes.

Conservai-me sem mancha o corpo e, o coração,
Para que eu celebrar, com a maior freqüência,
Pura e alegre a consciência,
Possa mistérios tais, e em mim os receber,
A fim de salvação
Perpétua vir a ter.
Mistérios que, Senhor, vós tendes decretado
E instituído haveis no intuito principal
De honrar-se o nome vosso, e ser comemorado
De modo perenal.

VI

Alegra-te minha alma e dá graças a Deus,
Por este dom tão nobre e alívio singular
Que Jesus quis a ti, com dó dos males teus,
Neste vale cruel de lágrimas deixar;
Pois quantas vezes for de novo celebrado
Por ti este mistério, e o corpo imaculado

LIVRO QUARTO

De Cristo receberes,
Tantas a obra farás da tua redenção
E consegues dest'arte
(Vê que infinita luz vem de assim procederes)
Dos méritos que tem Jesus, sem exceção
Partícipe tornar-te.
Porque do Redentor jamais a caridade
Diminui, nem jamais da sua propiciação
A grandeza se exaure!
Assim, pois, com piedade

Deves sempre dispor-te a esta graça eminente;
Por um renovamento
Intérmino da mente,
Considerando atento
Este da salvação mistério transcendente.

Em celebrando a missa ou a ela assistindo,
Deve-te parecer tão cheio de alegria,
Tal mistério, e tão grande, e tão novo, e tão lindo,
Como se fora então o mesmo excelso dia
Que, pela vez primeira, ao seio de Maria,
Digna de eterno preito,
Virgem pura sem par,
Jesus Cristo descesse,
E homem se houvesse feito,
Ou, pendente na cruz, padecesse e morresse,
Para os homens salvar.

Capítulo III

Da utilidade de comungar muitas vezes

Ecce, ego venio ad te, Domine,
ut buene mihi sit ex munere tuo.

I
O FIEL

*E*is que, com vivo empenho,
Para do vosso dom tirar proveito,
A vós, Senhor, eu venho,
E alegrar-me, de todo satisfeito,
Nesse festim sagrado
Que, na doçura vossa,
Ao pobre haveis, Deus meu, aparelhado.

Em vós reside tudo quanto eu possa
E deva desejar, por que, Senhor,
Sois minha salvação
Esperança e vigor,
Fortaleza, honra, glória, redenção.

Hoje, assim pois do vosso servidor
A alma alegrai, porquanto a minha mente
A vós, Senhor Jesus, ergui fervente.
Com reverência almejo

Receber-vos agora. Ardentemente,
Introduzir-vos no meu lar desejo
Para de vós me ver abençoado,
Como Zaqueu, outrora, e ser contado
Entre os filhos de Abraão.
— A minha alma submissa
Vosso corpo sagrado
Com avidez cobiça
E quer unir-se a vós meu coração.

II

Dai-vos a mim e basta,
Porque fora de vós, consolação
Não há que valha. Quem de vós se afasta
Sofre angústia infinita;
Sem vós não posso estar. Deus infalível,
E sem vossa visita
Viver é-me impossível.
É por isso de extrema conveniência
Que a vós me achegue, em mim vos recebendo
Com a maior freqüência,
Como medicamento
Para minha saúde, por que, sendo
Porventura privado
Do celeste alimento,
No caminho não fique desmaiado.
Vós, Jesus clementissimo, o falastes
Um dia, outrora, quando,
Os povos doutrinando
De enfermidades várias os curastes,
Todo o amor e carinho:
"Não quero que em jejum eles se vão
À sua habitação,
Por que não desfaleçam no caminho."
Deste modo fazei, Senhor, comigo
Vós que no sacramento
Para consolo dos fiéis e abrigo
Vos deixastes ficar. Vós sois o alento,
Da alma suave refeição, e quem
Dignamente em manjar vos receber,
Certo herdeiro e partícipe há de ser
Da eterna glória, do supremo bem.

A mim que tanta vez, de modo vário,
Tombo, peco, e tão rápido torpeço,
A mim que a cada instante desfaleço
É-me, em verdade, muito necessário
Que, por meio de assíduas orações,
Sinceras confissões,

E a recepção sagrada
Do vosso corpo, — esta alma atribulada
Renove, alimpe, acenda, purifique,
A fim de que, deixando de fazê-lo
Por extenso período, não fique
Despojado de zelo,
O ardor não se me esvaia
E do santo propósito eu não caia.

III

Pois, desde a adolescência
Tiram a mal dos homens os sentidos,
E, em não tendo assistência
Da medicina divinal, depressa
Para o pior resvalam, pervertidos.
E, assim, do mal, que de velar não cessa
A santa comunhão retrai e aparta,
E conforta no bem.

Se tão à farta
Agora, comungando ou celebrando,
Sou negligente e tíbio, que seria
O remédio celeste não tomando
E se tão grande auxílio não buscasse?
E não esteja, embora, em cada dia,
Apto, nem bem disposto para, em face
Do Senhor celebrar, todo cuidado
Porei em receber,
Quando for adequado,
O divino mistério, e em me fazer
Participante de tamanha graça.

Vai nisto o só consolo principal
Da alma fiel, enquanto
Peregrina de vós, na terra passa
Em o corpo mortal:
— O seu Deus sacrossanto
Rememorando o mais que for possível,
Receber seu Dileto,
Com mente pia e fervoroso afeto.

IV

Oh! mercê admirável da indizível
Piedade que conosco tendes, pois
Em sendo vós quem sois,
De todos os espíritos, Senhor
O criador e o vivificador,
A uma alma pobrezinha vos dignais
De vir; e, — imensa liberalidade!
Com toda vossa excelsa divindade
E humanidade, a fome lhe fartais.
Oh! mente afortunada,
E bem-aventurada
A alma que receber
Merece a vós, seu Deus, devotamente,
E em vossa recepção repleto sente.
De gozo espiritual todo o seu ser.
Oh ! quão grande o Senhor que ela recebe!
Como é dileto esse hospede que abriga!
Como é jucundo o sócio a que se liga!
Como é fiel o amigo em quem se embebe!
Como abraça formoso,
Nobre e perfeito esposo,
Digno de eterna estima
Mais que todas as coisas, e que amar
Importa muito acima
De tudo o que se possa desejar!

Amado meu dulcíssimo, emudeçam
Perante a face vossa, o céu e a terra
E todo seu ornato, e reconheçam
Vosso infindo esplendor,
Pois tudo quanto encerra
De beleza e louvor
O universo, é devido à complacência,
À incessante ternura
Da vossa liberal, munificência,
Nem chegarão jamais à formosura
Do vosso nome, fonte de harmonia,
Fonte de todo bem,
Nome eternal cuja sabedoria
Limitação de número não tem.

Capítulo IV

Como são prestados muitos bens aos que devotamente comungam

Domine, Deus meus, praeveni servum tuum in benedictionibus dulcedinis tuae, ut ad tuum magnificum Sacramentum digne ac devote merear accedere.

O FIEL

I

*A*o vosso servidor,
Que ansioso vos procura
As súplicas ouvi;
E da vossa doçura
Com as bênçãos, Senhor,
Deus meu, o preveni,
Afim de que mereça
Chegar-me ao vosso augusto Sacramento
Digna e devotamente, e não conheça
Outro contentamento.

Em vós meu coração constantemente
Benévolo excitai,
Para que vos consagre amor fervente
E de grave torpor me libertai.

Com vossa graça pura e salutar,
Senhor, me visitai
Para que desfrutar
Em espírito eu possa
A suavidade vossa
Que de modo pleníssimo encerrada,
Como em fonte avultada,
No Sacramento está. Os olhos meus

LIVRO QUARTO

Iluminai também,
A fim do que eu contemple, Senhor Deus,
Mistério que contém
Tão ingente grandeza, e, para o crer,
Roborai-me com fé inabalável,
Sem mais a menor dúvida entreter,
Porquanto é obra vossa incomparável,
Não de humano poder.
É vossa instituição sagrada, e não
Dos homens invenção.

Idôneo por si só para atingir
E entender coisas tais que à sutileza,
Angélica transcendem,
Ninguém há, com certeza,
Entre os que mais entendem
E mais logram subir.

E então que poderei investigar
E alcançar de segredo
Tão alto, tão sagrado, e singular,
Ao qual nenhum humano inda chegou,
Eu pecador indigno que em degredo
Vivo no mundo, e cinza, e terra sou?!

II

É em simplicidade
De coração, a vós todo votado,
Em boa, firme fé, e de mandado
Vosso, Deus meu, que, cheio de humildade,
Reverência e esperança
A vós me achego, e creio veramente,
Com toda segurança,
Que sois no Sacramento aqui presente
Homem e Deus.

Quereis, Senhor, portanto,
Que eu vos receba em mim,
E a mim mesmo convosco que, entretanto,

Sois a grandeza máxima e sem fim
Em caridade me una.
Eis o motivo
Porque vossa clemência
Depreco e imploro, com desejo vivo
Que outorgada me seja para tal
A celeste assistência
De uma graça especial;
— Que todo em vós me funda e me desfaça
Em amor, — e que mais não queira, e aceite
Nenhum consolo estranho e me deleite
Somente nesta graça.
Certo, este Sacramento
De tamanha e digníssima altitude
É do corpo e do espírito a saúde,
Santo medicamento
De toda espiritual enfermidade.

Curam-se nele os vícios meus, se enfreiam
As paixões e a maldade;
As tentações cruéis que nos salteiam
Se vencem ou minoram. Infundida
É maior graça em nós. Vê-se aumentada
A virtude encetada;
A fé se consolida:
Fica inconcussa; da esperança grata
O poder se robora;
A doce caridade se afervora,
Se abrasa e se dilata.

III

Há, com efeito, quantidade infinda
Nos bens que dado haveis
E mui a miúde ainda
Aos escolhidos vossos concedeis,
Os quais comungam, cheios de fervor
Oh! fonte de bondade soberana,
Senhor Deus, de minha alma protetor,
Reparador da enfermidade humana,

Outorgante superno
De todo alívio interno.

Sim conforto fecundo
Muitas consolações
Contra diversas atribulações
Lhes infundis, e os levantais do fundo
Do próprio abatimento
À esperança do vosso patrocínio,
E, no íntimo domínio,
Deles o pensamento
Esclareceis e recreais por meio
De certa nova graça: e, pois, assim
Aqueles que primeiro, com receio.
Ansiosos, sem afeto, se sentiam
Quando inda comungado não haviam,
Encontram-se, por fim,
Depois de o terem feito,
De todo restaurados
Do celeste alimento pelo efeito,
Para melhor mudados.

Com vossos escolhidos
Assim fazeis, Senhor, discretamente
Para que reconheçam, compungidos,
Na inteira realidade;
E de modo patente
Experimentem quanta enfermidade,
Quanta fraqueza de si mesmos têm
E que infinita graça, que bondade
De vós alcançam, soberano bem.
Porquanto duros, indevotos, frios,
Sendo por si, por vós merecem ser
Fervorosos e pios,
Repletos de prazer.

Quem, na verdade, humilde se achegando
Da suavidade à fonte, não reporta
Daí um tanto dela que o conforta?
Ou quem de um fogo ardente a par estando

436   DA IMITAÇÃO DE CRISTO

Dele alguma quentura não recebe?
E vós, Senhor, sois fonte sempre cheia
E superabundante, onde se bebe
Maná celeste que de luz alaga,
Sois também fogo vivo que clareia
Continuamente, e que jamais se apaga.

IV

Donde, se tirar água não me é dado,
Da plenitude dessa fonte pura,
Nem beber até ficar desalterado,
     Todavia à abertura
Do jorro celestial hei de achegar
A minha boca, por que ao menos tome
Uma gota sutil, para abrandar
Esta sede cruel que me consome,
E de todo com ela não arder.
     E se não posso ainda
     Todo celeste ser,
E alimentar a chama excelsa e infinda
Dos querubins e serafins, contudo
     Empenharei estudo
Em insistir, Senhor, na devoção,
     E, em práticas austeras,
O coração prepararei deveras
Para que pela humilde recepção
Do sacramento vivificador,
Ao espírito meu se comunique
Pequena chama, um pouco de calor
Do divinal incêndio e cheio fique,
     Deus meu, do vosso amor.

     Supri-me tudo quanto
Me falta, oh bom Jesus, oh sacrossanto
Das almas Salvador; graciosamente
     E benigno fazei-o,
Pois de chamar a todos igualmente,
Vos dignastes, Senhor, ao vosso seio
     Dizendo: "Vinde a mim

LIVRO QUARTO

Todos os que penais
E onerados estais
Em trabalhos sem fim,
E eu vos consolarei."

V

Eu, Sestor, em verdade,
Trabalho no suor do rosto meu,
Atormentado estou nesta ansiedade
E dor no coração. Que vil sou eu!
Acabrunhado de pecados vivo,
De tentações terríveis inquietado,
Em muitas más paixões embaraçado,
Delas opresso, mísero cativo.
E não há quem me ajude!
Quem me livre e me salve desse mal,
Senão vós, Senhor Deus, minha virtude,
Salvador imortal,
A quem com tanto empenho,
Pedindo compaixão para os meus ais,
Eu me cometo e a tudo quanto tenho,
Para que me guardeis, e à vida eterna
Enfim me conduzais.

Recebei-me em louvor e honra superna
Do nome vosso, vós que me formastes,
E vosso corpo e sangue me ordenastes
Em manjar e beber. Dai-me, Senhor,
Meu puro refrigério,
Meu doce Salvador,
Que na freqüentação
Deste vosso mistério
Cresça o afeto da minha devoção.

Capítulo V

Da dignidade do Sacramento, e do estado de Sacerdote

> *Si haberes angelicam puritatem et sancti Joannis Baptistae sanctitatem: non esses dignus hoc Sacramentum accipere, nec tractare.*

I
JESUS

Se tiveras a angélica pureza
E de S. João Baptista a santidade,
Digno de receber inda não foras
Nem de tratar o Sacramento augusto,
Porque não é devido, certamente,
Ao mérito dos homens que homem trate
E consagre de Cristo o Sacramento
Recebendo em manjar o pão dos anjos.

Grande mistério e grande dignidade
Nos sacerdotes há! Dado lhes vemos
O que não foi aos anjos concedido!
Porquanto são somente os sacerdotes,
Segundo a lei canônica na Igreja
Ordenados, que têm a faculdade
De celebrar e consagrar o corpo
De Jesus Cristo.

Certo, o sacerdote
É ministro de Deus, de Deus usando
Da palavra sublime por mandado
E instituição de Deus. Mas Deus é nisso
O principal ator, é o operante
Invisível e ao qual está sujeito

LIVRO QUARTO

Tudo que ele quiser e a que obedece
Tudo a que ele ordenar.

II

Logo, mais deves
De crer a Deus Onipotente neste
Sacramento augustíssimo que ao próprio
Sentido teu ou à aparência externa
E algum sinal visível. E, por isso,
Deve-se de chegar com reverência
E temor a tal obra.
Considera,
Vê bem em ti qual é o ministério
Que, pela imposição das mãos do Bispo,
Te foi dado. Eis que: foste feito padre,
E para que celebres consagrado,
Vê que devota e fielmente agora,
Em seu devido tempo o sacrifício
Ofereças a Deus, e em toda parte,
Sempre te mostres irrepreensível.

Não aliviaste, em nada, a carga tua;
Ao contrário, com vínculo mais forte
Da disciplina, estás atado agora
E a maior perfeição de santidade
És obrigado.

O sacerdote deve
Ser ornado de todas as virtudes,
E dar aos mais de boa vida exemplo;
Sua conversação cumpre não seja
Consoante o estilo popular, e em vias
Comuns aos homens, mas no céu com anjos,
E com varões perfeitos sobre a terra.

III

Revestido das sacras vestiduras,
Representa Jesus o Sacerdote,

Para Deus suplicar, e, humildemente,
Rogar por si e pelo povo inteiro.
Tem o sinal da cruz do Senhor nosso
Em frente e atrás de si para que lembre
A paixão de Jesus continuamente.

A cruz diante de si traz na casula
Para que diligente considere
Do Salvador os passos, e se esforce
Por fervente segui-los. Nas espáduas
É da cruz igualmente sinalado
A fim de que, por Deus, clemente sofra
Quaisquer contrastes pelos outros feitos

Traz a cruz ante si para que gema
Os seus próprios pecados, e nas costas
Para chorar, de compaixão tomado,
Os alheios também, e ter consciência
De que foi constituído medianeiro
Entre Deus e os mesquinhos pecadores,
Também de orar não esqueças
Nem da santa oblação, até que mereça
Misericórdia conseguir, e graça.

O padre honra o Senhor, quando celebra
Alegra os anjos, edifica a Igreja
Ajuda os vivos, dá repouso aos mortos,
A si mesmo partícipe fazendo
     De bens de toda sorte.

Capítulo VI

Pergunta concernente ao exercício antes da Comunhão

> *Cum tuam dignitatem, Domine; et meam vilitatem penso, valde contremisco, et in me ipso confundor.*

I
O FIEL

Quando em vossa dignidade
E em minha vileza penso,
Tremo, Senhor, num imenso
Sobressalto que me invade
E em mim mesmo me confundo,
Porque se a vós me não chego
Fujo a vida; mas meu fundo,
Terrível desassossego
É que entrando indignamente
A vós, em ofensa incorro.

Que hei de fazer, Deus clemente,
Meu auxílio, meu socorro?
Dissipai-me as ansiedades
Vós que nas necessidades
Sois meu aconselhador.

II

Mostrai-me o reto caminho;
— Que o vosso infindo carinho
Me determine, Senhor,
Algum pequeno exercício
Concernente ao sacrifício
Da Sagrada Comunhão.

441

Pois é útil, com efeito,
Saber com que devoção,
Com que fervor e respeito,
Eu devo o meu coração
Para vós aparelhar,
A fim de que, com proveito,
Possa o vosso Sacramento
Receber; — ou celebrar,
Me seja dado igualmente,
Posto em vós meu pensamento,
Da maneira mais cabal,
— Tamanho, tão eminente
Sacrifício divinal.

Capítulo VII

Do exame da própria Consciência e propósito de emenda

Super omnia, cum summa humiltate cordis et supplici reverentia, cum plena fide et pia intentione honoris Dei, ad hoc Sacramentum celebrandum, tractandum et sumendum oportet Dei accedere sacerdotem.

I
JESUS

Importa, acima de tudo,
Que de Deus o sacerdote
Ao seu mister se devote,
Empregando ardente estudo
Para que, com fé pujante,
Todo humilde o coração,
Com respeito suplicante,
E a mais piedosa intenção
De honrar a Deus, — se aproxime
A celebrar, a tratar
O Sacramento sublime
E o receber sobre o altar.

Com a maior diligência
Faze o exame de consciência
E tanto quanto em ti for,
Com contrição verdadeira
Confissão humilde, e ardor,
Limpa-a e aclara-a de maneira
Que nada grave te fique
Ou saibas, que a prejudique,
Causando remordimento
E o livre acesso impedindo.

Tem, filho, aborrecimento
De todos os teus pecados
Em geral, e os vai carpindo;
Porém, mais especialmente,'
Os excessos praticados
Cada dia, chora e sente;
E, se o tempo te o consente,
Confessa a Deus, no secreto
De tua alma, as aflições
Que te põem tão desinquieto,
As fraquezas deletérias,
Todas as grandes misérias
Das tuas tristes paixões.

II

Geme e dói-te de inda seres
Assim mundano e carnal;
Tão avesso a teus deveres
Mortificado tão pouco
Nas tuas paixões; tão louco.
Tão leviano e sensual;
Tão cheio de movimentos
Concupiscentes; tão mal
Defendendo os pensamentos
Contra assaltos perversores;
Tão sem resguardo e cuidado
Nos sentidos exteriores;
Tão, com freqüência, implicado
Em muitas vãs fantasias;
Tão, em excesso, inclinado,
A externas coisas baldias,
Tão negligente, entretanto,
Para as internas ! Tão leve
Para o riso e o falso encanto
(Encanto que passa breve)
Da torpe dissolução;
E tão duro para o pranto,
Para a vera compunção;
Tão pronto às comodidades

LIVRO QUARTO

Da carne e à relaxação;
Tão tardo às austeridades
E às devoções.

        Tão curioso
Para ouvir novas, e olhar
Formosas coisas seletas;
Tão remisso em abraçar
As humildes e as abjetas.

De possuir tão cobiçoso
Muitos haveres; em dar,
Tão parco e dificultoso,
E no reter tão tenaz;
No falar tão indiscreto,
No calar tão incapaz,
Incontinente, e incompleto;
Tão fácil, tão descomposto

Nos costumes, sãos preceitos
A transgredir tão disposto;
Tão importuno em os feitos,
No comer tão excessivo;
Tão surdo, tão pouco ativo,
Quanto ao verbo do Senhor;
Para o repouso e agasalho
Tão veloz; para o trabalho
Tão frouxo, tão sem amor.
Tão insone, tão atento
Para histórias inventadas;
Tão tardo, tão sonolento
Para as vigílias sagradas.
Tão apressado e insofrido
Em chegar ao fim, e em ter
O proveito apetecido;
Tão vago para atender;
Tão negligente em rezar
As horas, de coração;
Tão tíbio no celebrar;
Tão repleto de aridez

Na sagrada comunhão,
Tão de pronto detraído;
Em ti mesmo recolhido
De todo, tão rara vez;
Tão de súbito movido
Por quaisquer fatos banais
Ao furor mais veemente;
Tão fácil, tão persistente
Em desprazer aos demais.

Tão propenso a julgamentos,
Tão duro para argüições,
Tão ledo nos bons momentos
Tão fraco nas aflições;
Tão fecundo nos intentos;
A projetos tão afeito,
Mostrando formar de sobra
Louváveis resoluções,
Tão raros levando a efeitos
Tão pouco pondo por obra.

III

Depois de assim confessados
Tais defeitos e outros mil
Que há em ti, e deplorados
Com profunda displicência
Da tua imensa indigência
Da tua fraqueza vil,
Faze propósito firme
De sempre a vida emendar
E procurando seguir-me,
No melhor aproveitar.

Depois com vontade inteira,
E plena resignação,
Cheio de fé verdadeira,
A ti mesmo reverente
No altar do teu coração
Oferece-te à maneira

LIVRO QUARTO   447

De holocausto permanente
Como perpétua oblação,
A fim de meu nome honrar;
Isto é, deves fielmente,
Tudo o mais abandonando,
Tua alma e teu corpo a mim
Sem restrição, entregar
Para que, assim praticando,
Mereças chegar, enfim,
Dignamente a oferecer
O sacrifício; e, saudável,
O Sacramento inefável
Do meu corpo receber.

IV

Para os pecados delir,
Satisfação mais completa,
Mais digna oblação dileta
Que tenha eficácia tanta,
Certo não pode existir
Que, comungando, e, na missa,
Com a oblação sacrossanta
Do corpo do Redentor,
Da maneira a mais submissa,
Inteira e pura, ao Senhor
Ofertar-se ali também
A si mesmo. Se fizer,
Arrependendo-se bem,
O homem tudo o que puder,
Sempre que a mim se achegar
Compenetrado, sincero,
Perdão e graça a implorar;
Eu juro por minha vida:
Diz o Senhor, que não quero
A morte do ímpio, mas antes
Ver sua alma convertida
E que ele viva, — porque
De seus erros abundantes,
De seus tamanhos pecados,

Lembrar-me não hei de mais,
Senão farei a mercê
De lhe serem relevados
Sem exceção crimes tais.

Capítulo VIII

Da oblação de Cristo na cruz e da própria resignação

*Sicut ego me ipsum, expansis
in cruce manibus et nudo corpore,
pro peccatis tuis Deo Patri sponte
obtuli...*

I
JESUS

Assim como na cruz, com as mãos estendidas
E o corpo todo nu, coberto de feridas,
A mim mesmo espontâneo eu me ofertei a Deus,
No intuito de remir os vis pecados teus,
De tal sorte que em mim coisa alguma ficasse
Que, a fim de apaziguar o Senhor, não passasse
Em sacrifício, então, — assim deves, também,
Oferecer-te a mim a ti mesmo, — vê bem,
De modo voluntário, em pura oblata pia,
Com todo teu vigor, na missa, cada dia;
E que empregues aí necessário se faz
Todas as afeições de que fores capaz,
Em tudo procedendo o mais intimamente
Que possível te seja ao esforço fervente.

Outra coisa de ti eu exijo, senão
Que procures em mim, de pleno coração,
Todo te resignar? De tudo quanto deres,
Se tu mesmo da oferenda excluído estiveres,
Nenhum caso farei, porquanto o dado teu
Não busco, mas a ti. Errou quem o esqueceu.

II

Assim como, sem mim, de tudo o senhorio
Não te fora bastante, assim também vazio
Para mim de valor, não logra me aprazer
Tudo quanto me possa ofertar o teu ser
Sem que ofertes a ti. Todo a mim te oferece,
Dá-te todo por Deus e verás que merece
Ser a oblação aceita. Eis que eu me ofereci
Sem nenhuma reserva, a Deus Padre, por ti;
Todo meu corpo e sangue a ti, como alimento
Para tudo ser teu, eu dei, nesse momento,
E por que todo meu tu ficasses também.
Se a ti mesmo pegado estiveres, porém,
Sem que espontaneamente ao meu querer te entregue
Plena oblação não há, nem entre nós consegues
União inteira.
   E, pois, deves de preceder
Quaisquer obras e ações que pretendas fazer
Da oblação de ti mesmo espontânea e sincera
Nas mãos de Deus, se graça almejas ter, e a vera
Liberdade alcançar.
   Certamente, a razão
Porque livres de dentro e esclarecidos são
Tão poucos, é porque não sabem sobre a terra
Abnegar-se de todo a si mesmos. Encerra
Imutável sanção minha sentença: Quem
Não renuncia tudo, e a mim só não se atém,
Ser discípulo meu não pode. Se desejas
Meu discípulo ser, importa, pois, que estejas
De tudo desprendido e sem ter outro fim;
E para que completos
Vejas os votos teus, com todos teus afetos,
A ti mesmo te oferta inteiramente a mim.

Capítulo IX

Que devemos com tudo quanto é nosso oferecer-nos a Deus, e orar por todos

> *Domine, omnia tua sunt quae in caelo sunt et in terra.*

I
O FIEL

Senhor tudo, tudo quanto
O céu e a terra contêm
É vosso, Deus sacrossanto,
Princípio de todo bem.
Tenho desejo fervente
De a mim mesmo oferecer
Em espontânea oblação
A vós, e, perpetuamente,
Só vosso permanecer.

Senhor, em simplicidade,
De meu pobre coração,
Com toda sinceridade,
Inteiramente submisso,
Hoje a vós eu me ofereço
Para eterno servidor,
Em vosso augusto serviço,

Em sacrifício de apreço
E de perene louvor.
Aceitai-me, sem detença,
Com a oblação inefável
Do vosso corpo adorável
Que hoje eu vos faço, em presença
Dos anjos, vossos serventes,
Invisíveis assistentes,
Para que, Deus verdadeiro,

Sirva à minha salvação
E à do vosso povo inteiro,
Vos merecendo perdão.

II

Os delitos e pecados
Por mim, Senhor, praticados
Diante de vós e dos santos
Anjos vossos (e são tantos!)
Do dia que, vez primeira,
Pude pecar, té esta hora,
Todos sobre o vosso altar
Aplacador, venho agora,
Com intenção pura e inteira,
Contrito vos ofertar,
Por que todos juntamente
Vós abraseis e queimeis
Da caridade infinita
Que tendes, na chama ardente,
E totalmente apagueis
Toda a impiedade maldita,
Todas as máculas vis
De tais pecados, limpando
Esta consciência infeliz
De toda culpa; tornando
A outorgar-me generoso
Vossa graça que, pecando,
Perdi, e me concedendo
De tudo indulto, eficaz,
Clemente me recebendo
Ao doce beijo de paz.

III

Pelos pecados que tenho
Que posso fazer senão
Confessá-los, com empenho
Sincero e humilde, e os carpindo,
Sem cessar viver pedindo

A vossa propiciação?
Propício, suplico, ouvi-me,
A mim que diante de vós
Ora estou, a mim que oprime,
Se não me ouvis, mágoa atroz.
Todos os pecados meus
Desagradam-me em extremo;
Não n'os quero, Senhor Deus,
Nunca, jamais, perpetrar;
Por eles padeço e gemo,
Por eles choro, e chorar
Hei de toda minha vida;
Pronto estando a praticar
Penitência dolorida,
Satisfazendo segundo
Couber em mim. Oh! perdoai-me
Os meus pecados no mundo;
Perdoai-me, sim, escutai-me,
Pelo vosso nome santo,
Salvai minha alma que em pranto
Vo-lo implora, Deus piedoso,
Minha alma que haveis remido
Com vosso sangue precioso.

À vossa miseração
Eis, Senhor, que, compungido,
Me abandono, e me resigno
Totalmente em vossa mão.
Fazei comigo, benigno,
Atendendo-me, por fim,
Segundo a vossa bondade,
Não segundo a iniqüidade
E a malícia que há em mim.

IV

Ofereço-vos também
Todas as minhas ações
Inspiradas pelo bem,
Embora mui apoucadas

454 DA IMITAÇÃO DE CRISTO

E cheias de imperfeições,
Para serem emendadas
Por vós, e santificadas,
E as terdes por agradáveis,
De vós fazendo-as aceitas,
E para que a mais louváveis,
A melhores, mais perfeitas,
Sempre exciteis, me induzindo
Ao fim bem-aventurado,
Louvável, santo, bem-vindo,
Pelo direito caminho
A mim, pobre desleixado,
Inútil homem mesquinho.

Eu vos oferto assim mais
Todos os pios desejos,
Dos devotos benfazejos,
As precisões de meus pais,
Amigos, irmãos, parentes,
E de todos quantos são
Caros ao meu coração;
Outrossim dos que dementes,
Por vosso amor, Deus perfeito,
Benefícios me têm feito,
Ou a outros pobres entes.
E de quantos desejaram
E que eu dissesse rogaram
Preces e missas por si,
E todos os seus, ou inda
Em carne vivos, aqui,
Ou, já finda a humana lida,
Passado houvessem da vida
Transitória à vida infinda.

Para que sintam o auxílio
Da vossa graça lhes vir,
Todos, tendo em seu exílio
Da consolação o alento,
As mágoas a lhes lenir,
Das penas o livramento,

A proteção dos perigos;
E, para que libertados
De todos os males seus
Dos terríveis inimigos
Sem receio às ameaças,
Alegres, sem mais cuidados,
Magníficas ações de graças
Rendam a vós, Senhor Deus.

VI

Inda as preces meritórias
E as hóstias propiciatórias
Eu vos venho oferecer
Por esses especialmente
Que em qualquer causa e incidente
Têm ofendido meu ser,
Por esses que o contristaram
Por esses que o vituperam,
Ou que já o vituperaram
Da injúria dando-me o travo,
Ou algum dano ou agravo
Me fazem ou me fizeram.
E por todos, afinal,
Que alguma vez contristei,
Agravei, e conturbei,
Ou, então, fazendo mal,
Acaso escandalizei
Por palavras, ou por atos,
Sem o saber, ou sabendo,
Para que, de modo igual,
Tantos feitos insensatos
De que tanto me arrependo,
As nossas culpas imensas,
Infringindo as vossas leis,
E recíprocas ofensas
A todos no-las perdoeis.
Toda cólera e contenda,
Suspeita ou indignação,
Tudo, tudo quanto ofenda,

Ou sequer possa ofender
A caridade, e fazer
Alguma diminuição
Em nosso fraterno amor
Tirai-nos do coração.

Compadecei-vos, Senhor,
Compadecei-vos daqueles
Que vossa clemência imploram,
Atendei a todos eles;
Dai graça aos necessitados,
Secai o pranto aos que choram.
Socorrei os desgraçados,
E fazei que nos tornemos
Tais que dignos nos mostremos
De gozar da vossa graça
E que em tudo aproveitemos
Para ter o sumo bem
Da existência que não passa,
— A vida eternal. Amém.

Capítulo X

Que facilmente não deve ser deixada a Sagrada Comunhão

*Frequenter reccurrendum est
ad fontem gratiae et divina
misericordia ad fontem bonitatis
et totius puritatis.*

I
JESUS

Deves de recorrer freqüentemente
Da graça à fonte, à fonte da divina
Misericórdia, à fonte da bondade
E de toda pureza, porque possas
Das paixões, que te arrastam, e dos vícios
Ver-te curado, e alcances sejas feito
Mais forte, resistente e vigilante
Contra as falácias todas do Demônio,
Todas as suas tentações vencendo.

Sabendo o fruto e máximo remédio
Que na sagrada comunhão avultam,
O inimigo, de inúmeras maneiras,
E em qualquer ocasião, supremo esforço,
O melhor que lhe é dado, emprega sempre
Para os Fiéis, os Pios, os devotos
Retrair e impedir.

II

Na realidade,
Quando se alguns dispõem para, contritos,
Aparelhar-se à comunhão sagrada,
os assaltos padecem das piores
Instigações de Satanás.

Conforme
Em Job escrito está, esse terrível
Espírito maligno se insinua
Entre os filhos de Deus, para, empregando
Costumada neqüícia, perturbá-los,
Ou tímidos torná-los, e perplexos
Com demasia, a fim de, por mal deles,
Diminuir-lhes o afeto, ou, com argúcias
Apagar-lhes a fé, se acaso ou deixem
De todo a comunhão, ou com tibieza
Se a ela cheguem. Nada, todavia,
De fantasias tais, de tais astúcias,
Embora torpes e hórridas se mostrem,
Impressionar-nos deve. Mas que sejam
Todos esses fantasmas retorquidos
Contra a cabeça dele. Desprezado
Sempre se veja o infame, e escarnecido;
Nem, jamais, em razão de seus insultos,
E das perturbações que ele sugere,
A comunhão santíssima se omita.

III

São também, muita vez, impedimento
A excessiva febril solicitude
Em ter fervor e devoção completos,
E umas certas angústias no tocante
À confissão que deve de ser feita.
Conforme o parecer dos entendidos,
Procede nisso; tais angústias bane,
E depõe tal escrúpulo, porquanto
Ele a graça de Deus impede, e mata
Da mente a devoção.

Não abandones
A comunhão sagrada por alguma
Pequena turbação ou pesadume;
Mas vai a toda pressa confessar-te,
E, sem reserva, todas as ofensas
Perdoa aos outros. Mas se, porventura,

LIVRO QUARTO

Tu ofendeste alguém, perdão implora,
Com inteira humildade, e, de bom grado,
Meu Pai te perdoará.

IV

De que te serve
Ires a confissão procrastinando
Por avultado prazo, ou diferindo
A comunhão sagrada?
Sem detença,
Limpa-te, e cospe com velocidade
O veneno letal, dando-te pressa
Em tomar o remédio, e, certamente,
Melhor te sentirás, (experimenta)
Do que se longo tempo diferisses.
Se deixas hoje por motivo disto,
Talvez haja amanhã coisa mais grave,
E impedido serás por largo prazo
Da comunhão assim, e mais inepto
Tornar-te a ela poderás.

Portanto,
O mais depressa que te for possível,
Esta carga e esta inércia que ora sentes
De ti sacode, pois não há vantagem
Em turbado passar, desassossegos
Por extenso período sofrendo,
E em razão dos obstáculos diários,
Dos divinos mistérios seqüestrar-se.

Grande mal, ao contrário, se origina
De protelar a comunhão, deixando-a
Largo tempo, porquanto, de ordinário,
Grave torpor isso induzir costuma.
Alguns tíbios, porém, e dissolutos
Aceitam de vontade ou sem abalo
Da confissão quaisquer retardamentos,
E, pois, desejam seja protelada
A comunhão augusta, com receio.

460 DA IMITAÇÃO DE CRISTO

De terem de exercer sobre si mesmos
Vigilância maior.

V

Ah! quão pequena
A caridade, e a devoção escassa,
Nos que tão facilmente põem de parte
O excelso sacramento! Quão ditoso
E agradável a Deus quem assim vive
E de tal modo límpida a consciência
Sabe guardar, que ainda cada dia
Preparado estivesse plenamente
Para bem comungar, e alimentasse
Vivo desejo de o fazer, se acaso
Isto lhe fora lícito e o pudera
Sem ser notado!

Quando alguém, no entanto,
Por amor da humildade, algumas vezes
Se abstém ou por legítimos motivos
De impedimento, deve ser louvado
Da reverência. Mas se nele ingresso
Teve o torpor, importa que a si mesmo
Excita a fé e faça o que em si caiba,
E Deus ajudará o seu desejo
Pela boa vontade, a qual nas coisas
Mui particularmente Ele pondera.

VI

Quando, porém, deveras impedido
E legitimamente, terá sempre
Boa vontade, com intento pio
De comungar, e, assim, do Sacramento
Não ficará sem o inefável fruto.

Pode qualquer devoto, com efeito,
Cada dia chegar-se e cada hora
De modo salutar (nada lho veda)

À comunhão espiritual de Cristo.
Contudo, em certos dias, e no tempo
Determinado, sacramentalmente,
Deve de receber o corpo santo
Do amado Redentor, com reverência,
Cheio de afeto, tendo mais em vista
De Deus a honra e louvor que o próprio alívio
E consolo alcançar. Porque comunga
Misticamente tantas vezes, — sendo
De maneira invisível restaurado, —
Quantas com devoção evoca os passos
Da encarnação e da paixão de Cristo,
E de Cristo em amor sua alma acende.

VII

Quem, de outra sorte, apenas se prepara
Quando uma festa se avizinha, ou quando
Do costume obrigado, as mais das vezes
Sem preparo estará.

Feliz aquele
Que ao Senhor se oferece em holocausto
Toda vez que celebra ou que comunga!

Vagaroso não sejas em excesso,
Nem muito acelerado, celebrando;
Convém que te conformes ao bom modo
Usado entre as pessoas com quem vives.
Fastio nem incômodo nos outros
Não deves de engendrar, mas o caminho
Comum seguir, conforme dos maiores
A instituição, a alheia utilidade
Procurando servir de preferência
À própria devoção ou teu afeto.

Capítulo XI

Que o corpo de Cristo e a sagrada Escritura são maximamente necessários à alma fiel

O dulcissime Domine Jesu, quanta est dulcedo devotae animae tecum epulantis in convivio tuo...

I
O FIEL

Quanta, Jesus dulcíssimo, a doçura
Da alma devota que se banqueteia
Convosco, à vossa mesa incomparável
Na qual outro manjar, para alimento,
Senão vós, lhe não é apresentado,
Vós que sois o seu único Dileto,
Sobre os desejos todos do seu peito,
Desejado inefável! Oh! decerto,
Fora-me doce, na presença vossa,
Do íntimo afeto em prantos desfazer-me,
E vos regar com lágrimas as plantas,
Como a piedosa Madalena outrora.
Mas esta devoção onde encontrá-la?
Onde a efusão copiosa, apaixonada.
Dessas lágrimas santas? Com efeito,
Em o vosso conspecto e no dos santos
Anjos vossos, Senhor Onipotente,
Todo meu coração arder devera
E de gozo chorar. Pois que vos tenho
No Sacramento verdadeiramente
Presente, embora com estranha espécie
Encoberto estejais.

LIVRO QUARTO

II

Porque na própria
Divinal e sublime claridade,
Meus olhos vos fitar não poderiam,
Mas nem o mundo inteiro subsistira
No fulgor que da vossa majestade
A glória expande. À minha vil fraqueza
Vós vos acomodais assim, portanto,
Quando debaixo deste Sacramento
Vos escondeis, Deus meu.

Na realidade,
Possuo e adoro aquele a quem os anjos
No céu adoram; mas, por ora, apenas
Eu em fé e de modo provisório,
Porém eles, por vista e sem velame.
Contudo importa que eu contente esteja
Da verdadeira fé no lume augusto,
Andando nele sempre até que aspire
Da sempiterna claridade o dia,
E declinem as sombras das figuras.
Quando, porém, vier o que é Perfeito,
Dos Sacramentos o uso terá termo,
Pois não há para os bem-aventurados
Na glória celestial, necessidade
De mais nenhum sacramental remédio

Porque de infindo júbilo desfrutam
Na presença de Deus, de face a face,
Contemplando-lhe a glória; e, transformados
Na profundeza do divino abismo,
De claridade em claridade, gozam
Do Senhor Deus o Verbo feito carne,
Como foi de ab initio e em todo o sempre
Há de permanecer

III

Em me lembrando
De maravilhas tais, gera-me tudo,

Mesmo qualquer espiritual conforto,
Tédio profundo e grave, pois, enquanto
Abertamente ao meu Senhor não vejo
Na glória sua, tudo quanto escuto
E diviso no mundo, em nada estimo.
Vós me sois testemunha, oh! Deus, que est'alma
Coisa nenhuma consolá-la pode,
Nem me aquietar nenhuma criatura
Senão vós, Senhor meu, a quem desejo
Eternalmente contemplar. Mas isto,
Nesta mortalidade em eu durando,
Não me é possível. Pelo qual importa
Que eu em grande paciência esteja posto
E em todos os desejos, a mim mesmo
A vós submeta. Pois os próprios santos
Que convosco, Senhor, dos céus no reino
Já, exultando se acham, esperavam
Da vossa glória a vinda, enquanto vivos,
Com grande fé e de paciência cheios.
Eu creio o que eles creram, eu espero
O que eles esperavam, e confio

Que chegarei adonde eles chegaram,
Mediante a vossa graça. No entretanto,
Em fé irei andando, confortado
Dos exemplos dos santos. Santos livros
Para consolo e espelho de existência,
Terei também e, acima disto tudo,
Terei o vosso corpo sacrossanto
Como remédio esplêndido e refúgio.

IV

Duas coisas eu sinto que em extremo
Necessárias me são aqui na terra,
Sem as quais esta vida miseranda,
Incomportável, certo, me seria.
Deste corpo no cárcere metido
Hei de mister, confesso, duas coisas
Alimentos e luz. Por isso destes

LIVRO QUARTO

A mim, enfermo, o vosso corpo sacro
Para servir de refeição à mente,
Bem como ao corpo, — e lâmpada pusestes,
Para os meus pés guiar: vossa palavra.

Sem estas duas coisas impossível
Me fora bem viver, pois na palavra
De Deus, a luz reside de minha alma,
E vosso Sacramento é o pão da vida.

Podem ainda as mesmas ser chamadas
Duas mesas, de um lado e de outro postas
Da Santa Igreja no gazofilácio.
É do sagrado altar uma das mesas,
O santo pão contendo, isto é, o corpo
Precioso de Jesus. Da lei divina

É a segunda, encerrando os sãos preceitos;
A fé perfeita ensina, e, firmemente,
Até dentro do véu nos conduzindo
Onde o santo dos santos permanece.
Graças a vós, Senhor Jesus, eu rendo,
Luz da luz eternal, por esta mesa
Da doutrina sagrada que, clemente,
Nos ministrastes pelos vossos servos
Os profetas e apóstolos sublimes,
E outros doutores.

V

Graças vos tributo
Oh! Criador e Redentor dos homens
Que para declarar a todo mundo
A caridade vossa, — aparelhastes
Grande ceia na qual, como alimento,
Não o cordeiro típico haveis dado,
Mas vosso corpo e sangue sacrossantos
No convívio sagrado, os fiéis todos
Enchendo de alegria e inebriando
Com este cálice salutar; — convívio

Onde se encontram todas as delícias
Do paraíso e adonde os anjos santos
Comem junto conosco, mas de modo
Pleno de mais ditosa suavidade.

Oh! como é grande e honroso o ministério
Que tem o sacerdote, ao qual é dado
Consagrar o Senhor da majestade
Com palavras sagradas; com seus lábios
Bendizê-lo; entre as mãos tê-lo; tomá-lo
Na própria boca; ministrá-lo aos outros!

Oh! como aquelas mãos devem ser limpas!
Quão pura aquela boca e santo o corpo!
Como será, de certo, imaculado
O coração onde entra, tantas vezes,
O autor sublime da pureza toda;
Dessa boca que assim tão a miúde
O Sacramento de Jesus recebe,
Não deve de sair coisa nenhuma
Que santidade não revele; nada
Senão palavra honesta e proveitosa.

VI

Simples, pudicos devem ser seus olhos
Que ver costumam de Jesus o corpo;
Puras e para o céu alevantadas
As mãos afeitas a tratar Aquele
Que a terra e o céu criou. Aos sacerdotes
De maneira especial na lei foi dito;
"Sede santos, pois eu, o Senhor vosso,
O vosso Deus, sou santo!"

A vossa graça
Ajude-nos, Senhor, que podeis tudo,
Para que nós, os que de sacerdote
Recebemos o ofício, consigamos
Servir-vos digna e fervorosamente
Em pureza total, e tendo sempre

LIVRO QUARTO 467

A consciência bem nítida. E se acaso
Não podemos guardar tanta inocência
Como devemos, no viver, — aos menos,
Concedei-nos chorar, quanto merecem,
Os males que havemos feito, e de humildade
Verdadeira em espírito, e propósito
De boa, sã vontade, de ora em diante,
Com devoção mais fervida servir-vos.

Capítulo XII

Que se deve preparar com grande diligência para a comunhão de Cristo

Ego sum puritatis amator et dator omnis sanctitatis,

I
CRISTO

*E*u sou, meu filho, o amigo da pureza
Sou o dador de toda santidade;
O coração que puro seja eu busco
E o lugar nele está do meu repouso.

Prepara-me um cenáculo adornado
E grande, que eu a Páscoa em tua casa,
Dos discípulos meus em companhia,
Irei fazer. Se queres que a ti venha,
E me fique contigo, lança fora
Todo o velho fermento deletério
E do teu coração completamente
Alimpa o habitáculo. Exclui dele
Todo século filho, e de seus vícios
Todo o tumulto. Assenta-te assim como
Solitário pardal sobre o telhado

E, de tua alma no amargor cogita,
Em teus excessos. Certo, todo amigo
Prepara àquele de quem é querido
Um ótimo e belíssimo aposento,
Pois deste modo se conhece o afeto
De quem o seu Dileto acolhe e hospeda.

II

Sabe-te, ainda assim, que tu não podes
De tua ação por mérito somente
Esta preparação fazer completa,
Quando mesmo, durante um ano inteiro,
Te aparelharas, de cuidado cheio,
E outra coisa na mente não tiveras.

Achegar-te, porém, à minha mesa
Só por minha piedade e minha graça
Te é permitido; como si o mendigo
Convidado ao jantar do rico fora
E nenhuma outra coisa ele possua
Para retribuição do benefício,
Que se mostrar humilde e agradecido.

Faze o que está em ti, e o faze logo
Com diligencia, não por ser costume,
Não por necessidade; mas deveras.
Com temor, com afeto e reverência,
Recebe o corpo de teu Deus dileto
Do Senhor que de vir a ti se digna.

Eu sou que te chamei; que fosse feito
Eu ordenei, e suprirei, portanto,
O que te falta; vem, e me recebe.

III

Quando concedo do fervor a graça
Graças rende ao teu Deus, não porque és digno,
Senão porque de ti misericórdia
Eu tive. Se a não tens, mas, ao contrário,
Mais árido te sentes, persevera,
Insiste na oração, e geme, e bate,
Sem jamais desistir, té que mereças
Da graça salutar uma migalha
Ou tênue gota receber, ao menos.
Tu precisas de mim, enquanto em nada

Eu preciso de ti. Santificar-me
Tu não vens, porém eu santificar-te
E melhorar-te venho. Tu bem sabes,
Vens para ser por mim santificado
E a mim unido, para que recebas
Nova graça e, de novo, para a emenda
Todo te inflames. Desprezar não queiras
Esta graça, senão, com todo zelo,
Teu coração prepara, e na tua alma
Teu Dileto introduz.

IV

Mas, muito importa
Que para devoção não simplesmente
Antes de comungar, teu ser prepares,
Porém que também nela te conserves,
Animado de igual solicitude,
Após a recepção do Sacramento.
Não se exige depois menor cautela
Que o devoto preparo antecedente,

Porque a boa cautela, e vigilância
Que após se tem são ótimo preparo,
Fará alcançar de novo maior graça;
Pois indisposto nimiamente fica.
Quem logo se espalhar com demasia
Feias consolações que externas forem.

Do falar muito guarda-te; em secreto
Está-te, e goza do teu Deus. Que, certo,
Possuis aquele que té o mundo todo
Tirar não pode. Eu sou a quem te deves
De todo dar, de modo tal que vivas
Já não em ti, mas em mim só extreme
De todas e quaisquer solicitudes.

Capítulo XIII

Que a alma devota deve aspirar, de todo coração, à união com Cristo no Sacramento

> *Quis mihi det, Domine, ut inveniam te solum, et aperiam tibi totum cor meum, et fruar te sicut desiderat anima mea.*

I
O FIEL

Quem me dará, Senhor, que vos ache sozinho
E todo coração vos abra, a vos gozar,
Como, toda carinho,
A minha alma deseja,
E já ninguém então me possa desprezar,
Nem criatura alguma
Mover-me faça, ou veja,
Mas vós só me faleis e eu a vós, qual costuma
O Dileto falar com seu Dileto, ou qual
Banquetear com o amigo um amigo leal.

É minha prece viva, é meu desejo ardente,
Que todo seja unido a vós, e o coração
Abstraia inteiramente
De toda a criação,
E aprenda, a praticar celebração freqüente,
Por meio da sagrada excelsa comunhão,

Preterindo da terra as coisas subalternas,
Gostar mais as do céu, as sublimes e eternas.
Ah! quando, Senhor Deus, convosco todo unido
E absorto, enfim, serei e de ruim esquecido
De maneira total! Vós em mim e eu em vós!
Ouvi os meus reclamos
E concedei que nós
igualmente em um só enfim permaneçamos.

II

Em verdade, Senhor, vós sois o meu querido,
          Entre mil escolhido,
Em o qual se compraz minha alma de habitar
Da sua vida inteira os dias sem cessar;
Em verdade, vós sois meu pacificador,
Em quem há suma paz e quietação completa;
Fora de quem, trabalho, aflição, mente inquieta,
Infinita miséria e torturante dor.
Vós o abscôndito Deus sois, Senhor, na verdade,
Nem o vosso conselho é com ímpios; porém,
Com os simples e os bons que, cheios de humildade,
          O coração mantém.

Como o espírito vosso é suave, Senhor,
          Pois, por demonstração
          Do supremo dulçor
Que aos filhos concedeis, vos dignais, todo amor,
De os refazer mediante o suavíssimo pão
Que descende do céu!
                    Não existe, decerto,
          Na terra outra nação
Assim grande que tenha os deuses seus tão perto
De si, como estais vós, oh! Deus nosso, presente

A todos os fiéis, vossos servos, aos quais
Para consolação de todo o dia, e a mente
Levantarem ao céu, com zelo fervoroso
          A vós mesmo vos dais,
          Como alimento e gozo.

Qual outra gente há, pois, que tão ínclita seja
Como o povo cristão? Ou qual a criatura
Que, debaixo do céu, mais dileta se veja
          Que a alma devota e pura,
Em a qual entra Deus, cuja carne gloriosa
Dá para apascentá-la?!

LIVRO QUARTO

Oh! favor inefável!
Oh! graça generosa!
Dignação admirável!
Oh! raro e ilimitado
Amor singularmente aos homens dispensado!

Em retorno, porém, desta graça e piedade
De tão extraordinária e exímia caridade,
Que darei ao Senhor? Nada poderei dar
Mais grato, sem questão.
Que o coração de todo ao meu Deus entregar
Para atá-lo com ele em íntima união!
— De júbilo exultar
Hão de todas em mim as entranhas, então,
Quando minha alma for perfeitamente unida
A Deus que me dirá: "Se queres ser comigo,
Eu quero ser contigo."
E lhe responderá minha alma agradecida:
De comigo ficar, dignai-vos, Senhor Deus,
Convosco estar meu ser do melhor grado almeja,
Todos os votos seus
São que o meu coração a vós unido seja.

Capítulo XIV

Do ardente desejo que têm alguns devotos de receber o corpo de Cristo

> *O quam magna multitudo dulcedinis tuae, Domine, quam abscondisti timentibus te!*

I
O FIEL

Oh! da doçura vossa como é grande
A multidão, Senhor, que reservastes
Àqueles que vos temem! Quando acaso
Me recordo, Deus meu, de alguns devotos
Que se chegam ao vosso Sacramento.
Com máximo fervor e extremo afeto,
Confuso fico então demais das vezes
E corrido, porque tão tíbio e frio
Me achego ao vosso altar e à santa mesa.
Da comunhão sagrada; por, dest'arte,
Permanecer tão árido, não tendo
No coração afeto; por aceso
Perante vos não me sentir de todo
Nem atraído assim violentamente,
De paixão repassado, como foram,
Muitos fiéis; os quais por nímio anelo,
Do Sacramento santo e por nutrirem

Sensível afeição nas almas suas
As lágrimas conter não conseguiram.
Porém da profundeza das entranhas
Pelos lábios do corpo e juntamente
Pelos do coração, com ânsia intensa
Suspiraram a vós, Deus, fonte viva,
A fome não podendo de outra forma
Temperar nem saciar, se o vosso corpo

Não recebessem, com ledice inteira
E avideza de espírito completa.

II

Oh! vera e ardente fé a que eles tinham,
Fornecendo argumento manifesto
Da sagrada e real presença vossa.
Pois no partido pão perfeitamente
O seu Senhor conhecem todos esses,
Dos quais o coração neles se abrasa
Tão forte de Jesus, que caminhando
Com eles vai.
Está freqüentes vezes
Longe de mim tal devoção e afeto,
Tão veemente amor e ardor tão vivo.
Oh! sede-me propício, vo-lo imploro,
Doce Jesus, benévolo e clemente,
E concedei de quando em quando, ao menos,
Ao vosso pobre mísero mendigo
Na sacrossanta comunhão um pouco
Do entranhável afeto que palpita
Do vosso amor, a fim de que, robusta,
Mais se confirme a minha fé, bem como
Cresça a esperança na bondade Vossa,
E a caridade, desde que se acenda
Perfeitamente em mim e experimente
O celeste maná, jamais faleça.

III

Vossa misericórdia, no entretanto,
Poderosa é também para esta graça
Desejada prestar-me, oh ! Deus bondoso,
E, de ardor em espírito, chegando
O dia que mais for de vosso agrado
Clementíssimamente visitar-me.

Eis a razão porque se bem não ardo
Em o tamanho excepcional desejo

Desses tão especiais devotos vossos,
Por graça vossa, todavia sinto
O desejo, Senhor, daquele grande
E inflamado desejo, suplicando
E almejando partícipe ser feito
De todos esses férvidos amigos
Que vos têm tanto amor, e ver-me deles
Na santa sociedade anumerado.

Capítulo XV

Que a graça da devoção se adquire pela humildade e abnegação de si mesmo

> *Oportet te devotionis gratiam instanter quaerere...*

I
JESUS

*F*az-se mister que instantemente busques
Da devoção a graça, que a supliques
Com ardente desejo; que paciente,
Confiando sempre, a esperes: que a recebas
Agradecidamente; que a conserves
Com humildade; que a operar com ela
Solícito te apliques; e cometas
Ao Senhor Deus a época e a maneira
Da visita superna, té que venha.
Importa, sobretudo, que te humilhes,
Se pouca devoção ou se nenhuma
De dentro sentes; mas jamais te abatas
Em excesso, nem fiques contristado
Desordenadamente. Muitas vezes
Deus em breve momento aquilo outorga
Que longo prazo recusou. Não raro
Dá no fim o que havia diferido
Dar no princípio da oração.

Se a graça
Sempre de pronto fora concedida,
Do desejo à medida aparecendo,
Não pudera, sem dúvida, o homem fraco
Bem suportá-la. Cumpre que, por isso,
Se aguarde a graça do fervor, mostrando
Boa esperança com paciência humilde.
E quando não é dada é também quando

É tirada de ti, de modo oculto,
A ti somente o imputa e aos teus pecados.
É pouco, certas vezes, o que impede
E esconde a graça; é pouco, se é possível
Porventura de pouco ser chamado,
E não antes mui grande, o que proíbe
Tamanho bem. E se isto mesmo, pouco
Ou grande, plenamente debelares
E venceres, — será o que pediste.

III

Logo que, com efeito, a Deus te deres
De todo coração, nem mais buscares
Isto ou aquilo, ao modo do teu gosto
Ou teu querer, porém inteiramente
Em suas mãos celestes te puseres,
Unido te acharás, e apaziguado,
Pois como o beneplácito inefável
Da vontade divina, coisa alguma
Haverá que te assim bem saiba e agrade.
Por isso, todo aquele que levanta,
Com simples coração, o seu intento
Acima para Deus, e se despeja
De todo amor sem regra, ou displicência

Da criação a qualquer coisa, é apto,
Em alto grau, de perceber a graça,
E digno da mercê do ardor devoto.

Pois o Senhor confere a sua benção
Aí adonde achar vazios vasos.

E quanto mais alguém perfeitamente
Da terra às baixas coisas renuncia,
E mais morto a si mesmo vai ficando,
De si pelo desprezo, tanto a graça
Mais apressada vem, entra mais farta,
E o livre coração mais alto eleva.

IV

Verá então terá grande abundância
E o coração de espanto estará cheio
E fora de si mesmo dilatado,
Pois a mão do Senhor está com ele
E, nessa mão, de todo e para sempre,
Ele se colocou.
        Eis a maneira
Como será bendito o homem que busca
A Deus, com todo coração fervente,
E não recebe em vão sua alma.
        Oh! este
A Eucaristia santa recebendo,
Merece a grande, a soberana graça
Da divinal união, porque não olha
A própria devoção e lenitivo,
Mas, sobre toda devoção e alívio,
Na honra e na glória do Senhor atenta.

Capítulo XVI

Como devemos abrir nossas necessidades a Cristo e pedir sua graça

> *O dulcissiimae atque amantissime Domine, quem nunc devote desidero suscipere!*

I
O FIEL

Senhor que essa alma adora,
Dulcíssimo e amantíssimo Senhor,
A quem desejo receber agora.
   Com devoto fervor,
   Vós da minha fraqueza
E da necessidade que padeço
   Sabeis toda a rudeza.
Sabeis em quantos males e vexames
Ou vícios abismado permaneço,
Quão freqüentes me oprimem os gravames,
   Quanta vez sou tentado,
   Em traiçoeiro assédio,
Quanta vez confundido e maculado!
Venho a vós a procura de remédio
Consolo a deprecar e alívio vosso,
Falo a quem sabe tudo, a quem não posso
   Coisa alguma ocultar,

A quem todo o meu íntimo é patente
E que só me podeis perfeitamente,
   Consolar e ajudar
Vós sabeis de que bens eu necessito
De tudo acima e como pobre sou
De virtudes, Deus meu. Eis-me contrito,
   A vossos pés estou.

II

Eis-me aqui ante vós pobre e despido,
Graça pedindo, a suplicar clemência,
Refazei o faminto, o desvalido
Mendigo vosso, erguei-o da indigência.
Aquecei-me a frieza que me invade,
Do vosso amor no fogo, ardor me dai,
E da vossa presença a claridade
A cegueira, Senhor, me iluminai.

Toda coisa terrena em amargura
      Convertei para mim,
Toda coisa contrária, grave, dura,
Converte em paciência, e bem assim,
Tudo quanto for ínfimo e criado,
      Em olvido e desprezo.
Erguei meu coração purificado,
      Em devoção aceso,
A vós no céu, e não deixes que errante
      Eu vague sobre a terra.
      Vós só de agora em diante,
E para sempre doce me sejais,
Pois a doçura toda em vós se encerra,
Meu manjar e beber só vós formais.
Amor meu, gozo meu, doçura minha
Todo bem meu, nesta mansão mesquinha,

III

E que ditoso eu fora, oh Deus perfeito
Se da vossa presença me inflamáreis
      De todo, e me abrasáreis
E mudareis em vós, para ser feito,
      Na habitação superna,
Convosco um só espírito, Senhor,
Pela graça imortal da união interna
E por liquefação do ardente amor.
      Em jejum e sequioso,
Que de vós eu me parta não deixeis,

Mas, com clemência, me tratai, bondoso,
Como admiravelmente,
De maneira freqüente
Com vossos santos praticado haveis.
Oh! se todo de vós eu me inflamara
E em mim mesmo, Senhor, me consumira,
Coisa não fora extraordinária e rara,
Porque fogo vós sois que não expira,
Sem jamais apagar os seus clarões,
Vós sois amor que a inteligência aclara,
Amor que purifica os corações.

Capítulo XVII

Do ardente amor e veemente afeto de receber Cristo

> Cum summa devotione et
> ardenti amore, cum toto cordis
> affectu et fervore desidero te,
> Domine, suscipere.

I
O FIEL

Com suma devoção e amor ardente,
Com íntimo fervor e todo afeto
Do coração desejo receber-vos
Tal como ao comungar, vos desejaram
Muitos dos Santos e pessoas pias,
Os quais, em alto grau vos agradaram
Da vida sua pela santidade,
E em devoção vivíssima estiveram.

Oh! Deus meu, Senhor meu, Amor eterno,
Todo bem meu, intérmina Ventura,
Com fortíssimo anelo e reverência
Digníssima, desejo recebei-vos,
Mais do que nunca teve algum dos santos
E conseguiu sentir.

II

E, posto indigno
De haver todos aqueles sentimentos
De devoção eu seja, todavia
Todo afeto que existe na minha alma
Vos ofereço, como se estes todos
Inflamados gratíssimos desejos
Eu só tivera.

484   DA IMITAÇÃO DE CRISTO

Mas também, Deus justo,
Tudo aquilo que pode a mente pia
Conceber e almejar, tudo isso, oh! tudo
Com sumo acatamento e íntimo zelo
Presento e oferto a vós. Eu nada quero
Para mim reservar, senão depressa,
De modo libentíssimo e espontâneo
A vós, com tudo o meu, sacrificar-me.

Senhor, Deus meu, oh! vós que me criastes,
E remistes depois, com tanto afeto,
Honra, louvor, e funda reverência,
Com tanta gratidão e dignidade.
Tanto amor, tanta fé, tanta esperança
E pureza — hoje anseio receber-vos,
Como a gloriosa Virgem Sacrossanta,
Maria, vossa mãe incomparável,
Vos recebeu e desejou outrora,
Devota e humilde, respondendo ao anjo
Que lhe evangelizou o alto mistério
Da encarnação: Eis do Senhor a escrava,
Faça-se em mim segundo o que disseste.

III

E como o vosso precursor sublime,
Que excelência maior tem entre os santos,
O Bem-aventurado João Baptista,
Perante vós, repleto de alegria,
Em o Espírito Santo desfrutando,
Exultou, quando ainda oculto estava,
No seio maternal, e que, mais tarde,
Vendo Jesus andar por entre os homens
Dizia, com muitíssima humildade,
E devota afeição. Do amigo o esposo,
Que junto dele permanece, a ouvi-lo,
Do Esposo pela voz se enche de gosto.

Assim também ser inflamado eu quero
De grandes, sacratíssimos desejos,

A vós, oferecendo-me a mim mesmo
De todo coração.
                        Por isso, ainda
Vos ofereço e a vossos pés deponho
Os transportes de júbilo de todos
Os corações devotos, os afetos
Cheios de ardor, os êxtases da mente,
E os sobrenaturais alumiamentos
E célicas visões extraordinárias,
Com todas as virtudes e louvores
Que as criaturas todas celebrado
Têm no céu e na terra, e, de futuro,
Celebrarão ainda; e vo-lo oferto
Não só por mim, como também por todos
Que à prece minha se recomendaram,
A fim de que condignas homenagens
De todos recebais e para sempre

Sejais glorificado!
                        Sim! Meus votos
Aceitai, Senhor Deus, e os meus anelos
De infinito louvor e imensa benção,
Os quais, por justa lei, vos são devidos,
Segundo a multidão da inumerável
Grandeza vossa. Rendo-vos tais coisas,
E rendê-las quisera cada dia
E momento dos tempos; e com preces
E afetos cordiais, convido e exoro
A todos os espíritos celestes
E a todos os fiéis, para comigo
Mil graças e louvores vos renderem.

IV

Oh! que em universal os povos todos
Tribos e línguas, Senhor Deus, vos louvem,
E, com júbilo extremo e ardente zelo,
Vosso melífluo, sacrossanto nome
Magnifiquem, sem fim. E todos quantos
Com reverência e devoção celebram

O sacramento Altíssimo, e o recebem
Com fé plenária, firme, e inabalável,
Misericórdia e graça achar mereçam,
Perante vós e instantemente exorem
Por mim vil pecador.
E quando houverem
O fervor que desejam conseguido
Com a gozosa união, e se apartarem
Muito bem consolados, e refeitos
Maravilhosamente, da sagrada
Celeste mesa, de lembrar se dignem
Minha pobre e misérrima entidade!

Capítulo XVIII

Não seja o homem um curioso escrutador do Sacramento, mas humilde imitador de Cristo cativando seu entendimento à sagrada fé.

> *Cavendum est tibi a curiosa e inutili perscrutatione hujus profundissimis Sacramenti, si non vis in dubitationis profundum submergi.*

I
JESUS

$\mathcal{F}$oge de perscrutar curiosa e inutilmente
O mistério existente
Neste meu Sacramento
De profundeza ingente,
Se não queres cair e afundar, num momento,
Das dúvidas no abismo.
Esse que a majestade
Esquadrinhar procura, oprimido há de ser
Da glória sua. Evita a vã curiosidade;
Deus mais pode operar do que o homem entender.

A pia inquirição humilde da verdade,
De certo, é tolerável,
Sempre a ser ensinada
Disposta, e pondo estudo em andar imutável
Dos Padres pela sã doutrina consagrada.

II

Como a simplicidade é bem-aventurada,
Deixando das questões as tormentosas vias
Para dos mandamentos
De Deus, só tendo a fé e a devoção por guias,

488 — DA IMITAÇÃO DE CRISTO

Na vereda tão plana e tão segura andar!
Muitos a devoção perderam desatentos,
  Em coisas de alta esfera
  Querendo investigar.
Só de ti se requer fé e vida sincera,
Não que tenhas, porém, de entendimento alteza,
  Nem muita profundeza
Dos mistérios de Deus.
    Se coisas não entendes
Que abaixo estão de ti, como entender pretendes
As que por cima estão?
    Somete-te ao Senhor
Humilha em tudo à fé a tua inteligência
E então te será dado o lume da ciência,
Conforme necessário e profícuo te for.

III

Tentados gravemente alguns são, no tocante
Ao Sacramento e à fé, mas disto a imputação
Antes ao inimigo astuto e vigilante
Que a desgraçados tais compete com razão.

Não fiques cuidadoso e disputar não queiras
Com as cogitações que nutras porventura,
Nem respondas jamais às dúvidas arteiras
Que o diabo te sugira à mente mal segura.
Às palavras de Deus crê, porém; aos seus santos,
Aos seus profetas crê, e, evitando o perigo

    De pérfidos quebrantos,
Faze de ti fugir o malvado inimigo.

Ao servo do Senhor traz imenso proveito.
Muita vez, o sofrer todos esses horrores,
    Pois o inimigo atreito
A emboscadas não tenta aos maus e pecadores
Que já possui seguro. Entretanto, aos fiéis,
Aos devotos e bons, cuja posse requesta
    Ele tenta e molesta
    De mil modos cruéis.

LIVRO QUARTO   489

Prossegue, pois, com fé simples e indubitada
E achega-te ao altar da comunhão sagrada
Com súplice respeito. E a Deus Onipotente
Cheio de segurança e firmeza o teu ser,
Comete tudo quanto, excedendo-te a mente,
Não podes entender.

Não te engana o Senhor; engana-se à porfia
Quem demais em si mesmo acredita e confia.

Deus com os simples anda; aos humildes se mostra;
Aos pequeninos dá inteligência; prostra
       Os grandes poderosos;
Às puras mentes abre o entendimento; a graça
Aos soberbos esconde e também aos curiosos.

       Como a razão humana
       É mui débil e escassa,
       Pode ser enganada;
Mas a fé verdadeira, essa nunca se engana
       Nem se embaraça em nada.

IV

Toda e qualquer razão e natural pesquisa
Deve seguir a fé, e não a preceder
Nem quebrantar jamais, porquanto, sem baliza
O amor e a fé aí tudo a sobreexceder
For ocultas maneiras,
Operam neste augusto e sobreexcelentíssimo
Sacramento Santíssimo
Que produz a alegria e a glória verdadeiras.

Deus imenso, eternal de poder infinito,
Sobre a terra e no céu ingentes coisas faz
       Que inescrutáveis são,
       E de atingir capaz
       O segredo inaudito
Das obras do Senhor, todas maravilhosas,
       Não há indagação.

Se tais foram de Deus as obras, portentosas
Que do homem a razão
Facilmente as pudera entender e alcançar,
Não foram admiráveis
Nem, certo, de inefáveis
Se puderam chamar.

FIM

LEITURAS DA IMITAÇÃO

divididas segundo as diferentes necessidades dos fiéis

Para os Padres

- Liv. I — Caps. 18, 19, 20, 25.
- Liv. II — Caps. 11 e 12.
- Liv. III — Caps. 3, 10, 31, 56.
- Liv. IV — Caps. 5, 7, 10, 11, 12, 18.

(Também os capítulos indicados adiante para a comunhão e para as pessoas piedosas.)

Para os Seminaristas

- Liv. I — Caps. 17,18,19, 20, 21, 25
- Liv. III — Caps. 2, 3, 10, 31, 56.
- Liv. IV — Caps. 5, 7, 10, 11, 12, 18.

Para os que se entregam ao estudo, especialmente ao da Filosofia e da Teologia

- Liv. I — Caps. 1, 2, 3, 5.
- Liv. III — Caps. 2, 43, 44, 48, 58.
- Liv. IV — Cap. 18.

Para as pessoas a quem aflige seu pouco progresso no estudo

- Liv. III — Caps. 29, 39, 41, 47.

Para os Religiosos e Religiosas

Os capítulos indicados para os Seminaristas e para as pessoas piedosas

Para as pessoas piedosas

- Liv. I — Caps. 15, 18, 19, 20, 31, 22, 25.
- Liv. II — Caps. 1, 4, 7, 8, 9, 11, 12.
- Liv. III — Caps. 5, 6, 7, 11, 27, 31, 32, 33, 53, 54, 55, 56.

Para as pessoas aflitas e humilhadas

- Liv. I — Cap. 12.
- Liv. II — Caps. 11, 12.
- Liv. III — Caps. 12, 15, 16, 17, 18, 19, 20, 21, 29, 30, 35, 41, 47, 48, 49, 50, 52, 55, 56.

Para as pessoas demasiado sensíveis a seus sofrimentos

- Liv. I — Cap. 12.
- Liv. III — Cap. 12.

Para as pessoas induzidas em tentação

- Liv. I — Cap. 13.
- Liv. II — Caps. 9.
- Liv. III — Caps. 6, 16, 17, 18, 19, 20, 21, 23, 30, 35 37, 47, 48, 49, 50, 52, 55.

Para os pesares íntimos.

- Liv. II — Caps. 3, 9, 11, 12.
- Liv. III — Caps 7, 12, 16, 17, 18, 19, 20, 21, 30, 35, 47, 48, 49, 50, 51, 52, 55, 56.

492   DA IMITAÇÃO DE CRISTO

Para as pessoas inquietas a respeito do futuro, da saúde, da fortuna, do bom êxito de um passo

• Liv. III — Cap. 39.

Para as pessoas que vivem no mundo, ou que são distraídas por suas ocupações

• Liv. III — Caps. 38, 53.

Para as vítimas da calúnia ou da maledicência

• Liv. II — Cap. 2.
• Liv. III — Caps. 6,11,38, 36, 46.

Para as pessoas cuja conversão começa

• Liv. I — Caps. 18, 35.
• Liv. II — Cap. 1.
• Liv. III — Caps. 6, 7, 23, 25, 26, 27, 33, 37, 52 54, 55.

Para as pessoas pusilânimes, fracas ou negligentes

• Liv. I — Caps. 18, 21, 23, 25.
• Liv. II — Caps. 10, 11, 12.
• Liv. III — Caps. 3, 6, 27, 30, 35, 37, 54, 55. 57

Para um retiro

• Liv. III — Cap. 53 — Para o preparo
• Liv. I — Caps. 20, 21— Para o preparo
• Liv. I — Cap. 22 — Misérias da vida.
• Liv. I — Cap. 23. — A morte.
• Liv. I — Cap. 24 — O Juízo Final e o inferno
• Liv. III — Cap. 14 — O Juízo Final e o inferno
• Liv. III — Cap. 48. — O céu.
• Liv. III — Cap. 59 — Para encerrar o retiro

Para obter a paz de espírito

• Liv. I — Caps. 6, 11.
• Liv. II — Caps. 3, 6.
• Liv. III — Caps. 7, 23, 25, 38.

Para as pessoas dissipadas

• Liv. I — Caps. 18, 21, 22, 23, 24.
• Liv. II — Caps. 10, 12.
• Liv. III — Caps. 14, 27, 33, 45, 53, 55.

Para os pecadores insensíveis

• Liv. I — Caps. 23, 24.
• Liv. II — Caps. 14, 55.

Para as pessoas ociosas.

• Liv. III — Caps. 24, 27.

Para as que dão ouvido às maledicências

• Liv. I — Cap. 4.

Para as pessoas dispostas ao orgulho.

• Liv. I — Caps. 7, 14.
• Liv. II — Cap. 11.
• Liv. III — Caps. 7, 8, 9, 11, 13, 14, 40, 52.

Para os espíritos brigadores e teimosos

• Liv. I — Cap. 9.
• Liv. III — Caps. 13, 32, 44.

Para as pessoas impacientes.

• Liv. III — Caps. 15, 16, 17, 18, 19.

    (Parágrafo 5 do Cap. XIX Oração para pedir paciência)

Para os desobedientes

• Liv. I — Cap. 9.
• Liv. III— Caps. 13, 32.

LEITURAS DA IMITAÇÃO

493

Para os faladores

• Liv. I — Cap. 10.
• Liv. III — Caps. 24, 44, 45.

Para os que se ocupam com os defeitos alheios, não olhando os próprios

• Liv. I — Caps. 11, 14,16.
• Liv. II — Cap. 5.

Para os que têm falsa ou mal entendida devoção

• Liv. III — Caps, 4, 6, 7.

Para inspirar retidão de intuitos

• Liv. III — Cap. 9.

Para as pessoas demasiado susceptíveis

• Liv. III — Cap. 44.

Para os que demasiado se prendem às doçuras do afeto humano

• Liv. I — Caps. 8, 10.
• Liv. II — Caps. 7, 8
• Liv. III — Caps. 32, 42, 45.

Para os que se escandalizam ante a simplicidade ou a obscuridade das Sagradas Escrituras.

• Liv. I — Cap. 5.

Para as pessoas propensas ao ciúme e inveja

• Liv. I — Cap. 24.
• Liv. III — Caps. 22, 41.

Para os concupiscentes

• Liv. I — Caps. 3, 12, 24.

Orações tiradas da Imitação

Oração antes da leitura espiritual

• Liv. III — Cap. II

Para obter a graça da devoção

• Mesmo livro — Cap. III — parag. 6 e 7.

Oração para implorar o socorro das divinas consolações

• Mesmo livro — Caps. IV, V, — parag. 1 e 2.

(O mesmo antes ou depois da Comunhão)

Para obter que aumente em nós o amor de Deus

• Mesmo livro — Cap. V — parag. VI.

Sentimentos de aniquilamento na presença de Deus

• Mesmo livro — Cap. VIII.

(Antes da Comunhão.)

Oração para quem vive em retiro e piedade

• Mesmo livro — Cap. X.

Sentimentos de profunda humildade

• Mesmo livro — Cap. XIV.

(Antes ou depois da Comunhão)

Para pedir resignação à vontade de Deus

• Mesmo livro — Cap. XV.

494 — DA IMITAÇÃO DE CRISTO

(Desde a segunda frase do parag. 2, até ao fim, e parte do primeiro.)

Sentimentos de resignação

- Mesmo livro — Cap. XVI, no fim; XVII — parag. 2 e 4; XVIII— parag. 2.

Para pedir paciência

- Mesmo livro — Cap. XIX — parag. 5.

Oração para as pessoas aflitas ou tentadas

- Mesmo livro — Cap. XX, XXI — parag. 1, 2, 3, 4, 5.
  (Mesma oração para os que se sentem cheios do amor de Deus).
  Também para antes e depois da Comunhão.

Ato de agradecimento

- Mesmo livro — Cap. XXI — parag. 7.
  (Depois da Comunhão.)

Oração para os que porventura julgarem ter recebido menos de Deus que os outros, quer no corpo, quer no espírito

- Mesmo livro — Cap. XXII.

Para pedir, a pureza do espírito e o desprendimento das criaturas

- Mesmo livro — Cap. XXIII — parag. 5 até ao fim.

Oração de quem começa a se converter

- Mesmo livro — Cap. XXVI.

(A mesma para quem deseja se adiantar na virtude).

Oração para pedir espírito de força e de sabedoria

- Mesmo livro — Cap. XXVII — parag. 4 e 5.

Oração própria para as pessoas que sofrem alguma viva aflição

- Mesmo livro — Cap. XXIX.

Para depois da Comunhão

- Mesmo livro — Cap. XXXIV.
  (A mesma para se exercitar no amor de Deus.)

Sentimentos da alma que se entrega à Divina Providência

- Mesmo livro — Cap. XXXIX — parag. 2.

Sentimentos de humildade

- Mesmo livro — Cap. XL.
  (Antes ou depois da Comunhão.)

Oração para quando se recebe de Deus alguma graça

- Mesmo livro — Cap. XL.
  (Antes ou depois da Comunhão.)

Sentimentos de resignação

- Mesmo livro — Cap. XLI — parag. 2.

Sentimentos piedosos

- Mesmo livro — Cap. XLIV — parag. 2.

LEITURAS DA IMITAÇÃO

Oração para as vítimas da calúnia

- Mesmo livro — Cap. XLVI — parag. 5.

Oração concernente à felicidade do céu e que se pode rezar particularmente nos dias de Páscoa, da Ascensão e de Todos os Santos

- Mesmo livro — Cap. XLVIII.

  (Antes ou depois da Comunhão.)

Sentimentos de humildade e de contrição

- Mesmo livro — Cap. LII.

  (Antes da Comunhão.)

Oração para pedir os socorros da graça

- Mesmo livro — Cap. LV.

Oração para os Padres, Religiosos e Religiosas, a fim de pedir perseverança na sua vocação

- Mesmo livro — Cap. LVI — parag. 3, 5, 6

Sentimentos de confiança em Deus

- Mesmo livro — Cap. LVII — parag. 4.

Oração para todas as pessoas piedosas e cristãs

- Mesmo livro — Cap. LIX.

  (Depois da Comunhão.)
  (Pode ser rezada também para terminar o retiro.)

Oração ante o Santíssimo Sacramento

- Liv. IV — Cap. I, II, III, IV, IX, XI, até ao parag. 6; XIII, XIV, XVII e parte das orações acima indicadas.

Sobre a dignidade dos Sacerdotes e santidade do seu ministério

- Mesmo livro — Cap. V.

Para os Padres e Seminaristas

- Mesmo livro — Cap. XI — parag. 6, 7, 8.

Leituras para a Santa Comunhão

Convém, a exemplo de muitos santos, fazer preceder de um retiro de três dias o recebimento da Sagrada Comunhão.

PRIMEIRO DIA

De manhã
- Liv. III — Cap. 53 — Espírito de retiro.

Ao meio-dia
- Liv. I — Cap. 20 — Espírito de retiro.

De noite
- Liv. I — Cap. 21 — Espírito de retiro.

SEGUNDO DIA

De manhã
- Liv. I — Cap. 22 — Misérias da vida.
- Liv. I — Cap. 23 — A morte.

Ao meio-dia
- Liv. I — Cap. 24 — Juízo Final e o Inferno.
- Liv. III — Cap. 14 — Juízo Final e o Inferno.

496 DA IMITAÇÃO DE CRISTO

De noite
- Liv. III — Cap. 48 — O céu
- Liv. III — Cap. 59 — Conclusão.

TERCEIRO DIA

De manhã

Preparo e exercício de humildade
- Liv. IV — Cap. 6 — Oração para se obter a graça da santa aproximação dos Sacramentos.
- Liv. IV — Cap. 7 — Exame de consciência, contrição, firme propósito, confissão e satisfação.

(Ler, em seguida, de joelhos o Cap. VIII do liv. III.)

Ao meio-dia
- Liv. IV — Cap. 18 — Fé; submissa no mistério da Eucaristia.
- Liv. IV — Cap. 10. — Vantagem da Comunhão freqüente.

(Não ler a 2ª parte de parag. 7 até ao fim. Ler de joelhos o Cap. 52 do liv. III.)

De noite
- Liv. IV — Cap. 12. — Preparo para a santa Comunhão.
- Liv. IV — Cap. 15. — Devoção fundada na humildade e na renúncia de si mesmo.
- Liv. IV — Cap. 9 — Oferecer-se a Deus na Comunhão.

(Ler de joelhos o Cap. XL do liv. III.)

PARA O DIA DA COMUNHÃO

De manhã
- Liv. IV. — Caps. — 1, 2, 3, 4.

Antes da missa e durante ela
- Liv. IV — Caps. 9, 16, 17.

(Após o Pater, fechar o livro, dizer de cor os atos para antes da Comunhão, ou, então, o ato de contrição, os das três virtudes teologais e as três orações que

seguem o Agnus Dei; ficar, depois, em adoração.)

(Depois da santa Comunhão, ficar em adoração até ao fim da missa; dizer de cor os atos para depois da Comunhão.)

Depois da missa
- Liv. IV. — Caps. 11, 13, 14.

(Não ler os parag. 6, 7, 8. Recitar os cânticos Benedictus, Magnificat, Nunc dimittis, e o Te Deum, quer na Igreja, quer voltando a casa.)

Durante o dia e de noite
- Liv. III — Caps. 21, 34, 48.

(Repetir depois o Cap. 9 do liv. IV e escolher, à vontade, uma leitura entre as orações anteriormente indicadas.)

Prática de perseverança

Depois da santa Comunhão

PRIMEIRO DIA

Agradecer N. S. Jesus Cristo e excitar a alma a amá-lo
- Liv. III — Caps. 5, 7, 8, 10.

SEGUNDO DIA

Escutar a voz de Jesus Cristo falando à alma que o recebeu.
- Liv. III — Cap. 1.
- Liv. IV — Cap. 1, 2, 3.

TERCEIRO DIA

Desprendimento das criaturas
- Liv. III — Caps. 26, 31, 42, 45.

QUARTO DIA

Desprendimento de si próprio e abandono a Deus
- Liv. III — Caps. 15, 17, 27, 37.

QUINTO DIA

Sofrer com paciência unindo-se aos sofrimentos de Jesus Cristo

- Liv. II — Cap. 12.
- Liv. III — Cap. 16, 18, 19.

SEXTO DIA

Perseverar no fervor das boas resoluções tomadas ao Comungar.

- Liv. I — Caps. 19, 25.
- Liv. III — Cap. 23, 55.

(Se não se puder ler os quatro capítulos, leiam-se de preferência o primeiro e o último de cada dia. Pode-se também ler dois de manhã e dois à noite).

A presente edição de DA IMITAÇÃO DE CRISTO de Tomás de Kempis é o volume de número 9 da Coleção As Fontes. Impressa na Líthera Maciel Editora e Gráfica Ltda., à rua Simão Antônio 1.070 - Contagem, para a Editora Itatiaia, à Rua São Geraldo, 67 - Belo Horizonte. No catálogo geral leva o número 0986/6B. ISBN. 85-319-0662-8.